W9-CZR-163

친절한 복희씨

박완서 소설집
친절한 복희씨

초판발행 2007년 10월 12일
16쇄발행 2007년 12월 27일

지 은 이 박완서
펴 낸 이 채호기
펴 낸 곳 ㈜문학과지성사

등록번호 제10-918호(1993. 12. 16)
주 소 서울 마포구 서교동 395-2(121-840)
전 화 02)338-7224
팩 스 02)323-4180(편집) 02)338-7221(영업)
전자우편 moonji@moonji.com
홈페이지 www.moonji.com

ISBN 978-89-320-1814-0

박완서 소설집

친절한 복희씨

문학과지성사
2007

차례

그리움을 위하여

올겨울 추위는 유별나다. 눈도 많이 왔다. 스키 캠프 간 손자들한테서 걸려온 전화 목소리가 낭랑하다. 눈다운 눈이 안 올 때는 제설기로 만든 눈으로 스키를 탄다는 걸 알고부터는 아이들을 스키장에 보내는 걸 마뜩잖아했는데 올해는 하늘이 내리는 눈으로 스키도 타고 썰매도 탈 생각을 하니 나도 기분이 좋다. 집 앞에 숲이 있어 바라보는 눈 경치도 기막히다. 그래도 나는 눈이 무섭다. 친정 어머니가 금년처럼 폭설이 내린 해에 눈에서 미끄러져서 엉치뼈가 망가진 후 노인으로는 견디기 어려운 수술을 여러 번 거쳤지만 결국 보행의 자유는 회복하지 못하고 십 년 동안이나 집 안에 갇혀 지내다가 돌아가셨다. 지금 내 나이가 그 지경을 당하실 때의 어머니 나이와 같다. 노후에 보행의 자유를 잃는다는 게 어떤 것이라는 걸 알기 때문에 나는 눈만 오면 미리 집 안에 갇혀 지내기로 작정을 하고 있다. 죽는 날까지 잃고 싶지 않은 가장 소중한 걸 대라면 서슴지 않고 보행의 자유를 대겠다. 어머니 돌아가실 때에도 눈이 많이 왔다. 어머니는 한겨울에 돌아가셨다. 영구차가 공원묘지 오르막길을 오르기가 여간 아슬아슬하지 않았다. 노인들이 춥지도 덥지도 않을 때 죽기를 소망하는 것도 봄가을이라고 죽기가 덜 서럽거나 덜 힘들어서 그러겠는가, 다 자식들을 생각해서지. 그러나 노인들의 소망과는 달리 혹한이나 혹서가 계속될 때 노인들의 돌연사가 가장 많다고 한다. 지난여름은 해마다 기온이 상승한다는 지구온난화 현상을 감안하더라도 예년에 없는 찜통 더위가 입추 처서 지나고 나서까지 수그러들 줄 몰랐다. 작년의 그 유난스러운 더위가 이 엄동설한에도 문득문득 생각나며 가슴이 아려오는 것은 무슨 까닭일까.

나에게는 옥탑방에 사는 사촌동생이 하나 있다. 둘 다 환갑 진갑 다 지나 같이 늙어가는 처지지만 동생은 나보다 여덟 살이나 아래다. 볼이 늘 발그레하고 주름살이라곤 없는데 살피듬까지 좋아서 오십대 초반으로밖에 안 보인다. 그러나 겨울나기는 많이 힘들어한다. 기온이 영하로 내려가면 무거운 것도 못 들고, 걷는 것도 느릿느릿 절룩거린다. 동생 말에 의하면 날씨만 추워지면 온몸의 마디가 안 쑤시는 데가 없다고 한다. 동생은 자기의 이런 병을 '웬수 관절이 또 도졌다' 또는 '이놈의 관절만 없다면'이라고 마치 관절을 몹쓸 병 이름처럼 표현한다. 하긴 집에

온 손님들이 시국 얘기를 하면서 아이엠에프를 졸업했나 말았나, 설왕설래하는 소리를 듣더니 부엌에서 나한테 귓속말로 아암프가 어디 대학 이름이냐고 물었으니까. 우리 집에 손님으로와 본 사람은 다들 동생을 얹혀사는 군식구인 줄 안다. 그러나 동생이 남한테 붙박이 식모 취급당하는 건 싫어서 사촌동생이라는 걸 분명히 해두었기 때문에 어느 틈에 이모님이라고 부르게 되었다. 동생이 매일 오는 건 아니다. 보통 파출부처럼 일주일에 두 번 요일을 정해놓고 청소와 빨래 밑반찬 등을 해주고 가지만 손님을 청할 일이 있을 때나 명절 제사 같은 때는 수시로 부를 수가 있다. 요새 젊은이들은 제 자식 백일이나 돌잔치까지 호텔이나 이름난 요릿집에서 하지만 나는 그 꼴 못 봐준다. 밖에서 점심이라도 한 끼 사야 할 일이 있을 때뿐 아니라 누가 나에게 점심을 사고 싶다고 할 때까지도 나가기도 귀찮으니 집으로 오라고 부르곤 하는 것도 아마 그 꼴 못 봐준다는 강한 의사 표시인지도 모르겠다. 그러나 집에서 밥 한 끼 먹이는 게 어디 보통 일인가. 믿는 구석이 없다면 감히 엄두도 못 낼 일이다. 동생은 음식 솜씨가 좋다. 구메구메 해놓고 가는 밑반찬은 누가 맛있다고 칭찬만 해주면 아낌없이 덜어줄 수 있을 만큼 넉넉하기도 하다. 그러나 손님들은 그게 다 내 솜씨인 줄 안다. 자식들이 잔손 갈 나이를 벗어날 무렵부터 시작해서 근 삼십 년 가까이 이어져 오는 동창계 친구들조차도 내가 탈 차례가 되면 '네 손맛 좀 보게 너희 집에서 하자'고 은근히 압력들을 넣는다. 저희들은 집들이 잔치까지도 집 밖에서 하는 주제에. 우리 동창 또래들은 사는 형편들은 제각각이지만 시대를 잘 탔는지, 나이를 먹을 만큼 먹어서 그런지 호텔 뷔페라면 최고의 식사인 줄 알고 웬 떡이냐 마구 식탐을 부리던 때가 언제 적이냐 싶게 다들 입맛이 여간 까다로운 게 아니다. 죽을 날이 가까울수록 고향 쪽으로 머리라도 두고 싶어 하듯이 맛의 시간여행을 하고 싶은 거였다. 그런 골동품혀들이 우리 집 음식 맛을 최고로 쳐준다. 하다못해 슴슴하고 물렁한 무나물 같은 하찮은 것까지 저희들은 죽었다 깨어나도 그 맛을 못 낸다는 거였다. 내가 개성 출신이라는 것 때문에 내 손맛을 그렇게 신비화시키는지도 몰랐다. 나는 그런 칭찬이 싫지 않았다. 싫지 않은 정도가 아니라 전통의 맥, 가문의 품격까지 얹어서 평가받고 있다고 여기고 싶었다. 순전히 칭찬을 듣는 맛에 툭하면 집에서 밥을 먹이고 싶어 하는지도 몰랐다. 천격스러운 것이란 획일적인 것의 다름 아니었다. 그러나 우리 집만의 음식 맛은 김치를 비롯해서 고추장 된장까지 하나같이 동생의 손맛이지 내 손맛은 아니었다. 나는 뜨끔도 하지 않고 천연덕스럽게 동생의 손맛을 표절하고 있었다.

동생과 나는 사촌간이지만 같은 집에서 태어났고 한 집에서 유년기를 보냈다. 그러나 나는 공부 잘하는 아이로 낙인찍힘으로써 집안일은 조금도 안 거들고 공부만 하다가 시집을 가게 되었다. 시집가서는 살림살이에 집착이 많은 시어머님과의 평화공존을 위해 살림살이에서 겉돌다가 남편의 수입이 늘면서 나

대신 시골서 상경한 소녀를 시어머니 조수로 붙여줌으로써 살림이라는 걸 배울 기회를 영영 놓치고 말았다. 내가 시집살이할 50년대는 다들 살기가 지금과는 댈 것 아니게 곤궁했고 도농간의 격차도 더 심해 집에서 한 입이라도 덜려고 도시로 식모살이 오는 소녀들이 넘쳐날 때였다. 공부에 별 취미가 없던 동생은 중학교도 낙방을 해 초등학교 졸업에 그쳤다. 숙부에겐 맏딸인 동생은 몸 약한 숙모를 거들어 집안일을 도맡아 하고 대학까지 간 두 동생 뒷바라지도 잘해서 딸년 대학공부까지 시켜서 남 좋은 일만 한 우리 어머니의 우월감을 납작하게 만들었다. 동생은 바지런하고 솜씨가 좋을 뿐 아니라 얼굴도 예뻤다. 그냥 예쁜 게 아니라 어른들이 인물값 할까 봐 전전긍긍할 정도로 예뻤으니까 시쳇말로 하면 섹시했었지 싶다. 아니나다를까, 열두 살이나 더 먹은 유부남하고 열렬한 연애를 해서 숙부 내외를 기절초풍하게 놀래키다가 결국은 그 남자를 이혼시키고 정식 부부가 되었다. 각각 딴 집안으로 출가외인이 돼버린 우리는 일 년에 한두 번도 만날까 말까 한 사이가 되어 제각기 자식과 살림을 늘리며 살다가 그 자식들이 혼기가 되면서 다시 친하게 지내게 되었다. 시집살이에 부담이 없어진 대신 부모나 자식의 경조사에 동원할 인력이 필요한 나이가 되면 평소 격조하게 지내던 친척이나 동창이 아쉬워지게 마련이다. 고등학교 때 단짝 전화번호를 알아내어 긴 통화를 하거나 더 발전하여 친목계를 만들기도 하고 무리지어 관광길에 나서 보기도 하는 게 바로 이런 중년의 끄트머리

나이이다. 나하고 동생하고도 그런 나이가 되어 서로 찾을 것도 없이 저절로 가까워진 건 동생의 남편이 빚 보증을 잘못 서서 살던 집에서 나앉고 나서부터였다. 넉넉지 못하다는 건 전서부터 알고 있었지만 노후에 집까지 없어질 줄은 몰랐다. 동생은 남매를 낳을 때까지 시부모와 큰동서 밑에서 고된 시집살이를 하다가 큰형이 혼자서 물려받은 시골 땅값이 오르는 바람에 겨우 작은 집을 하나 얻어가지고 세간을 날 수가 있었다. 동생의 남편은 착하기만 하고 경제적으로는 무능했기 때문에 동생은 그 집을 유일한 남편 덕으로 알고 여간 대견해한 게 아니었다. 집이 생기고부터 친정 나들이도 잦아졌고 별로 큰 집도 아닌데도 방방이 세만 줘도 먹고사는 건 문제 없다고 친정 부모를 안심시켰다고 한다. 집을 날린 건 다행히 남매를 다 결혼시킨 후였다. 제대로 가르치지도, 잘해 보내지도 못한 사회 초년생들이라 모셔갈 만한 여력은 없었지만 그래도 효성들은 지극해서 힘을 모아 마련한 모갯돈으로 얻어준 전셋방이 우리 아파트단지에서 전철로 두 정거장밖에 떨어지지 않은 단독주택단지 옥탑방이었다. 나는 이사갈 때 딱 한 번 가봤는데 지은 지 얼마 안 되는 집이라 옥상으로 통하는 야외계단만 좀 위태로워 보일 뿐, 널찍하고 깨끗한 방에 주방과 수세식 화장실이 딸려 있을 뿐 아니라 옥상을 온통 마당처럼 쓸 수 있어서 셋방이라는 구차스러운 느낌이 안 들었다. 동생이 그 동네를 택한 건 바로 이웃에 큰아들 내외가 살고 있어서였다. 그들은 구멍가게보다 조금 나은 미니슈퍼를 경영하면서 가게에 딸린 어둡고 작은 방에서 살림을 하는데 며느리는 임신 중이었다. 장차 아이도 봐주고 아들이 배달 나가면 가게도 봐주고 싶어 아들 곁으로 온 거였다. 그러나 친구한테 속아 집까지 들어먹은 충격으로 제부가 몸져눕게 되고 그 약값이 만만치 않자 동생은 나한테 어디로 파출부라도 나갈 수 있었으면 좋겠다고 구차한 소리를 해왔다. 마침 나도 딸애가 뒤늦게 학위를 한답시고 겨우 젖 떨어진 어린것을 이 할미한테 전적으로 갖다 맡겼을 때라 어디 소개해주고 말 것 없이 내 사정이 급했다. 그 후 나는 이게 웬 떡이냐 싶은 호강을 한 지가 어언 십여 년에 이른다. 시어머니가 돌아가시고 식모라는 직업도 사라진 후 나는 파출부 따라 식성까지 바뀌는 생활을 해왔다. 나는 내가 살림을 할 줄도 모르고 취미도 없기 때문에 누굴 가르칠 줄도 모른다. 정 음식을 맛없게 하면 저 사람은 음식은 못해도 청소 하나는 잘하지, 또는 다림질 하나는 끝내주지 하는 식으로 좋은 면만 보려고 애썼다. 다 못해야만 차라리 내가 하는 게 속 편할 것 같아 그만두게 하고 부지런을 떨어봤댔자 한 달이 못 가 또 딴 파출부를 구해 들이곤 했다.

동생 덕으로 내 딸이 무사히 학위를 하고 나자 내 남편이 병들어 입퇴원을 되풀이하게 됐다. 동생은 한약도 잘 달이고 죽도 잘 쒔다. 남편이 병석에 있는 동안 동생은 나에게 내 자식들보다 더 의지가 되었다. 환자의 몸과 마음에 보비위보다 더 좋은 효자는 없다. 동생은 그걸 완벽하게 해주었다. 내 남편이 투병 중인 동안 나는 동생의 남편도 병석에 있다는 건 안중에도 없이 될 수 있는 대로 일찍 오게 하고 밤늦도록 붙잡아 두려고 했다. 설사 제부 생각이 문득문득 떠올랐다 해도 수고비를 넉넉히 쳐주니까 동생도 바라는 바이지 나를 심하게 여길 건 없다고 생각했을 것이다. 내가 과부가 된 지 삼 년 후에 동생도 과부가 되었다. 그 삼 년 동안 나는 동생이 내 남편한테 해준 생각을 해서라도 제부에게 신경을 안 쓸 수가 없었다. 우선 동생을 매일 쓸 필요가 없어졌는데도 매일 오도록 했다. 시혜보다는 정당한 수입을 보장해주는 게 동생을 돕는 길이었다. 문병도 가보려고 했지만 동생이 한사코 싫다고 했다. 동생의 말투로 미루어 남에게 보이고 싶지 않은 것은 환자보다도 사는 형편인 듯했다. 이사갈 때만 해도 겉은 반드르르해 보였지만 워낙 날림집인 데다 세 줘 먹으려고 나중에 올린 옥탑방은 더 엉터리여서 여기저기 뒤틀리고 금 가서 겨울에는 수도와 화장실이 얼어붙어 못 쓰고 여름에는 비까지 새서 비닐 조각으로 임시변통을 해야 한다고 했다. 환자까지 있는 집 꼬락서니가 그러하니 다년간 누적된 누추가 어떠하리라는 건 짐작하고도 남았다. 보이고 싶지 않아 하는 동생 마음에 따르는 게 수였다. 얼어붙는 상하수도 때문에 겨울이면 물통이나 요강까지 들고 옥외계단을 오르내리느라 동생의 관절염은 해마다 조금씩 더 나빠지는 것 같았다. 동생은 약을 입에 달고 살았다. 관절이 부드러워지는 봄여름에도 약국만 바라봐도 삭신이 쑤셔서 약을 안 먹고는 못 배긴다고 했다. 나는 문병은 못 갔지만 내 딴엔 남보다 후한 월급 외에도 도움을 주려고 은근히 제부에게 많은 배려를 하는 편이었다. 남편의 유품 중 따뜻하고 편한 옷을 죄다 보냈고, 집에서 별식을 할 때뿐 아니라 자식들이 나한테 보내는 고깃근이나 영양제도 늘 넉넉하게 나누었다. 약식이나 인절미 같은 것도 잘 먹고 소화도 잘 시킨다고 하기에 출입만 못 할 뿐 제부는 마냥 살 줄 알았다. 물론 그걸 동생의 복이라고 생각한 건 아니다. 오히려 그렇게 착하고 솜씨 좋은 동생이 어쩌면 복은 그렇게 지지리도 없을까 생각할 때마다 그걸 제부 탓으로 여기고 있었다.

명절을 앞두고 있어서 동생하고 준비할 게 이것저것 적지 않을 때 동생한테서 못 오겠다는 전화가 왔다. 매일 온다고는 하나 지 볼일을 못 볼 정도로 매여 있는 건 아니어서 시집 대소사나 친구끼리의 계모임에도 거의 안 빠지는 동생이었다. 그렇지만 사전 양해 없이 긴요할 때 빠지겠다고 한 건 처음이었다. 나는 벌컥 화가 났지만 환자가 아침에도 먹을 걸 안 찾는 게 암만해도 이상해서 집을 비우기가 싫다고 했다. 지척에 사는 아들 며느리는 뒀다 뭐하려느냐고 역정을 내려다 말았는데 참길 잘했다. 제부는 그날을 넘기지 못하고 숨을 거두었다. 옥외계단으로 시신을 내가게 될까 봐 늘 걱정하던 동생은 119를 불러 혼수상태의 병자를 병원으로 옮기고 그러고 나서 곧 임종을 맞았다고 했다. 만약 내가 성질을 부려서 동생이 남편 임종도 못 보게 했더라면 어쩔 뻔했나, 생각날 때마다 모골이 송연해지곤 한다. 나중에 들어서 안 얘기지만 제부는 죽기 전날 밤 느닷없이 동생의 손목을 잡고 사랑한다고 말하더란다. 기분이 이상해서 누구 보고 싶은 사람 없냐, 아이들을 부를까 물어봤더니 아니 아무도 안 보고 싶다고 당신만 있으면 그만이라고 사랑한다고 강조하더란다. 그 다음 날 아침 안 깨어나길래 죽을 줄 알고 모든 조치를 침착하게 취할 수 있었노라고 했다. 그 후에도 동생은 아무한테나 사랑한다는 제 남편의 마지막 말을 되뇌이며 해해거렸다. 남편으로부터 그런 임종의 말을 들은 여편네 있으면 어디 나와보라는 투였다. 아무리 작은 것에 행복해하는 동생이라지만 저리도 속이 없을까 한심한 생각이 들었다. 동생에게 남겨진 건 더 이상 퇴락할 여지도 없을 정도로 누추한 전셋방이 다였다. 그나마 전셋돈을 올려 달라지 않는 것만 다행이었다. 빼봤댔자 천만 원도 안 되는 돈으로 얻을 수 있는 전셋방이 서울 시내에 어디 있겠느냐. 주인은 곧 재개발이 되어 헐릴 집이라는 핑계로 고쳐주지도 않는 대신 돈도 더 달래지 않았다. 동생의 두 자식들도 저마다 옹색한 단칸방에서 제 자식을 둘씩 낳아 기르면서 반듯한 독채 전셋집을 얻을 만한 돈을 마련하는 걸 목표로 열심히 일하고 있었다. 동생은 자식들이 저 살 궁리만 한다고 섭섭해하는 소리를 한 번도 안 했다. 오히려 부모덕 없는 걸 원망하지 않고 씩씩하게 사는 걸 고마워했다.

관절 때문에 겨울나기를 유난히 힘들어하던 동생이 지난여름에는 더위를 못 참아하면서 그 좋던 얼굴도 점점 못쓰게 돼가는 게 눈에 띄었다. 남편의 상중에도 화색을 잃지 않고 무슨 잔칫날 처럼 조문객을 챙겨 먹이려고 잠시도 엉덩이를 붙이지 않던 동생이었다. 어디 아픈 게 아니냐고 물어도 괜찮다는 대답이 기운이 하나도 없었다. 혈색 없는 얼굴에 푸석한 부기까지 나타났다. 안 되겠다 싶어 심각하게 따져 물었더니 옥탑방의 더위는 밤에도 화덕 속 같다는 것이었다. 선풍기를 두 대나 틀어놓고 자는데도 환장하게 더워서 러닝셔츠를 물에 담갔다가 대강 짜서 입고 자면 그게 마르는 동안은 좀 견딜 만해서 잠을 청할 수가 있는데 아침에 일어나면 머리가 무겁고 기운이 하나도 없다고 했다. 젖은 옷을 입고 잔다는 소리는 충격적이었다. 나는 삼복더위가 가실 때까지만이라도 우리 집에 같이 있자는 소리가 입 밖까지 나오려는 걸 꾹 눌러 참았다. 우리 집은 단열과 통풍이 잘돼 있어 열대야 현상을 거의 못 느끼고 여름을 날 수가 있었다. 그러나 동생의 끝없는 수다를 참아낼 생각을 하면 절로 고개가 저어졌다. 평소에도 동생은 우리 집에 들어서자마자 거의 한 시간은 수다를 떨어야 일을 시작했다. 나하고 관계되는 사람 얘기라면 들을 만도 하겠는데, 거의가 나는 한 번도 본 적이 없는 시집의 친척들 얘기 아니면 친목계원들 얘기였다. 동생은 시집 쪽이 번족한데 이젠 대가 갈려 젊은이들 세상이 되니까 서럽게 된 노인도 많고 재산 관리를 잘못해 억울하게 된 노인이나 병든 노인도 여럿 생겨나는 것 같았다. 그러나 늙은이들 모인 데서는 어디서나 들을 수 있는 그저 그런 구질구질하고 시시콜콜한 얘기였다. 아마도 우리 집에 오는 횟수가 줄어들면서 친척 간의 왕래가 정상적으로 회복됐기 때문일 터였다. 그러나 동생이 그런 얘기를 할 때 그렇게도 신이 나서 한 얘기를 하고 또 하면서도 지칠 줄 모르는 것은, 제 잇속만 챙기고 제 마누라 말만 받들어 모실 줄 아는 요새 젊은것들 중에서는 그래도 내 새끼들이 효자더라고 말하고 싶은 욕구 때문이라는 걸 나는 알고 있었다. 아닌게아니라 동생의 큰아들은 소원대로 방이 세 개 있는 독채 전세로 이사를 한 지 얼마 안 되었다. 나는 그때 으레 동생이 그 끔찍한 옥탑방을 면할 줄 알았다. 그러나 말이 방 세 개지, 하나는 창고로 쓰기도 작고, 중학교 갈 날이 머지않은 손자들 두 놈은 한 놈만 들어서도 집 안이 꽉 찰 만큼 숙성했다. 동생은 거기 같이 들어가 살 생각은 꿈에도 안 해본 것 같았지만 젖은 옷을 입고 잔다는 소리를 듣고부터는 여름 동안만이라도 와 있으라는 소리를 안 하는 아들 내외가 괘씸하기 짝이 없었다. 우리 집에 와 있으라는 소리를 꿀꺽 삼키고 만 것은 수다 때문이라기보다는 누가 더 동생에게 가까울까 하는 책임감의 문제였다.

와 있으라고는 못 했지만 며칠 바캉스를 다녀오겠다는 말에는 반색을 하며 그러라고 했다. 바캉스란 말이 동생 입에서 나오니까 그렇게 신선하게 들릴 수가 없었다. 남해의 작은 섬에서 민박집을 하는 친구가 있는데 그 섬은 주위가 청정해역일 뿐 아니라 여름에 서늘하고 겨울에도 영하로 내려가는 일이 없다면서 한 번 꼭 놀러 오란다는 것이었다. 넉넉잡아 일주일 정도 있다 올 줄 안 동생은 열흘이 지나도 감감무소식이었다. 민박집이 동생을 부른 것은 서늘한 여름을 나게 하려는 게 아니라 동생을 부려먹고 싶어서일 거라는 생각이 들었다. 한번 의심하는 마음이 생기자 점점 확신으로 변했다. 그렇게 좋은 섬이라면 올 여름 같은 혹서에 오죽 피서객이 많이 몰려들겠는가, 민박집이 호황을 맞아 일손이 딸릴 게 뻔했다. 그렇잖아도 공밥을 얻어먹을 동생이 아니었다. 오죽 바지런을 떨며 구석구석 쓸고 닦고, 엽렵하게 투숙객들 시중을 들 것인가 보지 않아도 눈에 선했다. 그 속없는 것이 본업을 까맣게 잊고 팁 몇 푼 얻어 쓰는 재미에 팔려 배알이라도 빼줄 듯이 해해거리고 있을 것을 생각하면 울화통이 치밀었다. 파출부란 제도가 있기 전 옛날, 요새 너도나도, 아무리 가난뱅이라도 밥만 안 굶으면 다 자가용 부리듯이 도시에선 집집마다 식모를 두고 살던 때가 있었다. 공단이 생기면서 그 흔한 식모가 귀해지기 시작하자 남의 집 식모를 빼돌리다가 탄로가 나서 친하던 이웃끼리 쌈박질이 나기도 했다. 나는 그런 일을 당했을 때처럼 그 민박집한테 맹렬한 적의를 느꼈다. 동생의 아들네로 전화를 걸어 섬의 민박집 전화번호를 알아냈다. 동생의 이름을 대고 바꿔달랬더니 심부름을 나갔다고 했다. 그 집에서 부려먹고 있다는 내 추측은 틀림이 없었다. 그래도 그렇지 환갑노인에게 심부름이라니, 설사 심부름을 나갔다 해도 잠깐 출타를 했다고 하면 듣기 좋을 것을, 하고 나는 민박집의 본데없음을 마음껏 경멸했다. 그날 저녁 동생에게서 전화가 걸려왔다. 밝고 들뜬 목소리로 그 섬이 얼마나 공기 좋고 서늘한지 자랑만 늘어놓고 그동안 내가 얼마나 불편했나에 대해서는 일언반구 언급이 없었다. 괘씸했지만 젖은 옷을 입고 더위를 참아낼 때 모른 척한 게 아직도 양심에 걸려 있어서 참고 들어주었다. 그 섬이 그렇게 쾌적하다면 추석까지라도 기다려야지 별수 있겠는가. 금년엔 추석이 일찍 들어 선들바람도 나기 전에 명절 준비를 해야 할 생각을 하면서 나는 심술궂은 미소를 지었다. 마냥 듣고 있을 수가 없어서 동생이 지상낙원처럼 말하는 섬이 어디서 어떻게 가는 곳이며 이름은 뭐냐고 물어보았다. 삼천포에서 여객선으로 두 시간가량 걸리는 섬으로 이름은 사랑도라고 했다. 나는 사랑도? 이름 한번 요상하다고 했더니 동생은 랑이 아니라 량이라고 고쳐주었다. 그러나 나는 외우기 쉽게 사랑도로 생각하기로 하고, 아무리 거기가 좋아도 너무 추석 임박해서 오지 말고 넉넉하게 남겨놓고 오도록 하라고만 당부하고 전화를 끊으려고 했다. 동생은 제 남편 제사나 차례를 분수에 넘치게 지내는 편이었다. 우리 집은 차례뿐 아니라 손님도 치러야 한다. 장 보기까지 동생의 손길이 두 집에 고루 미치려면 적어도 닷새 전에는 와야 한다. 동생은 마지못한 듯 시들한 목소리로 추석 전에는 가야지 하면서도 석연치 않은 말을 덧붙였다. 언니, 힘들어서 어떡해. 나만 믿지 말고 사람을 구해봐. 사람을 구하라니 딴 파출부를 쓰란 얘기고, 지가 여지껏 고작 파출부 노릇이나 했단 소리가 아닌가. 내가 절 어떻게 대접했는데, 나는 치사하게도 그동안 내가 동생에게 베푼 갖가지 혜택을 일일이 떠올리면서 그 배은망덕에 이라도 갈고 싶은 심정이었다. 제부가 죽은 후 하루 걸러 오도록 하면서도 수입이 줄지 않도록 일당을 올리고, 김장이나 명절 손님 초대 등 가외로 부를 때는 후하게 웃돈을 얹어 줬으며, 비싼 옷도 조금만 싫증이 나면 저한테 아낌없이 물려줬으며, 집에 고기나 갈비가 남아돈다 싶으면 즉각 저한테 넘겨줬으며, 명절이나 크리스마스, 어린이날엔 내 손자는 안 챙겨도 넷이나 되는 제 손자들은 꼬박꼬박 챙겨서 설빔이나 선물을 장만했으며, 외국여행 갔다가도 제가 행여 며느리한테 얕보일까 봐 며느리 주라고 비싼 영양크림 사오는 걸 한번도 잊은 적이 없는 것 등등 열거하자면 한정이 없었다. 그게 어떻게 보통 파출부에게 할 수 있는 일인가. 그러나 그런 걸 잊지 않고 꼽고 있는 자신이 문득 남처럼 역겨워지는 걸 어쩔 수가 없었다.

과연 추석 미쳐도 더위는 가시지 않았다. 그래도 추석을 일주일이나 앞두고 동생은 돌아왔고 오자마자 우리 집 먼저 들이닥쳤다. 동생은 얼굴에서 푸석한 부기가 말끔히 가시고 보기좋게 탄 얼굴에 희색이 만면했다. 동생의 건강뿐 아니라 내 생활의 평화와 질서까지 원상으로 돌아온 안도감에 나는 함박웃음을 띠고 동생을 맞아들였다. 그러면 그렇지, 반가운 김에 아유 못된 것, 난 네가 사랑도에서 사랑에 빠진 줄 알았지 뭐냐고 농담까지 할 여유가 생겼다. 그러나 동생은 화들짝 놀라며 언니, 내가 사랑에 빠진 걸 어떻게 알았어? 하며 신기해하는 게 아닌가. 농담을 진담으로 받을 때의 당혹감이라니. 동생이 혼자 됐을 때만해도 비록 꼴깍 넘어가기 직전이었지만 쉰자가 들어가는 나이였다. 그러나 이제는 환갑 진갑 다 받아먹은 뒤가 아닌가. 그 나이에 더군다나 섬에서 누구와 사랑에 빠질 수가 있단 말인가. 사랑도 인지 사랑도인지가 갑자기 근해의 파도 속에서 비너스가 요상하고 변덕스러운 화냥기를 바람에 실려보내고 있는 것 같은 비현실적인 섬으로 변했다.

언니, 난 처음부터 이런 일이 있을 줄 알고 섬에 간 건 아니야. 그렇지만 가보니까 민박집은 계획적이었더라구. 날 그냥 놔두면 안 되겠다 싶었나 봐. 내가 언니한테도 못할 소리도 그 여편네한테는 다 털어놓았으니까. 올 여름이 좀 더웠우. 대식이 애비가 전셋집이나마 처음으로 구색을 갖춘 집으로 이사를 가게 되니까 기쁘고 대견하면서도 인사성으로라도 같이 살잔 소리가 한마디쯤 있을 줄 알았는데 며칠이 지나도 암말이 없더라구. 게다가 처갓집에서 떡하니 새집에다 에어컨을 들여놔줘서 내가 갈 때마다 시원하게 켜주는 것까지는 좋은데 옥탑방으로 돌아오기만 하면 펄쩍펄쩍 뛰게 덥고, 게다가 서럽기까지 한 거야. 그때마다 젖은 옷을 입고 더위를 견디기가 너무 비참해 전화통 붙들고 민박집에다 전화를 걸어 하소연을 하곤 했더랬어. 그동안 옷이 다 말라 다시 한 번 적셔다가 입고는 통화를 계속한 적도 있는걸. 물론 내가 지금 어떤 꼴을 하고 있다는 중계방송도 빠뜨리지 않았지. 내가 누구유. 그 친구가 그러다 병 나겠다고 섬에 와서 여름을 나고 가라고 하길래 생각하고 말 것도 없이 떠났던 거야. 오라는 데가 있는 게 그렇게 좋더라구. 폐가 될 걱정 같은 건 안 했어. 어디 가든 내 몸 하나만 안 아끼면 밥값 할 자신은 있었으니까. 죽으면 썩을 놈의 손 뭣하러 아끼겠어. 언니, 언니, 언니도 여윳돈 있으면 그 섬에 별장 하나 사. 삼천포에서 배루다 두 시간도 채 안 걸려. 얼마나 좋다구. 난 사람들이 다 좋다는 제주도도 그닥 좋은 줄 몰랐는데 사량도는 첫밖에 마음에 쏙 들더라구. 여기가 바로 선경이다 싶었으니까. 순 서울사람인 민박집이 하필 거기다가 노후설계를 하게 됐는지 이해가 되더라구. 얼마나 시원한지 서울의 찜통더위가 딴 나라 일 같더라구. 거긴 복더위도 없지만 엄동설한도 없대. 겨울에도 얼음이 어는 법이 없다니까. 들이 사철 푸르대. 그래도 가을 되면 나무들이 단풍은 든다나 봐. 노오란 은행잎이 파아란 잔디 위에 떨어질 생각을 해 봐. 내가 뭣에 홀렸다구? 아마도. 민박집이 얼마나 잘해주는지 도와주고 싶어도 할 일도 없더라구. 심부름하는 애녀석도 하나 있구 민박 손님들은 잠만 자지 밥은 안 해달라니까 할 일이 뭐가 있겠어. 언니, 난 아무리 할 일이 없어도 퍼질러서 낮잠이나 자고 그러지는 못 하는 거 언니도 알잖아. 한시 반시 안 놀리던 팔다리 너무 편하게 놔두면 안 될 것 같아 아침저녁 섬을 한 바퀴씩 돌면서 선창가 구경도 하고 들일 하는 사람들과 만수받이도 하니까 서울서 더위 먹은 부기도 빠지고 밥맛도 좋아지더라구. 근데 이상한 게 내가 바람 쐬러 나갈 때마다 민박집은 꼭 딸 미팅 내보내는 여대생 엄마처럼 나한테 잔소리를 하는 거야. 화장하고 예쁜 옷으로 갈아입고 나가라구. 그렇잖아도 섬 여자들보다 얼굴이 하얗고 팽팽한 게 미안해 죽겠는데. 언니 섬 여편네들 말도 말아. 내 나이면 새까만 얼굴에 굵은 주름이 밭고랑 같다니까. 서울서도 아무도 나를 육십대로 안 봤잖아. 다들 열 살은 젊게 봤는데 거기선 꺾어진 육십으로 보는 사람까지 있더라구. 눈들이 삔 게 아니라 즈네들하고 비교해서 그렇게 본 거지. 그렇게 지내길 일주일도 안 돼서 청혼이 들어온 거야. 삼천포까지 배 타고 나가서 다방에서 만났는데 낯익은 얼굴이더라구. 작은 섬이니까 빤하잖아. 내가 또 오죽 빨빨거리며 쏘다녔수. 홀아비인 줄은 몰랐지만 점잖기가 꼭 교장선생님 같아서 길을 비켜드리며 인사를 하곤 했던 분이었어. 그게 다냐구? 물론 나를 맞선을 보이려고 삼천포까지 끌고 나가기 전에 민박집이 오죽 나를 꼬셨겠어. 언니도 감언이설은 무슨, 그게 아니라 한 동네서 겪어본 그 노인네 마음씀씀이랑, 집안 사정이랑, 재산 정도랑 겪어본 대로의 그 노인 속내를 일러주면서 나한테는 과분한 혼처라는 거지. 교장선생님은 아니었지만 그 노인이 제일 되고 싶었던 게 교장선생님이었대. 상처한 지는 일 년도 안 돼. 금년 이월이었다니까. 금슬 좋기로 동네서 소문난 부부였다나. 남들은 어떻게 생각할지 모르지만 언니, 난 그 소리가 젤로 마음에 들더라. 우리도 소문난 잉꼬부부였으니까. 그래야 서로 꿀릴

게 없잖우. 다된 밥인데 새삼스럽게 맞선은 뭣하러 봤냐구? 그래 맞아, 우리끼리는 민박집이 바란 것보다 더 쉽게 눈이 맞아버린 거야. 그러니까 삼천포까지 나간 건 맞선이 아니라 상견례였어. 영감님은 오남매를 두었는데 아들 셋을 다 대학까지 가르치고 딸 둘은 고등학교까지만 가르친 대신 다 대학 나온 사위를 맞았는데 그이들이 삼천포에서도 살고 부산 마산에서도 사는데 그이들한테 먼저 나를 소개시키고 승낙을 받는 절차를 밟고 싶다는 거야. 자식들이 마다할 리는 없지만 그래야 앞으로도 내 입장이 떳떳하다는 거지. 오남매가 하나도 안 빠지고 동부인해 나왔으니 그 식구만 해도 열 명 아니우. 게다가 육지에 사는 아우 누이들까지 나왔으니 얼마나 근검해. 교장선생님보다 더 잘나 보이더라구. 대학졸업생들이 다들 절절 매는데 총장님이라면 누가 뭐랄 거야. 영감님이 섬에서도 존경받고 있다는 게 느껴졌는데 처신을 점잖게 하는 것도 있지만 그 섬에서 자식들을 모조리 그만큼 공부시킨 집은 그 집 하나밖에 없다니까 그럴 만도 하지 뭐. 다방에서 음식점으로 옮겨 앉아 회식을 하면서 영감님은 부득부득 나를 자기 옆에 앉히고 동지섣달 꽃 본 듯이 눈을 못 떼지, 건장한 아들 사위들이 차례로 잔을 올리며 어머니 어머니 붙임성 있게 굴지, 그래노니 시쳇말로 내가 뿅 가지 않았겠수. 언니, 언니는 왜 또 도끼눈을 뜨고 그래. 그 집 식구만 젤이구 우리 쪽 식구들은 뭘로 아냐구. 그건 아니지 영감님이 그렇게 경우 없는 사람 아냐. 부득부득 나하고 같이 상경해서 우리 식구한테 자기를 선보이겠다는 거야. 내가 안 그래도 된다고, 나 혼자 가서 승낙을 받고 오마구 했어. 솔직히 반대할 사람도 없지만 반길 사람도 없잖아. 내 자식들은 데면데면하고 친정붙이들은 다들 언니처럼 쌀쌀맞고, 시집은 대가 갈려 조카들만 남았는데 뿔뿔이 흩어져 제 살기 바쁜 그애들을 불러모아 숙모 시집간다고 광고를 치면 아마 날 미쳐도 더럽게 미친 년 취급할 테고. 내 살던 데 보여주기도 싫고…… 사람 마음이 어쩌면 그렇게 간사스러운지 아무리 집 같지 않은 집이라도 온종일 뼈 빠지게 일하다가 밤에 기어들어가 다리 뻗고 누우면 세상 편한 게 내 집구석이다 싶더니만 이제 다시는 거기서 못 살 것 같아. 그럼 어젯밤 대식이네서 잤지. 아들 며느리 보는 앞에서 경환이 경숙이한테도 전화 걸어서 자초지종을 다 말해버렸어. 승낙은 제까짓 것들이 무슨 권리로 승낙을 하고 말고 해. 통고한 거지. 그래도 이런 일에는 여자 형제가 낫더라구. 경환이는 누나가 오죽해서 그런 결정을 하게 됐겠느냐면서 잘 살기를 바란다고 하는데 정이 조금도 안 느껴졌어. 그래도 경숙이는 놀라서 울먹이면서 자기 집에 와서 자면서 자세한 얘기하자고 하더군. 오늘 내일은 경숙이네서 잘 거야. 아냐 그 다음 날도 언니네는 못 오지. 모레 내려가야 하니까. 모레 새벽에 떠나야 해안에 섬에 닿을 수가 있거던. 추석? 추석이야 물론 섬에서 쇠야지. 대식 애비가 즈이 애비 차례 어련히 지낼려구. 거기 영감님이 당신 마누라 차례를 내 손으로 차려주길 원해. 마나님 차례는 올해가 처음이지만 영감님이 모셔야 할 조상이 네 분이나 더 있는데 자식들이 미리 오지 않고 얄얄이 시간 맞춰 오는 바람에 죽은 마나님이 명절이나 제삿날은 육지 바라보느라 고개가 한뼘은 늘어났대. 태풍이라도 와서 뱃길이 끊기면 못 오기 일쑤고. 자기는 죽은 마나님처럼 자식바라기만 하고 살지 않을 거래. 둘이서 오순도순 차리재. 나도 그 노인이 나를 안 놓치려고 그렇게 급하게 군다는 거 알아. 모레 꼭 삼천포에서 만나자고 몇 번이나 다짐을 받고 나를 육지로 보내준 거야. 삼천포까지 영감님이 자기 배를 가지고 마중 나오기로 했어. 명색이 혼행길인데 어떻게 어중이떠중이 다 타는 여객선을 타게 하냐고. 만일 그날 내가 삼천포에 안 나타나면 내가 가족들의 승낙을 못 받은 걸로 알겠다고 했어. 그럼 영감님이 얼마나 풀이 죽겠어. 생각만 해도 불쌍해서 가슴이 저려.

더 들을 것도 없었다. 삼십여 년을 해로한 제 영감 차례를 내팽개치고 어느 개뼉다귀인지 모를 늙은 뱃사람의 죽은 마누라 차례를 지내러 가겠다는 게 어디 제정신인가. 너 환장을 했구나. 나는 차갑게 내뱉고 먼저 자리를 박차고 일어섰다. 동생이 열두 살이나 더 먹은 기혼자와 연애해서 온 집안을 발칵 뒤집어놓을 때 생각이 났다. 식구들이 그러건 말건 동생은 그 연애를 완성시켰고, 그 남편이 죽으면서 남긴 사랑한다는 말 한마디를 지금도 남들에게 풍기면서 자랑하기를 잘한다. 옥탑방의 지옥불을 견디게 한 힘의 반 이상이 아마도 그 말의 힘이었을 것이다. 그런 동생이 새로운 연애를 시작한 것이다. 그 남자는 칠십이지만 건장하고 점잖아서 앞에서 보면 교장선생님 같고, 뒤에서 보면 청년 같다나. 자기 소유의 어선을 가지고 있고, 바다 하나만 믿고 자식을 다섯 다 고등교육 시킬 정도로 근면할 뿐 아니라 지금도 그가 놓은 통발에서만 유난히 많은 고기가 잡힐 정도로 바다에 관해서는 모르는 게 없는 능숙한 어부란다. 동생은 일어나 나가면서까지 영감님 자랑을 하고 갔다.

다음 날 차편이 생긴 김에 추석 장을 보러 나갔다. 나는 일손 생각은 깜빡 잊고 예년에 하던 대로 구색 맞춰 제수거리를 넉넉히 장만했다. 다용도실에 그걸 쏟아놓으니 엄청난 부피였다. 냉장실 냉동실로 나누어 넣는 것조차 생전 안 해보던 일처럼 난감하게 느껴졌다. 저걸 다 어쩌란 말인가. 사다만 내던지면 다듬고 지지고 볶고 맛있는 냄새를 풍기면서 제상과 손님상이 저절로 차려지던 때는 가버린 것이다. 친구들은 생전 진일을 모르는 나를 인복이 많다고 부러워했었다. 인복을 놓친 나는 지금 얼마나 불쌍한가. 엉엉 소리를 내서 울어도 시원치 않을 것 같았다. 제가 어떻게 나한테 이럴 수가 있는가. 나는 그동안 내가 저한테 베푼 온갖 혜택을 떠올리면서 제가 나한테 미리 아쉰 소리만 했더라면 뭘 못 해줬을까, 집도 사줬을 것처럼 내 후한 마음을 마냥 부풀렸다. 그러나 사다가 내던지기만 하면 진수성찬이 저절로 차려지던 지상낙원은 잃어버린 뒤였다. 그 좋은 솜씨로, 예전 같으면 궁중 숙수를 해도 손색이 없을 솜씨로 섬의 거칠고 단순한 뱃사람의 밥상을 차려주러 간 것이다. 이건 돼지에게 진주 정도가 아니다. 어찌 보고만 있을 것인가. 나는 질투로 분기탱천하여 동생의 친동기들한테 전화통을 돌렸다. 먼저 경환이한테 이게 얼마나 우세스러운 일이라는 걸 강조했다. 우리 집안이 어떤 집안이냐? 나는 구태여 가문에 전해 내려오는 열녀나 정경부인까지 거슬러올라갈 것 없이 육이오 때 우리 집안 내에서 떼로 생겨난 과부들을 생각해냈다. 어쩌면 그 많은 떼과부들이 하나도 개가를 안 하고 수절을 했을까. 말을 하면서도 끔찍한 생각이 들었다. 안 한 게 아니라 못 한 거겠죠. 떼과부는 떼죽음 때문에 생겨난 건데 어디로 개가를 하겠우. 경환이가 느물댔다. 그리고 자기도 충격을 받았지만 우선적으로 고려해야 할 것은 누님의 행복이 아니겠느냐고 했다. 어쩌겠다는 소린지 감이 잘 안 잡혔지만 회사로 건 전화를 더 붙들고 늘어질 수가 없었다. 다음은 경숙네였다. 전화를 받은 경숙이는 지금 언니는 이것저것 섬에서 부족한 걸 사러 나갔다고 했다. 마침 잘됐다, 너하고 의논하려고 걸었단다. 느이 언니 말이다. 이렇게 서두를 꺼내자 경숙이는 즉각 나도 심란해 죽겠어, 그동안 나 사는 데 골몰해서 언니한테 제대로 신경을 못 써준 게 이렇게 마음에 걸릴 수가 없네, 하고 울먹이기까지 하는 게 말이 될 것 같았다. 여자끼리 통하려면 가문보다는 정서적인 호소가 나을 것 같았다. 그래서 이 일을 우리가 다 같이 적극적으로 막아야 하는 첫째 가는 이유로 정에 무르고 타산적이지 못한 그녀의 다정다감한 성격을 꼽았다. 너도 알지 느이 언니하고 느이 형부하고 우리 집안을 발칵 뒤집어놓고 결혼한 거. 그건 안 되는 결혼이라고 그렇게 말렸건만 기어코 그리로 시집을 가더니만 뭐 좋은 거 있더냐. 느이 형부 생전 마누라 지지리 고생만 시키더니 말년에는 병수발까지 얼마나 오래 시켰냐. 그래도 싫은 내색 한 번 안 하고 해해거리고 살았지만 아마 속으론 그때 어른들 말을 들을걸, 후회막심이었을 거다. 여기까지 말했을 때 경숙이가 발끈 하는 목소리로 내 말을 잘랐다. 언니 무슨 말을 그렇게 하우. 마치 우리 언니가 평생 불행하게 산 것처럼 말하는데 우리 언니가 언니보다 좀 어렵게 살았다고 그렇게 깔보나 본데 우리 언니 남부럽지 않게 행복하게 살았어요. 이렇게 나오는 데야 무슨 말을 더 하겠는가. 아아 내 꼴이 이게 뭐란 말인가. 처량하다 못해 참담했다.

동생하고 전화로만 작별인사를 하고 외출 중 택시 속에서 방송을 들으니 남해에 파랑주의보가 내려졌다 한다. 태풍이 북상 중인 모양이다. 순간 하늘이 이 늙은 철부지들의 만남을 훼방 놓았으면 하는 불티 같은 희망이 가슴을 짜릿하게 했다. 그러나 그 다음 날, 동생은 무사히 도착했다는 전화를 걸어왔고, 그 후에도 동생한테서는 적어도 일주일에 한 번씩은 전화가 걸려왔다. 워낙 수다떨기 좋아하는 동생이었다. 주로 제 자랑 그리고 내 걱정이었다. 사람 구했어, 아직도 못 구했다구? 이 세상에 웬 떡이 어딨우. 몇 번 갈아 들이다 보면 웬만한 사람 만날 거야. 언니도 그 성질 좀 죽여야 해. 나도 언니한테 얼마나 스트레스 받은 줄 알아. 그래 지금은 스트레스 안 받아서 좋겠구나. 나도 동생이 하라는 대로 성질 죽이고 유하게 대답할 줄도 알게 되었다. 그 먼 곳에서 택배로 뭘 부쳐오기도 했다. 아이스박스로 바다 메기라나 물메기라나 하는 생전 듣도 보도 못한 징그러운 생선을 부쳐오기도 하고, 깐 마늘을 부쳐오기도 했다. 그 섬 마늘은 단단하고 맛 좋기로 전국적으로 소문 난 마늘이라 혼자 먹기 아까워서 부치는데 일하기 싫어하는 언니 생각을 해서 까서 씻어서 깨끗이 행주질해서 보내니 꺼내 쓰기만 하면 된다고 했다. 그런 것들을 받고 나서도 내 쪽에서 섬으로 전화 거는 일은 없었다. 고맙지 않아서도 전화 값이 아까워서도 아니고, 그 영감이 받을까 봐서였다. 전화상으로라도 그 늙은 뱃사람하고 수인사를 하기가 싫었다. 그러나 내 주위 사람에게 동생이 재가했다는 걸 알리지 않을 수 없는 경우가 생겼을 때는 그녀가 남해의 그림 같은 섬의 선주한테로 시집갔다고 말해주곤 했다. 내 체면을 위해선지 모르지만 대단한 격상이었다.

겨울이 시작될 무렵 동생한테서 제 남편 제사를 지내러 상경한다는 전화가 걸려 왔다. 내가 알기론 그 영감이 전 남편 제사를 지내라고 새 마누라를 육지로 내보낼 남자가 아니었다. 동생은 그 천진하고도 날렵한 말솜씨로 거짓을 꾸며대 그 영감을 감쪽같이 속였을 것이다. 어쩌면, 아니 틀림없이 이건 동생이 그 섬을 탈출하겠다는 신호라고 생각했다. 동생은 오겠다는 날보다 이틀이나 더 일찍 서울에 왔다. 영감을 속이고 온 것도 영감 곁을 도망친 것도 아닌 것 같았다. 아들네로 도착하자마자 걸려온 전화 목소리는 영감이 제수거리와 서울 가서 옷 사 입으라고 찔러준 돈봉투 자랑으로 들떠 있었다. 나는 그 목소리를 들으며 명랑하게 조잘대는 시냇물 위로 점점이 떠내려오는 복사꽃잎을 떠올렸다. 다음 날 물메기 말린 걸 한보따리 들고 내 앞에 나타난 동생을 보자 그저 반갑기만 해서 허둥대며 맞아들였다. 석 달 만에 만난 동생은 어찌나 생기가 넘치는지, 첫 근친 온 딸자식이라 해도 그만하면 시집 잘 갔구나 마음을 놓고 말 것 같았다. 나는 아끼던 포도주를 따서 건배하고 물메기 말린 것을 짝짝 찢어 안주 삼아 둘이서 한 병을 다 비웠다. 아직도 제삿날까지는 사흘이나 더 남아 있었다. 나는 해롱해롱해진 김에 생전 안 하던 짓을 해버렸다. 동생더러 나하고 같이 자자고 붙든 것이다. 그날 밤 자리 나란히 깔고 같이 자면서 동생의 수다를 끝까지 다 들어줬는지 끝나기 전에 스르르 잠들어버렸는지는 잘 생각나지 않는다. 그러나 동생에 대해 궁금한 건 다 알아버린 게 확실했다. 혹시나 하는 기대도 일말의 불안감도 가셔버렸으니 말이다.

언니, 그건 언니가 이상한 거야. 영감님이 날 그이 제사에 보내준 게 뭐가 그렇게 이상하다는 거야. 보내주긴, 내가 갔다온다고 했어. 나도 즈이 마누라 첫 차례 지내려고 풍랑을 무릅쓰고 갔는데 그 정도의 주장도 못해. 추석 밑에 영감님하고 삼천포에서 만나 섬에 들어갈 때 나 죽을 뻔했다. 정말이야. 그때 파랑주의보가 내려서 여객선도 못 뜰 때였어. 영감님은 그전에 섬에서 나와 삼천포에서 날 기다리고 있었지. 내가 터미널에 내리니까 어찌나 기뻐하는지 마치 죽은 사람이 살아 돌아온 것 같더라구. 내가 언약을 지키리라고 백 퍼센트 믿은 건 아니었나 봐. 안 나타나면 서울까지 쫓아가봐야지 혼자 섬으로 돌아갈 순 없다고 생각했다니까. 서울서도 못 찾으면 어쩔 뻔했냐고 물어봤더니 바다에 빠져 죽었을 거래. 사내들 허풍은 늙어도 못 말린다니까. 그렇게 좋아하면서도 선뜻 배에 날 태우려들지를 않는 거야. 삼천포에 큰딸이 사는데 거기서 하룻밤 자고 갔으면 하지 뭐야. 풍랑이 심상치 않다는 거지. 아주 못 갈 정도냐고 물었더니 그렇지는 않다길래 짐도 있고 피곤해서 이왕이면 내 집에 짐 풀고 푹 쉬고 싶다고 했더니 그렇게 좋아할 수가 없더라구. 그럼 그러자고 배를 태우더군. 나중에 그러는데 내가 벌써 자기 집을 내 집처럼 말하는 걸 듣고 이젠 됐다 싶었다나. 배가 어찌나 출렁이는지, 우리 배를 타본 건 그때가 처음이었거든. 그래도 난 여객선보다 작아서 그런 줄 알고 하나도 안 무서웠어. 내가 바다에 대해서 뭘 알우. 영감님이 운전하는 배에 영감님하고 같이 탔다는 생각만 하면 겁나는 게 아무것도 없더라구. 배가 기우뚱하면서 파도가 덮칠 때마다 꺄악 소리를 지르며 재미나 하니까 영감님이 화를 내면서 꼼짝 말고 엎드려 있으라고 하더군. 장난이 아니구나 싶었지만 마음은 편안했어. 영감님하고 둘이서라면 죽어도 그만이다 싶은데 뭐가 무섭겠어. 한 시간 사십 분 걸린다던 배가 두 시간 반 만에 섬에 도착했는데도 나는 늦는다는 생각도 없었어. 영감님이 나를 얼싸안으면서 인제 살았다고 등을 토닥거릴 때도 그 뱃길이 그렇게 위험한 건지는 몰랐지. 우리가 도착했단 소리를 듣고 이웃사람들이 우르르 몰려왔는데 다들 영감님을 막 야단치는 거야. 민박집은 다짜고자 영감님 등짝을 철썩철썩 때리면서 이런 풍랑에 배를 띄우는 사람이 어딨냐고 만약 두 사람이 어떻게 됐으면 중신을 선 자기가 어떻게 저 집 식구들을 대할 뻔했느냐고 막 소리를 지르는 거야. 영감님이 싹싹 빌면서 잘못했다고 하더군. 그 사람들 하는 양을 보니까 비로소 우리가 죽을 고비를 뚫고 왔다는 걸 실감하겠더라구. 언니 그 얘기가 그렇게 재밌우? 그럼 재미있는 얘기 또 하나 해줄까. 며칠 전이었어. 한 동네 사는 큰아재라는 친척하고 면사무소가 있는 이웃 섬으로 볼일을 보러 간다고 전날부터 벼르더니 나도 같이 가야 한다고 아침부터 서두르는 거야. 단둘이서라면 모르지만 평소 어렵게 지내던 큰아재하고 같이 간다길래 내키지 않아했더니 꼭 같이 가야 된다고 두둑한 서류봉투까지 내 코트 주머니에 집어넣어 주면서 조르는 거야. 그래서 선창가까지 따라갔는데, 우리 배에서 큰 배로 영감님이 껑충 옮겨 타고 나서 손을 내밀길래 나도 그렇게 가볍게 건너뛸 수 있을 줄 알았지. 근데 배와 배 사이가 너무 넓었나 봐. 바닷물에 빠질 뻔하면서 어찌어찌 뱃전을 잡긴 했는데 아랫도리는 온통 물에 잠겨 버둥거렸지 뭐야. 영감님이 내 팔을 잡고 끌어올리려고 안간힘을 썼지만 역부족인 거 있지. 영감님이 사람 살리라고 막 악을 쓰더군. 마침 같이 가기로 한 큰아재가 왔기 망정이지 하마터면 바다에 빠져 죽는 줄 알았다니까. 큰아재의 도움으로 나를 건져 올려서 흠뻑 젖은 아랫도리를 자기 잠바랑 큰아재 잠바로 꼭꼭 싸주면서 영감님이 엉엉 우는 거야. 나는 남자가 그렇게 눈물을 철철 흘리며 우는 거 처음 봤다우. 그러면서 죽은 마누라가 도와줬다나. 내 손목을 붙들고 마누라한테 도와달라고 이 사람마저 잃으면 못 산다고 빌었대. 언니도, 그게 뭐가 기분 나빠. 난 하나도 기분 안 나쁘더구만. 영감님이 워낙 정이 많아서 그래. 언니는 그 사람이 마누라 잃은 지 일 년도 안 돼 새장가 들었다고 욕하지만 외로움을 이기지 못하는 게 왜 나빠. 그날 나를 데리고 면사무소에 가려고 한 목적이 집문서를 내 이름으로 해주려는 거였더라구. 내 안주머니에 넣어준 게 집문서였던 거야. 다행히 그건 안 젖어서 그날로 계획한 일을 할 수 있었지만 나를 기쁘게 해주려고 그때까지 암말 않고 있던 거지. 사실 민박집도 내가 내 낭탁을 너무 할 줄 모른다고 걱정하고 경환이나 경숙이도 혼인신고는 할 거냐, 영감 죽은 후를 위한 대책은 뭐냐, 알고 싶어 했지만 나는 무대책으로 그냥 간 거였어. 호적을 옮기면 그쪽 오남매가 내가 재산이나 탐내서 시집온 줄 알 거 아냐. 그런 일로 서로 눈치 보고 사이 나빠지는 것도 싫고, 내 아들하고 같은 호적에서 떨어져 나가는 것도 싫고. 그래서 호적에 오르는 건 사양하겠다고 했더니 영감님도 동의하더라구. 남들이 중요하게 여기는 게 영감님도 그렇고, 나도 그렇고 하나도 안 중요하더라구. 그래도 영감님은 자기가 먼저 죽으면 나는 어찌 사나 내 걱정을 무지 해. 우리 집이 우리 동네서 민박집 다음으로 커. 짓기도 단단하게 지었고 아파트마냥 갖출 거 다 갖췄어. 그 섬에서 땅값 젤로 비싼 선창가에 있고. 그래도 팔아봐야 이삼천밖에 안 나간대. 영감님 재산 중에는 배 값이 되레 알토란 같다나 봐. 그건 자식들 몫이겠지. 난 영감님이 나는 하나도 걱정 안 하는 자기 죽은 후의 내 살 걱정까지 해주는 게 신기하고 고마울 뿐 더 바라는 건 없어. 오늘 먹을 양식과 잠자리 걱정 안 하고 사는 게 얼마나 좋은지 난 그걸로 족해. 이게 꿈인가 생신가 자다가도 꼬집어볼 적이 있다니까. 영감님 참 좋은 사람이야. 집문서 옮겨주고도 천만 원짜리 통장도 내 이름으로 해줬어. 그 밖에 적금도 하나 들어줬구. 그 나이에도 우리 섬에서 가장 고기 잘 잡는 어부야. 물메기는 무진장 잡아. 때가 되면 도미도 많이 잡는데. 시커먼 도미 말고 금붕어 같은 도미 말야. 도미 잡으면 내가 택배로 부쳐줄게. 언닌 맛있는 것만 좋아하잖아. 그 사람 그런 거 안 아껴. 올해 물메기가 많이 잡히니까 집집마다 돌린걸. 섬이니까 과부들이 많아, 영감님이 상처하니까 다들 나 안 데려가나 끼룩끼룩 영감님을 넘봤다나 봐. 그런데 도시에서 꽃같이 예쁜 색시를 얻어왔으니 얼마나 속이 상하고 샘이 나겠느냐면서 홀어머니들한테 인심쓰라고 물메기도 돌리고 문어도 돌리고 그런다우. 그이 그런 사람이야. 서울서 마누라를 얻어들인 게 그렇게 좋은가 봐. 나더러 당신은 어쩌면 노름도 못하고 술도 못하고 담배도 못하느냐고 무슨 보뱃덩어리 보듯이 본다우. 섬엔 세 가지 다 하는 여자들 천지래. 섬 남자들도 거기 사투리가 그런 건지, 친한 척하려고 일부러 그러는지, 한두 번만 만나 얼굴을 익혔다 하면 단박 반말 짓거리야. 왔나, 갔나, 묵었나, 봐라 이런 식으로. 영감님은 처음부터 석 달을 같이 산 지금까지 깍듯이 보소, 드소, 갔다 오소, 하는 식으로 존댓말을 쓴다우. 그게 얼마나 듣기 좋다구. 우리 둘이 말을 많이 해. 할 얘기가 왜 없어. 지가 즈이 마누라 얘기하면 난 우리 남편 얘기도 하고, 한 얘기 하고 또 해도 싫증이 안 나. 우린 서로 얼마나 열심히 들어준다고, 듣고 또 들어도 재미나니까. 그러다가 누가 먼저 잠들었는지 모르게 잠들지.

나도 동생 얘기를 거기까지 듣다가 잠들었던가. 아니면 동생이 먼저 잠들었을까. 하여튼 아침에 깨어나 건진 게 거기까지였다. 그 후 나는 동생을 더는 부릴 수 없다는 걸 인정하게 되었다. 그게 그렇게 기분 좋은 일인 줄 몰랐다. 나는 동생에게 항상 베푸는 입장이라는 우월감을 가지고 있었다. 그건 상전의식이지 동기간의 우애는 아니다. 상전의식이란 충복을 갈망하게 돼 있다. 예전부터 상전들의 심보란, 종에게 아무리 최고의 인간 대접을 한다고 해도 일단 자신의 거룩한 혈통이 위태로워졌을 때면 종이 기꺼이 제 새끼하고 바꿔치기 해주길 바라는 잔인무도한 것이 아니던가. 나는 상전의식을 포기한 대신 자매애를 찾았다. 여름에는 시원하고 겨울에도 춥지 않은 남해의 섬, 노란 은행잎이 푸른 잔디 위로 지는 곳, 칠십에도 섹시한 어부가 방금 청정해역에서 낚아 올린 분홍빛 도미를 자랑스럽게 들고 요리 잘하는 어여쁜 아내가 기다리는 집으로 돌아오는 풍경이 있는 섬, 그런 섬을 생각할 때마다 가슴에 그리움이 샘물처럼 고인다. 그립다는 느낌은 축복이다. 그동안 아무것도 그리워하지 않았다. 그릴 것 없이 살았음으로 내 마음이 얼마나 메말랐는지도 느끼지 못했다. 우리 아이들은 내년 여름엔 이모님이 시집간 섬으로 피서를 가자고 지금부터 벼르지만 난 안 가고 싶다. 나의 그리움을 위해. 그 대신 택배로 동생이 분홍빛 도미를 부쳐올 날을 기다리고 있겠다.

그 남자네 집

1

아파트에 살던 후배가 땅집으로 이사 간다고 하길래 덮어놓고 잘했다고 말해주긴 했지만 정작 어디다 집을 샀는지 동네 이름은 별로 귀담아듣지 않았다. 무심한 것도 일종의 버릇인가 보다. 내 노쇠 현상의 특징은 이름이나 숫자에 대한 현저한 기억력 감퇴라는 걸 깨닫게 되면서부터 그런 것들은 아예 건성으로 들어버릇한 게 굳어진 듯싶다. 그 대신 어떻게 생긴 집이며 마당은 있는지 방은 몇 개고 전망은 어떤지에 대해서는 꽤 꼬치꼬치 알고 싶어 했다. 사실 말하고 싶은 건 그게 아니었는데.

나도 수년 전 오랜 아파트 생활을 청산하고 단독으로 이사를 했다. 땅집에 누운 첫날밤 도대체 뭘 찾아 먹으려고 여기까지 왔나, 내가 저지른 일이 하도 한심하고 딱해 잠을 이루지 못했다. 아름다운 전망, 상쾌한 공기, 조용한 환경, 적당한 고독 그런 것들은 오랫동안 내가 꿈꾸던 것이 아니던가. 그 밖에 뭘 더 바랐을까. 온갖 편리한 기능이 구비되고 투자 가치까지 보장된 아파트에 살면서 줄창 이게 아닌데 싶었다면 이게 아닌 저것은 뭐였을까. 나만의 비밀스럽고 고유한 추억이 점점 안 중요해지다가 마침내 아무것도 아닌 게 돼버리는 텅 빈 느낌이 아파트 탓이 아니듯이 땅집이라고 그런 것을 저절로 품고 있는 것도 아닐 것이다. 지은 지 얼마 안 되는 단독 주택일수록 아파트의 구조와 기능을 그대로 본떠 불편한 점이 조금도 없을 것 같지만 건물을 관리하는 책임은 전적으로 집주인에게 달렸다. 수도꼭지 하나 갈아 끼울 능력이 없는 위인이라는 사실을 왜 이제야 깨달았을까. 실은 이사 온 첫날밤의 불안 중 그게 가장 공포스러웠다. 마침 봄이었다. 다음 날 아침 마당에 내려서자 예서 제서 흙을 뚫고 솟아오르는 여리고 예쁜 싹들이 보였고, 그것들이 이 세상 빛을 보길 참 잘했다고 저희끼리 좋아라 하는 소리가 들리는 듯하면서 내 안에서도 땅집에 이사 오길 잘했다는 화답이 샘솟는 느낌이 왔다. 예기치 않은 기쁨이요 위안이었다. 후배는 나보다 이십 년은 아래다. 실리와 편리를 둘 다 희생하고 얻은 게 기껏 분꽃이나 채송화 나부랭이라 해도 하나도 손해본 것 같지 않은 나이가 되려면 아직아직 멀었다. 그런 조심스러운 의구심 때문에 도대체 당신은 뭘 찾아 먹으러 그 좋은 아파트 놔두고 땅집에 가려는 거야?라는 난폭한 질문을 예비해놓고 있는지도 몰랐다. 내가 속으로 무슨 생각을 하건 말건 후배는 예정대로 이사를 했고 낯선 동네의 새로운 풍경을 얘기해주었다. 주로 점잖은 중산층들이 모여 사는 오래된 주택가라 분위기가 가라앉아 있을 줄 알았는데 대학이 가까워 그런지 온종일 창밖만 내다보고 있어도 그 활기 때문에 심심한 줄 모른다고 했다. 대학 이름을 물었더니 성신여대라고 했다.

성신여대면 돈암동에 있을 텐데? 나는 좀 놀란 소리로 물었다. 맞다고 했다. 그러나 지금은 여러 동으로 나누어져 제각기 다른 이름으로 부르고 있었고 후배가 가르쳐준 건 새 이름이었던 것이다. 나는 그쪽 지리에 훤했다. 위치를 자세히 물어보니 성신여대와 성북경찰서 사이였다. 내 처녀 적의 마지막 집도 성신여고와 성북경찰서 사이에 있었다. 나를 시집보내는 것과 거의 동시에 친정집도 딴 동네로 이사를 가버려서 다시는 가볼 기회가 없었다. 기회가 있다고 해도 피했을 것이다. 나는 오십 년 전 그 동네를 떠났다. 오십 년은 긴 세월이다. 돈암동은 외진 동네가 아니다. 도심에서 멀지도 않다. 혜화동 고개를 넘어 미아리·길음동·수유리로 통하는 대로를 거치는 일이 오십 년 동안에 어찌 한두 번만 있었겠는가. 그 길가에 내가 단골로 다니던 동도극장이 없어진 것도 오래전이다. 그게 없어진 걸 안 것은 버스나 전차의 차창을 통해서였을 것이다. 나는 몸을 꼬고 고개가 아프게 뒤돌아보면서 비 내리는 흑백 화면 속의 장 마레와 샤를 부아예를 안타깝게 배웅했었다. 그럼 후배가 이사 간 건 한옥이란 말인가. 한번 떠난 후 다시는 안 가봤기 때문에 오히려 생생하게 그 동네를 떠올릴 수가 있었다. 얌전하게 쪽 찐 노부인처럼 적당히 품위 있고 적당히 퇴락한 조선 기와집 동네를. 후배는 아니라고, 반지하와 이층은 세를 놓을 수 있게 지은 최신식 이층집이라고 했다. 그 동네도 한옥은 얼마 남아 있지도 않거니와 남아 있는 한옥도 조선 기와지붕만 겨우 남겨놓고 카페나 패스트푸드점, 의상실 등으로 구조 변경을 한 집이 대부분이라고 했다. 대학이 들어섰으니까 주택가가 대학촌으로 변한 건 당연지사라 하겠다. 그러면 그렇지, 내가 생생하게 떠올릴 수 있는 게 그 자리에 그냥 있었던 적이 어디 한 번이라도 있었던가. 서운하면서도 마음이 놓였다.

후배가 집 구경 오라고 날을 잡아주었다. 집수리와 마당 꾸미는 일 때문에 후배는 나에게 자주 전화할 일이 생겼고 그럴 때마다 나는 그가 묻는 말보다는 그 동네에 대해 이것저것 호기심을 나타내 보인 것을 어서 집들이하라고 조르는 줄로 알아듣고 부담스럽게 여겼나 보다. 초대한 손님은 나 혼자였고 아직 수리가 깔끔하게 끝난 상태가 아니니 점심은 집 근처에서 사 먹고 집에서는 차나 마시자고 했기 때문이다. 그가 성신여대 역까지 마중을 나와주었다. 어디쯤이라고 말만 해주면 찾아갈 수 있다고 말해도 듣지 않고 나와준 건 고마운 일이었다. 그를 따라간 동네는 내 머릿속에 입력된 그 옛날의 돈암동이 아니었다. 가볍고 세련

되고 없는 것 없고 활기가 넘치는 전형적인 대학촌이 거기 펼쳐져 있었다. 그 대학의 길지 않은 역사에 비해 활기가 부글부글 넘치지 않고 오히려 자제하려는 품격 같은 게 느껴지는 건, 아주 드물게 눈에 띄는 거긴 하지만 모던하게 꾸민 쇼윈도 위로 고즈넉하게 내려앉은 조선 지붕 때문인 듯도 싶었다. 내 기억은 조선 기와지붕 그거라도 확실하게 거머쥐려고 허둥대고 있었다. 후배가 미리 답사까지 해보고 정했다는 음식점은 해물탕집이었다. 그의 선택은 탁월했다. 기본적인 몇 가지 해물에다 각종 야채와 양념을 기호에 따라 집어넣어가면서 손수 끓여 먹을 수 있는 잡탕은 시원하면서도 깊은 맛이 있었다. 값도 적당했다. 값싸고 맛있고 풍성하기까지 하니 최고의 식사였다. 통유리로 된 창가 자리여서 노천 카페 같은 기분이 나는 것도 나쁘지 않았다. 요샌 뭐든지, 먹는 것도, 입는 것도, 돈 버는 것도, 사랑하는 것도 여봐란 듯이 하는 세상이니까. 저만치 산 밑으로 성신여대의 높은 축대가 보였다. 내가 살던 돈암동집 골목을 나오면 꼭 그만한 각도로 그만큼 떨어져서 성신여고를 바라볼 수 있었는데. 그럼 내가 나의 옛 집터에서 점심을 먹었나. 기분이 이상해지려고 했다. 내가 그런 얘기를 했더니 후배는 그럼 자기 집으로 가기 전에 우선 내가 살던 집부터 찾아보자고 했다. 안감내만 찾으면 그 집을 쉽게 찾을 줄 알았다. 성북동 골짜기에서 발원하여 삼선교·돈암교를 거쳐 우리 동네 앞을 흐르던 개천을 우리는 그때 '안감내〔安甘川〕'라고 불렀다. 안감내는 수량이 풍부하고 맑아서 동네 사람들은 큰 빨래만 생기면 그리로 들고 나갔다. 개천과 나란히 난 천변 길은 인도와 차도가 따로 있을 정도로 너른 한길이고 개천 쪽으로는 수양버들이 늘어져 있어 차가 많지 않은 당시에는 다른 동네 사람들까지 일부러 산책을 올 정도로 한적하고 낭만적인 길이었다. 내 머릿속 지도의 한가운데를 대동맥처럼 관통하던 안감내는 찾아지지 않았다. 그게 안 보이는데 무슨 수로 어디가 어딘지 분간을 한단 말인가. 안감내가 복개됐다는 건 진작부터 알고 있었을 것이다. 복개됐더라도 개천과 천변 길을 합치면 8차선 넓이의 대로로 남아 있어야 했다. 80년대 초 처음으로 유럽 여행을 가서 센 강을 보고 애개개 그 유명한 센 강이 겨우 안감내만 하네, 라고 생각할 정도로 내 기억 속의 안감내는 개천치고는 넓은 시냇물이었다. 집만 나서면 개천 건너로 곧바로 성북경찰서의 음흉한 뒷모습과 거기 속한 너른 마당이 바라다보였다. 그만한 거리감 없이 우리 식구가 거기서 허구한 날 그 건물을 바라보며 살 수는 없었을 것이다. 그 동네에 그렇게 넓은 이면 도로는 없었다. 복개된 개천 자리 다음으로 표적이 될 만한 건 성북경찰서였다. 그건 금방 찾을 수 있었다. 내가 찾은 게 아니라 우리가 맴돌던 지점에서 후배가 조오기라고 손가락질해 보여주었다. 그제서야 내가 천주교회와 신선탕 중간 지점에 서 있다는 걸 알았다. 나의 옛집은 바로 신선탕 뒷골목에 있었고 그 남자네 집은 천주교당 뒤쪽에 있었다. 천주교당도 신선탕도 천변 길에 있었다. 교회는 증축을 했는지 개축을 했는지 그 자리에 있으되 외양은 많이 바뀌고 커져 있었지만 목욕탕은 그때 그 모습 그대로이고 이름까지 그대로였다. 세상에, 오십 년 전 그 목욕탕이 그대로 남아 있다니, 오십 년이면 목욕탕이 온천이나 사우나나 찜질방으로 변하고도 남을 시간이 아닌가. 나는 그놈의 목욕탕 때문에 그 넓지 않은 이면 도로가 안감내를 복개한 길이라는 걸 믿을 수밖에 없었다. 내 머릿속 지도의 거리는 실재하는 거리가 아니라 다만 확보하고 싶은 거리에 지나지 않았던 것이다. 신선탕 뒷골목의 옛 조선 기와집은 남아 있지 않았다. 그 일대가 다세대 주택이 들어서서 정확한 집터조차 분간할 수 없었다.

후배네 집에 가서 집 구경도 하고 차도 마셨다. 넓지는 않지만 마당도 있었다. 전 주인이 가꾸지 않아 공터처럼 버려져 있어 후배는 아마 거기 반했을 것이다. 지대가 높은 편이어서 동네가 한눈에 들어왔다. 그 남자네 집은 어디쯤일까. 후배는 내년 봄 마당에다 이것저것 나무들을 심을 계획으로 들떠 있었다. 소나무·후박나무·왕벚꽃·영산홍에서 체리나무·앵두나무·대추나무 등 유실수로 옮겨가다가 작약·모란·창포등·숙근초까지 손바닥만 한 마당을 놓고 한없이 가짓수를 늘려가는 후배를 바라보면서 나는 딴생각을 했다. 왜 그런 생각이 들었을까. 자꾸만 그 남자네 집은 남아 있을 것 같은 생각이 드는 거였다.

2

그 남자네가 안감 천변으로 이사온 것은 우리가 그리로 이사한 지 한 달도 안 돼서였을 것이다. 어머니가 철물전에 가는데 따라가서 바케스·쓰레받기·부삽·쥐덫 따위 너절한 것들을 들고 오다가 그 남자네가 이삿짐을 부리는 걸 만났으니까. 이사 오는 집 안주인이 우리 어머니를 보고 반색을 했다. 어머니는 달갑지 않은 얼굴로 마지못해 인사를 받았다. 그 집 안주인은 어머니보다 열 살은 더 들어 보이는 허리가 많이 굽은 노부인이었다. 먼 친척인 듯했다. 설사 촌수로 따져서 항렬이 어머니가 위라고 해도 손윗분인 건 분명한데 그렇게 데면데면하게 대하는 건 어머니답지 않았다. 옆에서 민망하기도 하고 우습기도 했다. 나는 어머니가 왜 그러는지 알고 있었다. 조금씩조금씩 집을 늘려가던 재미로 살던 어머니가 이번에는 당신이 납득할 수 없는 이유로 가세가 기울어 집을 왕창 줄여먹게 된 것이다. 전에 살던 동네보다 집값이 훨씬 싼 동네에다 며느리에 손자까지 본 삼대가 살기에는 턱없이 작은, 어머니 말을 빌리자면 코딱지만 한 집으로 이사를 했으니 어머니가 남부끄러워하는 건 당연했다. 그래도 집안에서는 어머니의 기세가 그 어느 때보다도 등등할 때였다. 대식구가 셋방살이로 나앉지 않고 오막살이나마 집을 지니게 된 것은 어머니 공이 컸기 때문이다.

어머니가 달가워하건 말건 노마님은 희색이 만면해서 우리더러 집 구경하고 가라고 부득부득 안으로 이끌었다. 이사하는 그 북새통에 스스러운 사람한테 집 구경을 시키고 싶어 하다니, 사람이 너무 좋아 보이기도 하고 조금은 주책스러워 보이기도 했다. 장정들 여럿이 짐을 안으로 나르고 있었다. 그중엔 일꾼도 있고 아들도 있고 사위도 있었다. 이삿짐은 그 집의 살림 규모를 노골적으로 드러내게 돼 있다. 어머니는 품위 있고 화려한 화류장롱, 고풍스러운 문갑, 길이 잘 든 사방탁자 등을 보고 기가 꺾였겠지만 나는 대강 묶기만 한 책들이 몇천 권은 될 것 같은 데 질리고 말았다. 노마님의 강권에 못 이겨 기웃거려본 집도 그 동네의 고만고만한 기와집들하고는 규모가 달랐다. 집 앞은 트럭이 몇 대 서 있어도 차나 사람들의 통행에 불편을 안 줄 정도의 대로인 데다 그 집은 대로에서 들어간 골목 안에 있었다. 막다른 골목이라고 볼 수 있었으나 골목이 넓고 골목을 같이 쓰는 이웃 없이 그 집 혼자 쓰는 전용 공간이어서 바깥마당처럼 보였다. 그뿐이 아니었다. 한길에서 그 집을 들여다보면 대문이 보이지 않고 고궁에서나 볼 수 있는 홍예문이 보였다. 홍예문은 사랑마당으로 통하는 문이었고 안채로 통하는 대문은 홍예문이 달린 담장과 기역자로 꺾인 곳에 달려 있었다. 난 왠지 문지방이 돌로 된 위압적인 솟을대문보다는 단아하고 고풍스러운 홍예문에 더 압도당하고 있었다. 추녀를 나란히 한 고만고만한 조선 기와집하고는 격이 달라 보였다. 마침 짐을 나르던 청년이 우리 곁에서 머뭇대며 알은척을 하고 싶어 하는 눈치를 보이자 노마님이 우리 막내라고 인사를 시켰다. 서글서글한 미남이었다. 막내를 보는 노마님 얼굴은 흐뭇한 미소로 주름이 가득해졌다. 손자라야 알맞을 것 같은 나이 차이 때문에 노마님이 좀더 주책스러워 보였다. 청년은 평상복에 교모를 쓰고 있어서 나는 냉큼 그가 어느 학교 다닌다는 것부터 알아보았다. 내가 다니는 여고하고 같은 동네에 있는 고등학교였다. 당시 광화문을 중심으로 신문로·안국동·계동·수송동 일대에는 열 개도 넘는 남녀 중·고등학교가 몰려 있었으니까 그 정도를 무슨 기이한 인연이라고 생각한 건 아니었다. 나는 그저 그가 다니는 학교가 우리 학교 애들이 별로 로 치는 중간급 정도의 학교라는 것 때문에 열등감을 다소나마 만회할 수 있어서 다행이었다. 그런 일은 그 후에도 또 생겼다. 그날은 안팎이 하도 어수선해서 중문간에서 안채를 기웃대다 나오고 말았지만 노마님이 하도 친절하게 집 구경을 시켜주고 싶어 하던 게 어머니 마음에 걸려 있었나 보다. 노마님은 어머니보다 예닐곱 살 가량 손위지만 외가 쪽으로 조카뻘 되는 먼 친척이니까 남남처럼 지내도 그만인데 하도 친한 척하니 암만해도 한번 들여다봐야 할 것 같다더니 성냥을 한 통 사가지고 다녀온 듯했다. 그 집에 맏이가 중앙청의 고관이고 며느리도 예의범절이 깍듯하더라면서 부러운 듯 심란한 눈치였다. 그러면서도 토를 다는 걸 잊지 않았다.

"그러면 뭐 하냐? 시집갈 때도 친정 형편이 처지는 데다가 인물도 신랑이 훨씬 잘나고 공부도 많이 했으니 잘 살아낼지 모른다고 어른들이 걱정해쌓더니만 여태까지도 영감 시집살이가 수월치 않은가 보더라."

"그 노인네가 엄마한테 그런 얘기까지 해요?"

"꼭 얘기를 해야만 아냐? 며느리를 그만큼 음전하게 들이고도 진일을 못 면하는 눈치더라. 남한테 잘하는 것도 영감님하고 시집 식구들한테 기죽을 못 펴 버릇한 게 아주 굳어버린 게지 뭐. 원 부잣집 마나님이 왜 그러고 사는지, 몽당치마에다 손은 갈퀴 같고."

내 주장이 강한 어머니다운 자기 위안의 방법이었다. 결정적으로 어머니에게 우월감을 안겨드린 것은 나였다. 대학 신입생이 되고 나서 어머니하고 구두를 맞추러 나가다가 그 노부인을 만났다. 어머니는 우리 딸이 서울대학에 들어가서 지금 구두 사주러 나가는 길이라고 자랑을 했다. 그냥 대학에 들어갔다고만 해도 될 텐데 명토까지 박은 것은 서울대학 이상 가는 대학은 없으니까 하는 어머니의 자만심 때문이었을 것이다. 노마님의 막내도 대학에 붙었다고 했다. 좋은 대학이었지만 서울대학은 아니었다. 어머니가 으스대는 걸 보고 나는 생전 처음 효도한 것 같은 우쭐하면서도 계면쩍은 기분을 맛보았다.

등교 시간만 되면 원남동에서 안국동까지의 한적하고 아름다운 길은 제복의 남녀 학생으로 넘쳐났다. 만약 그 밀도가 조금이라도 성기어지는 기미가 보인다면 그건 지각할지도 모른다는 신호니까 그때부터라도 뛰는 게 수였다. 우리 학교는 교장 선생님까지 교문에 지키고 있다가 지각생에게 모욕을 주는 것으로 유명한 학교였다. 홍예문 집 막내가 다니는 학교 아이들한테는 특별히 더 신경을 쓴 관계로 등교길에 몇 번 눈길이 마주친 적이 있었다. 그 애도 나를 알아보았는지 미처 확인할 새도 없이 황급하게 눈길을 피하긴 했지만. 그건 내가 특별히 얌전하거나 내숭스러워서가 아니라 당시의 금기 사항이었기 때문이다. 둘이 똑같이 대학생이 된 걸 알고 제일 먼저 떠오른 생각은 이젠 마주쳐도 그럴 필요가 없다는 설레는 자유에의 예감이었다. 흰 교복 깃을 안으로 구겨 넣지 않고도 극장에 드나들 수 있다는 사소한 자유만 상상해도 가슴이 터질 듯한 초년생이었으니 그까짓 게 특별한 감정일 리는 없었다.

3

후배네 집은 아직 수리가 덜 끝난 상태였다. 뒤 베란다에 알루미늄 새시를 달고 간 뒤에 곧 흙차가 마당에 객토를 하러 왔다. 어수선한 김에 그만 일어서려고 했더니 후배가 부득부득 따라나오면서 지하철 정류장까지 배웅을 해주겠다고 했다. 아까 옛집을 찾는답시고 얼마나 길눈이 어둡게 보였던지 지하철 정류장도 못 찾아나갈 대책 없는 위인 취급을 했다. 나는 가다가 둘

러볼 데가 있다면서 완곡하게 거절한다는 게 그 남자네 집 얘기를 비치고 말았다. 김 아무개도 이 아무개도 아닌 남자와 여자 사이에 있었던 일은 감추거나 줄여서 말하려고 하면 할수록 상대방의 호기심을 자극하게 돼 있는 것을. 후배는 연애소설에 맛을 들이기 시작한 소녀 같은 얼굴로 내 길잡이가 돼주었다. 나의 옛 집터를 알아놓았으니까 거기서 다시 출발하면 그 남자네 집을 찾는 것은 어렵지 않을 것 같았다. 그 남자네 집은 천주교당 뒤쪽, 성북경찰서 옆 양회 다리로 통하는 큰 길가에 있었다. 그 집은 한길에서 한 걸음 물러나 있긴 해도 대로변에 바깥마당을 끼고 있는 집이었다. 그렇게 대지 넓은 집이 날로 번창하는 대학촌에 아직까지 가정집으로 남아 있길 바랄 수는 없는 일이었다. 물론 내가 생각하는 가정집은 후배가 이사 간 이층이나 삼층짜리 양옥집 정도지 조선 기와집은 아니었다. 내 예상을 뒤엎고, 이 시대의 도도한 흐름에서 홀로 초연히 그 남자네 집은 그냥 조선 기와집으로 남아 있었다. 대문이 한길로 면한 그 길가의 다른 집들이 다 사오층 높이의 빌딩으로 변해버려서 그런지, 한 걸음 물러나 있음으로 더욱 당당해 보이던 집이 푹 꺼져 보였다. 한길을 향해 개방돼 있던 바깥마당에다 철문을 해 달은 게 옛날과 달라진 유일한 변화였다. 철문은 완강하게 닫혀 있었다. 철문 때문에 그 안의 조선 기와집은 좌우의 빌딩들과 나란히 있는 것 같으면서도 접근을 거부하는 은둔의 자세를 취하고 있었다. 철문은 가슴 높이부터 안을 들여다볼 수 있는 창살로 돼 있는데도 그 안에 나무를 빽빽하게 심어놓아 홍예문이 잘 보이지 않았다. 적어도 사람이 지나다닐 수 있는 길은 남겨놓고 나무를 심어도 심었으련만 가지가 하도 무성하게 뻗어 안을 엿볼 수 있는 시각적인 통로조차 없었다. 문득 집에도 영(靈) 같은 게 있을지 모른다는 생각이 얼음 조각처럼 가슴을 섬뜩하게 했다. 홍예문 집은 사랑마당은 물론 안마당에도 유난히 나무와 화초가 많았다. 그 집 뒤꼍에는 겨울을 밖에서 날 수 없는 유도화·석류·파초 등을 갈무리할 수 있는 움까지 있었다. 5월에 사랑마당에 활짝 핀 라일락이 담장을 넘어오면 길 가던 사람들이 다들 홍예문 위를 쳐다보고 코를 벌름거리면서 걸음을 멈추거나 늦추었다. 옷이나 몸에 그 향기가 배기를 바라는 듯이. 나는 철문 기둥을 받치고 있는 초석에 올라서서 키를 돋우고 안을 기웃거렸지만 반듯한 조선 기와지붕을 확인한 것밖에는 아무것도 더 알아낼 수 없었다. 조선 기와지붕은 손이 많이 간다. 더군다나 요즈음에는 제대로 된 기와장이 구하기도 어렵다. 예전에도 기와장이 품삯은 미장이의 세 곱절은 됐다. 기술은 안 이어받고 품삯에 대한 풍문이나 믿는 얼치기나 걸리기 십상이다. 도심에서 빌딩 숲 사이에 어쩌다 남아 있는 조선 기와지붕의 그 참담한 퇴락상을 보면 전통 가옥 보존 어쩌구 하는 소리가 얼마나 무책임한 개소리인지 알 것이다. 그 남자네 집은 거의 해마다 손을 봐준 것처럼 기왓골의 선이 가지런하고 윤기가 흘렀다. 돈과 정성이 꽤 드는 까다로운 치다꺼리를 마다 않는 주인이라면 팔리지 않아서 억지로 사는 게 아니라 조선 기와집을 사랑하는 유복한 사람일 것이다. 그 남자네 집이 주인을 잘 만났다는 게 기쁘다 못해 감동스러웠다. 그 남자네가 그 집을 떠난 건 내가 시집간 지 얼마 안 돼서이니 문서상의 소유권이 바뀌어도 열 번도 더 바뀌었을 세월이 흘렀는데도 말이다. 그러나 바깥마당에 너무 빽빽하게 나무를 심어 홍예문을 들여다볼 수 없는 건 암만해도 섭섭했다. 나무는 사철나무처럼 잎이 두껍고 윤이 나는 관목이었지만 사철나무보다는 키가 컸다. 무슨 나무일까 내가 궁금해하자 후배가 보리수라고 했다. 그는 나무 이름에 해박했다. 나무만이 아니라 작은 풀꽃도 이름 모를 꽃으로 대강 보아 넘기지 못하고 꼭 그 이름을 알아내고야 마는 노력에는 집요한 데가 있다는 걸 알고 있었다. 그가 보리수라면 보리수가 맞을 것이다. 그러나 내가 아는 보리수하고는 얼토당토않았다. 나는 딱 한 번 보리수를 본 적이 있었다. 지금보다 훨씬 젊었을 적 힌두교 문화권의 더운 나라를 여행한 적이 있는데 어느 외딴 마을에서 관광버스를 멈추고 잠시 휴식을 취한 적이 있었다. 그때 이십여 명의 일행이 약속이나 한 듯이 강렬한 햇볕으로부터 몸을 피해 한곳으로 모인 데가 보리수나무 그늘이었다. 30미터도 더 되는 거대한 나무는 줄기가 울퉁불퉁 꼬이긴 했어도 잔가지 없이 곧장 자라 아득한 높이에서 풍성한 녹음을 우산처럼 펼쳐주고 있었다. 가이드가 보리수라고 그 나무 이름을 가르쳐주었다. 부처님이 그 아래서 정각을 얻고 성불했다는 보리수하고 동일한 보리수일 리는 없었지만 왜 하필 보리수나무였을까가 충분히 이해될 만큼 그 나무는 자비롭고도 권위가 있어 보였다. 그런 것이 신성이라는 거 아닐까. 그때의 인상이 하도 강렬해서 국내에 보리수나무가 있다고 생각해본 적이 없었다. 우리나라는 그런 거목을 키울 기후가 아니다. 그렇다면 뮐러가 노래한 린덴바움? 그렇지만 그 집 바깥마당에서 홍예문을 가로막고 우거져 있는 나무들은 그 그늘 아래서 단꿈을 꾸기에는 너무 옹졸하지 않은가. 그 나무는 내가 품고 있는 보리수나무에 대한 두 개의 상이한 이미지 중 어떤 것하고도 닮아 있지 않았다. 그러나 친구가 툭 던진 보리수라는 이름을 나는 놓치고 싶지 않았다. 집에도 영이 있을지도 모른다는 생각은 얼음 조각이 아니라 불씨가 아니었을까.

집에 와서 수목 도감을 찾아보았다. 자연 상태에서 자랄 수 있는 국내의 수목을 총망라한 도감이었는데 보리수도 나와 있었다. 사진을 봐도 그렇고 간단한 설명을 봐도 그렇고 그 나무들이 보리수라고도 아니라고도 못 하게 불충분했다. 그래도 가을이면 지름이 6~8밀리미터 정도의 구형 열매가 붉은색으로 변한다는 설명은 확실하게 머릿속에 챙겨 넣었다. 세종로의 은행나무들이 자기 안에 깊숙이 숨어 있던 노랑 중 최고로 순수한 금빛을 환장을 한 것처럼 한꺼번에 분출하던 날 5호선 지하철을 타고 집으로 가다 말고 동대문운동장에서 4호선으로 갈아탔다. 교보문고에서 산 책 보따리가 제법 무거웠지만 달리 어쩔 도리가 없었다. 성신여대 정거장에서 내렸다. 나는 결코 길눈 같은 건 어둡지 않았다. 곧장 그 남자네 집으로 갔다. 혼자여서 아무것도 은폐할 필요가 없었다. 여전히 철문은 굳게 닫혀 있었다. 수목도감에는 낙엽관목으로 나와 있었으나 그 두텁고 푸른 잎들은 약간 윤기가 퇴색했을 뿐 아직도 심술궂게 나하고 홍예문 사이를 가로막고 있었다. 그러나 이파리 사이로 삐죽삐죽한 잔 가장귀엔 서너 개씩 빨간 열매가 달려 있었다. 아마 여름엔 이파리하고 같은 색이어서 눈에 안 띄었나 보다. 이 나무들은 얼마나 있어야 그 밑에서 단꿈을 꿀 만큼 자랄까. 한 오십 년쯤. 나는 보리수나무가 세월을 거꾸로 먹어 오십 년 전엔 그 무성한 그늘에서 관옥같이 아름다운 청년이 단꿈을 꾼 것 같은 착란에 빠졌다.

4

그 남자를 다시 만난 것은 우리 집에 아녀자만 남고 나서였다. 나는 아이들과 여자를 동격시하는 아녀자란 말이 싫었지만 차차 동의하게 되었다. 전쟁이 휩쓸고 간 후 집안 꼴이 그렇게 되었다. 남자들은 성북경찰서를 거쳐서 이 세상 사람이 아니게 되었다. 전쟁이 난 지 일 년이 넘었는데도 전선은 서울 북쪽 몇십 리 안에서 일진일퇴를 거듭하고 있었고 피난 못 간 서울 사람들은 가난뱅이들뿐이었다. 다들 가난할 때여서 진짜배기 가난뱅이는 오히려 귀했다. 생업에 종사하는 것은 여자들이었다. 우리 집만 아니라 이 도시에 남은 것은 아녀자뿐인 것 같았다. 뚝섬서 열무를 떼다가 팔면 반찬 값은 떨어진다고 해서 올케하고 같이 새벽 장사에 따라 나선 적이 있다. 안감내를 남쪽으로 남쪽으로 한없이 따라가면 개천이 어디론가 숨었다가 또 나타나곤 하면서 살곶이 다리와 살곶이 벌판이 나온다. 밭 주인은 돈 낸 것만큼 네모 반듯하게 열무 밭을 떼어주면서 캐가도록 했다. 거기까지는 남들 하는 대로 하다가 그 다음부터는 남들 하는 대로 할 수가 없었다. 남들은 더 달라고 아우성인데 우리는 덜 줄 수 없냐고 뒷걸음질을 쳤다. 떼어주는 열무의 양이 엄청났기 때문이다. 우리가 이고 오던 열무를 수없이 땅바닥에 태질하면서 어찌어찌 집에 당도한 건 어둑어둑해질 무렵이었다. 남들은 열무 장사한 이문으로 쌀 사고 반찬 사다가 저녁밥을 지을 시간이었다. 팔 시간이 있었다고 해도 수없이 태질을 당한 열무는 이미 상품 가치를 상실하고 있었다. 나는 그 후 미군 부대에 취직을 했다. 그전부터 부대에서 허드렛일을 하는 이웃 아줌마가 우리 처지를 딱하게 여겨 소개해주겠다는 걸 어머니가 굶어 죽어도 그 노릇만은 못 시킨다고 펄쩍 뛰어 못 하던 취직 자리였다. 아줌마는 나 같은 대학생은 청소보다 나은 자리도 있을 것처럼 말했는데 그걸 어머니는 양공주 자리가 났다는 것처럼 알아들었나 보다. 열무 장사의 실패는 어머니에게도 충격이었던지 혹은 목구멍이 포도청이었는지 어머니는 못 이기는 척 설득을 당했고 그 후 나는 미군 부대의 꽤 편한 자리에 취직이 되었다. 먹고사는 문제가 해결됐는데도 가난은 날로 남루해졌다. 딸이 미군 부대에서 벌어오는 돈으로 먹고 사는 걸 식구들이 치욕스러워했기 때문이다. 그해 겨울 퇴근하는 전차 안에서 그 남자를 만났다. 남자가 먼저 반색을 했다. 그는 다짜고짜 나를 누나라고 불렀다. 누나라는 말은 묘했다. 마음을 놓이게도 섭섭하게도 했다. 늦은 시간의 전차 안은 텅 비어 있었지만 그 안에서는 서로 반가워서 어쩔 줄 모르는 것 이상의 감정 표현을 하지 못했다. 종점에서 내려서 불빛이 희미한 빵 가게로 들어갔다. 주인이 손수 만든 도넛이나 찐빵 같은 걸 파는 궁기가 더덕더덕한 가게였다. 시척지근한 막걸리 냄새가 진동하는 찐빵을 시켜놓고 나는 제일 먼저 나를 누나로 부른 까닭부터 물었다. 이유는 간단했다. 같은 해에 대학에 들어갔으니까 동갑일 텐데 자기는 일곱 살에 소학교에 들어갔으니 십중팔구 나보다 한 살 아래일 거라고 했다. 그건 맞는 말이고 그럴듯한 계산법이었다. 그는 군복을 입고 있었다. 졸병들이 입는 허술한 군복이 아니라 미군 장교나 입을 것 같은 날이 선 사아지 군복 바지에 반짝거리는 구두에다 안에 털이 달린 파카를 입고 있었다. 비록 미군 부대에 다니지만 미군 장교는 좀 그렇고 국군 장교하고 친할 수 있었으면 얼마나 좋을까 속으로 동경해마지 않던 때였다. 전시에 군복이 잘 어울리는 장교는 권력의 상징이자 백마 탄 기사였다. 그러나 장교가 아니라도 좋았다. 신분이 확실한 젊은 남자라는 것만으로도 '웬 떡'이냐 싶었다. 찐빵에 손도 대기 전에 그는 주인에게 싸달라고 하더니 나가자고 했다. 괜찮은 포장마차를 알고 있다고 했다. 그럼 처음부터 그리로 가자고 하던지, 그의 경박함이 못마땅했지만 아직도 그는 나의 '웬 떡'이었으므로 놓치고 싶지가 않았다. 삼선교까지 전차 한 정거장 거리를 그를 따라 되돌아갔다. 천변에 불빛이 보였다. 도깨비불처럼 귀기가 돌게 창백한 불빛은 칸델라 불이었다. 카바이드 냄새가 싫지 않았다. 찐빵집보다 더 허술한 천막집이었는데 이상스럽게도 궁기는 없었다. 나중에 안 일이지만 그 남자는 궁기를 가장 참을 수 없어했다. 궁기를 좋아할 사람은 없지만 그는 좀 유별나서 특정 냄새를 못 참는 것처럼 즉각 생리적인 반응을 나타냈다.

그날 나는 그 포장마차에서 처음으로 구공탄 불이라는 걸 보았다. 구멍마다 독한 불꽃이 올라오는 연탄 난로 위 무쇠솥에서 오뎅 국물이 끓고 있었다. 앞치마를 두른 오뎅집 남자가 그를 무심하게 맞았다. 막사기 대접에다 달걀과 덴뿌라와 무 토막과 두부 튀긴 것과 정체 모를 고기의 힘줄 같은 걸 꿴 꼬챙이를 하나씩 넣고 뜨끈한 국물을 부어주었다. 오뎅 국물도 꼬챙이에 낀 것도 심지어는 달걀까지도 진한 간장 빛이었다. 그러나 맛은 슴슴하고 들척지근했다. 주인은 벙어리처럼 말이 없고 무심했다.

"이번 난리에 느네 식구 중엔 다친 사람 없냐? 우린 아녀자만 남았는데……"

나는 그가 묻기 전에 냉큼 그 말부터 했다.

"우린 달랑 모자만 남았는데……"

"정말? 그 큰 집에? 그전엔 몇 식구였는데?"

"일곱 식구, 엄마, 아버지, 큰형 내외하고 조카들 둘."

"말도 안 돼. 아이들까지 다 죽었단 말야. 폭격도 안 맞았으면서……"

"아냐 죽긴 왜 죽어. 넘어갔어. 북쪽으로. 큰형이 좌익이었거든."

"중앙청 고관이라고 우리 엄마가 부러워했는데 그런 사람도 좌익이 될 수 있구나."

"고관은 무슨, 우리 형은 자타가 공인하는 수재였으니까 그 정도의 고관은 그쪽에서도 해먹겠지 뭐."

"그럼, 넌 뭐니? 니 정체는 도대체 뭐냐구?"

나는 핍박받아야 할 월북자 가족과 그의 번드르르한 군복 차림이 도무지 꿰맞춰지지가 않아 신경질적으로 따져 물었다. 빨갱이 가족이 당해야 할 고통과 수모와 감시라면 나도 이가 갈릴 만큼 알고 있었다. 그러면 그렇지 이 세상에 웬 떡이 어디 있을라구. 께적지근한 낙담으로 똥 밟은 얼굴이 되고 말았다. 그는 대답하지 않고 꼬챙이에 낀 힘줄같이 생긴 걸 늙은이처럼 느릿느릿 신중하게 씹기 시작했다. 마치 그 안에 숨어 있는 미소한 고기 맛도 안 놓치겠다는 듯이 그의 턱 운동은 철저하고 집중적이었다. 그러나 하나도 게걸스럽지는 않았다. 다 씹어 삼키고 나서 주인에게 한다는 소리가, "아저씨 접때 먹은 힘줄은 그래도 양키 군화 삶은 정도의 누린내는 나던데 이번 건 영 아냐. 꼬랑내만 조금 나는 게 혹시 마루 밑에서 옛날에 신던 아저씨 구두를 주워다 과낸 거 아뉴?"

"아차, 그런다는 게 그만 우리 어머니 고무신을 훔쳐다 삶아 냈는지도 모르겠네."

두 남자가 낄낄거렸다. 화음이 잘 맞는 웃음소리였다. 나는 잔뜩 신경을 곤두세우고 그들이 주고받는 수작을 지켜보았다. 뜻밖에 요새 읽은 책 얘기를 했다. 둘이서는 서로 책을 빌려보는 사이인 듯했다. 나는 그들이 나를 의식하고 꼴값을 떠는구나, 하고 같잖게 생각했다. 그가 주인 앞으로 돈을 밀어놓으며 일어섰다. 거스름돈을 주려 하자 어머니 고무신 사드리라고 손을 내저었다.

"장한 우리 상이군인 아저씨, 사골 국물이라도 한번 진하게 내드리는 게 국민 된 도린 줄은 알겠는데 당최 그놈의 마루 밑 밑천이 떨어져야 말이지. 번번이 미안하이."

주인이 하나도 안 미안한 얼굴로 머리를 긁적거리며 우리를 배웅했다. 나는 밖으로 나오자마자 그에게 따져 물었다.

"아니, 상이군인이라니 그게 무슨 소리야. 이렇게 사지가 멀쩡해가지고. 너, 그 어수룩한 사람한테 사기 친 거지, 그치? 도대체 네 정체가 뭐냐, 말해봐 빨리."

그는 느리게 조근조근 말했다. 삼선교에서 안감 천변, 목욕탕, 뒷골목, 우리 집까지 오는 동안의 그의 이야기는 끝났다. 딱 고 길이에 분량을 맞춘 것처럼. 그 거리는 얼마 안 됐다. 따라서 그의 이야기도 간결하게 요약된 것이었다.

여름에 인민군이 들어오고도 어떻게 된 게 그의 형은 숙청 대상이 안 되고 계속해서 안정된 신분을 유지했다. 그러나 사람에게는 양다리밖에 없으니까 양다리 이상은 걸칠 수가 없다는 건 자명한 이치, 석 달 만에 인민군이 후퇴할 때 그도 따라서 북으로 가버렸다. 처음엔 처자식과 노부모를 남겨놓은 단신 월북이었다. 그러나 세상은 또 한 번 뒤집혀 겨울에 인민군이 다시 서울을 점령했을 때 형이 가족을 데려가려고 나타났다. 처자식은 두말 없이 따라나섰겠지만 부모는 달랐다. 왜냐하면 인민군이 후퇴하고 서울이 수복된 동안에 막내가 국군으로 징집됐기 때문이다. 막내가 국군이 되었기 때문에 그동안 그 집 식구들이 월북자 가족으로 받아야 할 핍박을 많이 줄여준 건 사실이지만 노부모에게는 이럴 수도 저럴 수도 없는 딜레마였다. 결국 노부부는 헤어지는 쪽을 택했다. 아버지는 큰아들네 식구를 따라 북으로 가고 어머니는 남아서 군인 나간 막내아들을 기다리기로 했다. 그런 연유로 그 남자가 넓적다리에 부상을 입고 명예 제대하여 집으로 돌아와보니 그 큰 집에 늙은 어머니 혼자 달랑 남아 있었다. 그동안에 파파 할머니가 돼버린 어머니를 부둥켜안고 눈물을 흘리기는커녕 무슨 효도를 보려고 자기를 기다렸느냐고 드립다 구박만 했다. 저 노모만 없었으면 얼마나 자유로울까, 그 생각만 하면 숨이 막힐 것 같아서 요새도 맨날맨날 구박만 한다고 했다. 한번 뒤집혔던 세상이 원상으로 복귀해서 미처 숨 돌릴 새

없이 다시 뒤집혔다가 또 한 번 뒤집히는 엎치락뒤치락 틈바구니에서 우리 집에서는 이런 일이 있었고 그 남자네 집에서는 그런 일이 있었던 것이다. 국가라는 큰 몸뚱이가 그런 자반 뒤집기를 하는데 성하게 남아날 수 있는 백성이 몇이나 되겠는가. 하여 우리는 서로 조금도 동정 같은 거 하지 않았다. 우리가 받은 고통은 김치하고 밥처럼 평균치의 밥상이었으니까. 만약 아무도 죽지도 않고 찢어지지도 않고 온전한 가족이 있다면 우리는 그 얌체 꼴을 참을 수 없어 그 집 외동아들이라도 유괴할 것을 모의했을지도 모른다.

나는 그날 밤잠을 이루지 못했다. 그의 아름다운 얼굴에서 창백하게 일렁이던 카바이드 불빛, 불손한 것도 같고 우울한 것도 같은 섬세한 표정, 두툼한 파카를 통해서도 충분히 느껴지는 단단한 몸매, 나는 내 몸에 위험한 바람이 들었다는 걸 알아차렸다. 피차 동정 같은 건 하지 않았지만 닮은 불운을 관통하는 운명의 울림 같은 걸 감지한 건 아니었을까. 나는 마치 길 가다 강풍을 만나 치마가 활짝 부풀어오른 계집애처럼 붕 떠오르고 싶은 갈망과 얼른 치마를 다독거리며 땅바닥에 주저앉고 싶은 수치심을 동시에 느꼈다. 장작을 아끼기 위해 우리 식구들은 다들 안방에 모여 자고 있었다. 깊이 잠든 살아남은 식구들, 두 과부와 두 어린것들의 평화로운 숨소리가 들렸다. 마침내 더는 나빠질 수 없는 밑바닥에 도착한 안도감과 평화는 같지 않을 수도 있었다. 그러나 살아남은 자의 슬픔보다는 평화가 얼마나 더 거룩한가. 나는 내 안에서 회오리치는 위험에의 갈망과 이렇게 맞섰다.

그 남자는 거의 매일같이 부대 앞에서 나를 기다렸다. 미군부대의 잡역부들은 일자무식으로부터 대학을 나온 사람까지 다양했지만 다들 어딘지 켕기는 데가 있는 사람들이었다. 특히 병역 기피자가 많았다. 정식으로 허락된 건 아니지만 군복을 입을 수 있고 꼬부랑글씨로 된 신분증이 나오니까 요령만 좋으면 큰소리쳐가면서 검문을 피할 수 있었다. 찌들고 떳떳치 못한 사람들은 군복이 썩 잘 어울리고 건강하고 거침없어 보이는 미남자에 대해 이것저것 궁금해했다. 동생뻘 되는 친척이라는 소리는 안 했으면 좋았을 것을. 아무도 안 믿었다. 사지가 멀쩡한 상이군인이라는 신분은 선망과 질시의 대상이었다. 마음대로 생각하라지, 우린 그런 것들을 즐겼다. 그런 것들은 우리의 행복감을 상승시켰다. 남이 쳐다보고 부러워하지 않는 비단옷과 보석이 무의미하듯이 남이 샘 내지 않는 애인은 있으나마나 하지 않을까. 그가 멋있어 보일수록 나도 예뻐지고 싶었다. 나는 내 몸에 물이 오르는 걸 느꼈다. 그는 나를 구슬 같다고 했다. 애인한테보다는 막내 여동생한테나 어울릴 찬사였다. 성에 차지 않았지만 나도 곧 그 말을 좋아하게 되었다. 구슬 같은 눈동자, 구슬 같은 눈물, 구슬 같은 이슬, 구슬 같은 물결…… 어디다 그걸 붙여도 그 말은 빛났다.

그해 겨울은 내 생애의 구슬 같은 겨울이었다. 안감 냇가 말고 애인들이 갈 수 있는 데는 많지 않았다. 우리 둘 다 대학생이 되고 고등학교 때의 금기의 장소에 미처 익숙해지기도 전에 난리가 나고 서울은 폐허가 돼버린 것이다. 그나마 극장이 남아 있다는 게 천만다행이었다. 전시의 극장은 난방이 안 됐다. 그는 내 옆에 꿇어앉아 자기 털장갑을 뒤집어서 내 발끝에 씌워주곤 했다. 손가락 장갑을 바닥만 뒤집으면 그 안에 다섯 손가락이 뭉쳐 있게 되고 그걸 발끝에다 신으면 아무리 꽁꽁 언 발가락도 스르르 녹으면서 훈훈해진다. 그는 어떻게 그런 신통한 생각을 해낼 수가 있었을까. 그건 일석이조였다. 언 발가락이 따뜻해졌을 뿐 아니라 내가 그토록 애지중지 당하고 있다는 만족감까지 맛볼 수 있었으니까. 주로 중앙극장에서 영화를 보았기 때문에 곧잘 명동으로 진출할 수 있었다. 종로 거리가 완전히 파괴되고 시민들은 거의 다 피난을 가서 주택가에도 사람 사는 집이 얼마 안 되던 전시에 명동의 은성한 불빛은 비현실적이었다. 우리는 부나비처럼 불빛 안에서 자유를 만끽했다. 근사한 단골 다방도 생기고 비싼 제과점도 알게 되었고 양품점에서 앙증맞고 불필요한 소품을 사는 재미도 알게 되었다. 명동에는 그런 것들 말고도 미군 장교하고 살림을 차린 고급 양부인이 주 고객인 중후하고도 화려한 보석상도 있었다. 드넓은 한구석엔 응접실처럼 꾸며놓은 은은한 코너도 있어서 요염하게 화장을 한 고객들이 서양 배우처럼 세련되게 다리 꼬고 앉아 주인의 아첨을 즐기는 게 밖에서도 훤히 보였다. 서서 구경만 하는 고객은 안 보여서 우리는 감히 그 안에 들어가볼 용기가 나지 않았다. 그 대신 내가 쇼윈도에 붙어서서 눈독을 들인 귀금속들은 모조리 장차 내 것이 되었다. 나는 보석보다 그의 허황한 약속이 더 좋았다. 비싼 보석에 눈요기 이상의 욕심을 내지 않았건만도 연애는 돈이 많이 드는 짓이었다. 그는 한 푼도 못 버는 백수였고 나는 돈을 벌긴 해도 다섯 식구의 밥줄이었다. 밥줄의 존엄성을 무시할 만큼 우리의 연애질은 외람되지 않았다. 상이군인에게 아직 연금도 없을 때였다. 그의 가장 만만한 돈줄은 늙은 어머니였다. 큰아들과 영감을 따라갈 것이지 무슨 효도를 받으려고 나 같은 걸 기다리고 있었느냐고 노모를 구박하던 그 남자는 툭하면 노모를 못살게 굴었다. 그에게 반찬 없는 밥을 안 먹이는 것만도 노모로서는 습관화된 살던 가락 아니면 유지하기 벅찬 노릇이련만 그는 그걸 과람해할 줄 몰랐다. 용돈에 목말라 노모를 괴롭혔다. 노모가 시장 바닥에 옷가지도 들고 나와 팔고 광주리를 이고 다니면서 푸성귀 장사까지 한다는 걸 나는 어머니를 통해 알았다. 이사 올 때보다 허리가 더 굽어 거의 기역자로 보이는 노인이 무거운 걸 머리에 이어주면 발딱 일어서서 곧바로 걷는 게 너무 신기하다고 했다. 우리 집도 툭하면 어머니가 시장 바닥으로 물물 교환을 하러 나갔다. 서울이 텅 빈 것 같아도 동네 시장에 가면 사람들이 바글바글했다. 살기에 가까운 생기가 넘치는 그곳에는 사는 사람과 파는 사람이 따로 있지 않았다. 아무나 아무 데나 물건을 펴놓고 팔기도 하고 필요한 걸 사기도 했다. 재래 시장의 가게 주인들도 거의 다 피난을 갔기 때문에 열려 있는 가게는 얼마 없었다. 죽기 아니면 살기 식의 거친 상행위는 닫힌 가게의 추녀 끝이나 시장통 골목 등 아무 데서나 이루어졌다. 어머니는 그의 노모에게 임을 이어준 얘기를 하고 나서 한동안 씁쓸하고 하염없는 표정을 지었다. 출세한 아들을 둔 부잣집 마나님과 비교해서 자존심 상해하던 어머니답지 않게 마음으로부터 동정심이 우러나는 것 같았다. 그러나 우리 어머니의 동정심이 자기 위안일 뿐 그의 노모에게 해당되는 건 아니었다. 허리가 굽어 실제의 나이보다 훨씬 더 늙어 보이는 그 노인이 아들이 못되게 굴 때마다 마치 늦둥이 재롱 보듯 즐거워하는 걸 여러 번 보았다. 아들에게 주머니를 몽땅 털리고도 합죽한 입 언저리에 여러 겹의 파문 같은 주름을 지으며 웃는 모습을 보면 동정 받아야 할 사람은 우리 어머니라는 걸 알 수 있었다. 그 남자는 살아 돌아왔다는 사실 하나만으로도 충분한 효도를 하고 있었다. 그래 그랬던가, 나는 그 남자가 노모를 가혹하게 착취하는 걸 부추겼다고는 할 수 없어도 말리지도 않았다. 그래도 누울 자리 보고 다리 뻗는다고 잔돈푼보다 큰돈에 궁하면 그 남자는 부산까지 원정을 갔다. 그 남자하고 큰형 사이에는 누님이 두 분 있었는데 한 분이 의사였다. 부산으로 피난 가서 큰 병원에 취직해서 계속해서 돈을 벌 수 있었기 때문에 그 남자에게는 가장 큰 돈줄이었다. 그 남자에게 의사 누님은 여러모로 쓸모가 많았다. 노모가 돈을 잘 안 주면 부산 가서 누나한테 달랠 거라고 공갈을 치면 귀한 골동품이라도 내다 팔아 돈을 마련해주곤 했기 때문이다. 속속들이 점잖은 노모는 아들이 시집간 딸한테 폐가 되는 걸 여간 싫어하지 않았다. 그러나 착한 딸은 어머니에게 생활비를 보태고 싶어 동생을 부산에 부르곤 했다. 그가 부산 간 날이면 나는 외롭고 쓸쓸해서 이불 속에서 몰래 숨을 죽여 흐느끼곤 했다. 아무리 시장 바닥에 인간들이 악머구리 끓듯 하면 뭐하나, 그가 없는 서울은 빈 거나 마찬가지였다. 마지막 남은 남녀는 절대로 헤어져서는 안 된다. 하루만 더 그 무의미, 그 공허감을 견디라 해도 차라리 죽는 게 낫다고 생각할 정도로 하루하루 절박하고도 열정적으로 그를 기다렸다. 돌아오겠다는 날보다 더 있다 온 적이 없었건만 그는 돌아오자마자 벌을 받아야 했다. 일상적인 위안보다 더 큰 위안, 그건 휘황한 장소에서 분수에 넘치는 호화 취미를 즐기는 거였다. 그렇다면 그가 어머니와 누나를 무차별적으로 착취하도록 부추긴 건 내가 아니었다고는 못하겠다. 그렇다고 분수에 넘치는 호사 취미에 대한 나의 욕구가 물질적인 것에만 국한됐던 건 아니다. 그는 시를 좋아할 뿐 아니라 외우고 있는 시가 많았다. 가로등 없는 골목길을 오 리를 십 리, 이십 리로 늘여서 걸으면서, 또는 삼선교의 포장마찻집의 새파랗고도 어둑시근한 카바이드 불빛이 무대 조명처럼 절묘하게 투영된 자리에서 그는 나직하고도 그윽하게 정지용·한하운의 시를 암송하곤 했다. 그는 그 밖에도 많은 시인의 시를 외우고 있었지만 내가 누구의 시라는 걸 알고 들은 건 그 두 시인이 고작이었다. 포장마찻집에서는 딴 손님이 없을 때에만 그런 객쩍은 짓을 했기 때문에 주인 남자도 잠자코 귀를 기울였다. 다 듣고는 분수에 넘치는 사치를 한 것 같다고 고마워했다. 나에겐 그 소리가 박수보다 더 적절한 찬사로 들렸다. 우리에게 시가 사치라면 우리가 누린 물질의 사치는 시가 아니었을까. 그 암울하고 극빈하던 흉흉한 전시를 견디게 한 것은 내핍도 원한도 이념도 아니고 사치였다. 시였다.

뭐니뭐니 해도 가장 돈 안 드는 사치는 그 남자네 집 사랑채에 있었다. 홍예문이 달린 사랑채는 니은 자 구조로 돼 있었다. 안채의 기역 자 구조와 맞물리면 미음 자가 되지만 맞물리지 않고 넉넉한 공간을 두고 떼어놓았기 때문에 서로 독립적이었다. 사랑채엔 따로 사랑마당이 딸렸을 뿐 아니라 대문을 거치지 않고도 외부와 소통할 수 있는 홍예문이 있었다. 사랑마당을 바라볼 수 있는 툇마루가 딸린 큰방은 그의 아버지와 형이 공유하던 서재고, 큰방에서 안채를 향해 꺾어진 작은방은 그의 형이 처자식과 따로 홀로 취미 생활을 즐기던 방이라고 했다. 형의 취미는 음악 감상이었을까. 그 방엔 당시엔 드문 전축이 있었고 빼곡하게 꽂은 음반이 두 벽 천장까지 닿아 있었다. 내 귀는 클래식에 전혀 훈련이 돼 있지 않았다. 그것 때문에 나는 은근히 그에게 열등감을 느끼고 있었고 그것을 눈치 챈 그는 나에게 최대한으로 친절하려고 애썼다. 그러나 이래도 귀에 기별이 안 가고 배기나 보자고 위협이라도 하듯이 들려준 베토벤의 9번 교향곡을 듣고도 너무 시끄럽다, 어머니 깨시겠어, 라고 소음 취급을 하자

어처구니없어 하는 표정이 되었다. 그렇다고 아주 단념한 건 아니었다. 고등학교 음악 시간에 귀에 익은 「들장미」 「라르고」 「보리수」 같은 가곡을 들려주기 시작했다. 그는 음반을 조심조심 마치 애무하듯이 다루었다. 그는 전축이 돌아가는 동안 다음에 걸 음반을 골라서 호호 살짝 입김을 불어넣기도 하고 작은 솔로 닦아내기도 했다. 그 솔은 원래는 음반 청소용이 아니라 화장할 때나 쓰는 것일 수도 있었다. 서양 여자의 속눈썹을 연상시키는 정교하고 섬세한 솔이었다. 부드러울 것도 같고 빳빳할 것도 같은 그 솔에 닿으면 전류가 통할 것 같은 기분이 들곤 했다. 음반을 어루만지고 싶어서 그러는지 먼지를 닦으려고 그러는지 분간이 안 되는 그의 골똘하고도 탐미적인 손놀림 때문일 것이다. 그는 또 내가 이름을 알 리 없는 외국 테너의 기름진 미성도 애무하듯이 가만가만 관능적인 허밍을 넣으면서 들었다. 솔이 허밍인지 허밍이 솔인지 잘 구별이 안 됐다. 촉각과 청각이 서로 녹아들면서 아슬아슬한 도취의 순간을 만들어냈다. 그가 가장 자주 틀어준 음반은 「보리수」였다. 그 가사는 우리가 고3 때 배운 독일어 교과서에 나오는 시였다. 암 부룬넨 포어 뎀 토레 다 슈타트 아인 린덴바운, 이히 트러임트 인 자이넴 샤텐 조 만헨 쥐센 트라움, 그 가사에다 그가 허밍을 넣는 걸 듣고 있으면 나는 온몸에 솜털이 곤두서는 것 같았다. 그 시절부터 우리는 얼마나 멀리 와 있나. 그 시절이 우리에게 정말 있기나 있었을까. 여긴 어딘가. 그건 일종의 위기 의식이었다. 5월이 되자 사랑마당에서 온갖 꽃들이 피어났다. 그렇게 여러 가지 꽃나무가 있는 줄은 몰랐다. 향기 짙은 흰 라일락을 비롯해서 보랏빛 아이리스, 불꽃 같은 영산홍, 간드러지게 요염한 유도화, 홍등가의 등불 같은 석류꽃, 숨가쁜 치자꽃, 그런 것들이 불온한 열정—화냥기처럼 걷잡을 수 없이 분출했다. 이사하고 나서 조성한 정원이어서 그 남자도 이렇게 꽃이 잘 핀 건 처음 본다고 했다. 그런 꽃들을 분출시킨 참을 수 없는 힘은 남아돌아 주춧돌과 문짝까지 흔들어대는 듯 오래된 조선 기와집이 표류하는 배처럼 출렁였다. 우리는 서로 부둥켜안고 싶을 만큼 아슬아슬한 위기 의식을 느꼈다. 돈 안 드는 사치는 이렇게 위험했다.

휴전이 되고 집에서 결혼을 재촉했다. 나는 선을 보고 조건도 보고 마땅한 남자를 만나 약혼을 하고 청첩장을 찍었다. 마치 학교를 졸업하고 상급 학교로 진학을 하는 것처럼 나에게 그건 당연한 순서였다. 그 남자에게는 청첩장을 건네면서 그 사실을 처음으로 알렸다. 어떻게 이럴 수가 있냐고, 믿을 수 없다는 표정을 짓고 나서 별안간 격렬하게 흐느껴 울었다. 그는 그동안 좀 바빴었다. 정부가 환도하고 피난 간 누나들이 돌아오고 서울 집값이 오르면 팔려고 겨우 버티던 집도 복덕방에 내놓는 등 여자한테 신경 쓸 시간 없이 지내는 동안에 그렇게 됐다고 생각하는 것 같았다. 그러나 그건 전부터 예정된 일이었다. 나도 따라 울었다. 이별은 슬픈 것이니까. 나의 눈물에 거짓은 없었다. 그러나 졸업식 날 아무리 서럽게 우는 아이도 학교에 그냥 남아 있고 싫어 우는 건 아니다.

5

그 남자네 집 바깥마당의 무성한 나무가 보리수임에 틀림이 없다는 생각이 들자 도망치듯이 그 집 앞을 벗어났다. 그러나 멀리 가지는 못하고 지금은 땅밑을 흐르는 안감 냇가를 중심으로 그 동네를 돌고 또 돌았다. 그 남자의 부음을 들은 지도 십 년 가까이 될 것이다. 그동안 우리는 한 번도 만나지 않았다. 나에게 그가 영원히 아름다운 청년인 것처럼 그에게 나도 영원히 구슬 같은 처녀일 것이다. 우리는 그때 플라토닉의 맹목적 신도였다. 우리가 신봉한 플라토닉은 실은 임신의 공포일 따름인 것을. 어디선가 연탄불 냄새가 났다. 휴전이 되고 연탄불은 급속히 확산돼 내 결혼 생활은 연탄불과의 투쟁의 역사라고 해도 과언이 아니었다. 그러나 지금 끼쳐오는 냄새는 그런 지겨운 냄새가 아니라 카바이드 냄새도 섞인 그리운 냄새였다. 나는 부유하듯 다리에 힘 빼고 그 냄새에 이끌렸다. 연탄 갈비라고 간판을 붙인 집에선 연탄 화덕을 주룬히 추녀 끝에 내놓고 불이 괄해지길 기다리고 있었다. 복고풍이 마침내 연탄불에까지 이른 모양이다. 가게 안은 어둑해 보였다. 옛날 집 대문처럼 해달은 널빤지 문을 열고 들어갔다. 바닥에 비질을 하고 있던 남자가 다섯 시가 지나야 저녁 영업을 한다고 알려주었다. 실내 어디에도 카바이드 칸델라는 보이지 않았다. 아무 데나 앉아서 좀 쉬고 싶었지만 청소를 하고 있는 남자의 표정이 하도 시큰둥해 말도 못 붙여보고 돌아 나왔다. 세종로에 있는 것 못지않게 곱게 물든 그 동네 은행나무가 표표히 잎을 떨구고 있었다. 아늑함이 그리웠다. 부드러움도. 내부가 훤히 들여다보이는 커피 집 문을 밀고 들어갔다. 창가에 앉았다. 안에서 본 은행잎 지는 거리는 아름다운 애니메이션 화면처럼 동화적이었다. 그 거리를 오가는 젊은이들의 발랄하고 거침없는 몸짓 때문일 것이다. 그 애들과 나와의 거리가 연령 차가 아니라 엽전과 양놈이라는 종족의 차이만큼이나 아득하게 느껴졌다. 그 남자의 그닥 밝지 않은 소식을 간간이 들을 때마다 나도 마음이 편치는 않았다. 그때 왜 그랬을까, 되짚어 곰곰 생각도 해보고 너무 맺고 끊는 듯한 내 성깔이 남의 일처럼 정 떨어지기도 했었다. 얼마 전 TV로 「내셔널 지오그래픽」을 보다가 오랫동안 궁금했던 것의 해답을 얻은 것처럼 느꼈는데, 그것도 거기 정말 정답이 있어서라기보다는 줄창 답을 구하는 마음을 가지고 있었기 때문일 것이다. 거기서 보여준 건 새들이 짝을 구하는 방법이었는데, 주로 수컷이 노래로 몸짓으로 깃털로 암컷의 환심을 사려고 온갖 노력을 다한다는 건 다 아는 사실이니까 그저 그렇고, 가장 흥미 있었던 것은 자기가 지어놓은 집으로 암컷의 환심을 사려는 새였다. 그런 새가 있다는 건 처음 알았다. 수컷은 청청한 잎이 달린 단단한 가지를 물어다가 견고하고 네모난 집을 짓고, 드나들 수 있는 홍예문도 내고, 빨갛고 노란 꽃가지를 물어다가 실내 장식까지 하는 것이었다. 암놈은 요기조기 집 구경을 하고 나서 그중 가장 마음에 드는 집을 골라잡기만 하면 짝짓기가 이루어진다.

그래, 그때 난 새대가리였구나.

그게 내가 벼락치듯 깨달은 정답이었다. 나는 작아도 좋으니 하자 없이 탄탄하고 안전한 집에서 알콩달콩 새끼 까고 살고 싶었다. 그의 집도 우리 집도 사방이 비 새고 금 가 조만간 무너져 내릴 집이었다. 도저히 새끼를 깔 수 없는 만신창이의 집, 아직 태어나지 않은 내 새끼를 위해 그런 집은 버릴 수밖에 없었던 것이다.

앉은자리가 불편해지기 시작했다. 여긴 내가 있을 자리가 아니었다. 경양식도 같이 파는 찻집은 자리가 꽉 차 주로 쌍쌍인 젊은이들이 내가 앉은 테이블의 빈자리를 잠시 넘보다가 나가버리곤 했다. 주인의 시선이 따가울 수밖에 없었다. 연탄 갈비집도 영업을 시작했을 시간이다. 그 가게 앞을 카바이드와 연탄불 냄새를 그리워하며 천천히 걸어가는 늙은이가 눈에 선하다. 그는 누구일까. 애무할 거라곤 추억밖에 없는 저 처량한 늙은이는.

나는 마지못해 자리를 떴다. 쌍쌍이 붙어 앉아 서로를 진하게 애무하고 있는 젊은이들에게 늙은이 하나가 들어가든 나가든 아랑곳없으련만 나는 마치 그들이 그 옛날의 내 외설스러운 순결주의를 비웃기라도 하는 것처럼 뒤꼭지가 머쓱했다. 온 세상이

저 애들 놀아나라고 깔아놓은 멍석인데 나는 어디로 가야 하나. 그래, 실컷 젊음을 낭비하려무나. 넘칠 때 낭비하는 건 죄가 아니라 미덕이다. 낭비하지 못하고 아껴둔다고 그게 영원히 네 소유가 되는 건 아니란다. 나는 젊은이들한테 삐치려는 마음을 겨우 이렇게 다독거렸다.

마흔아홉 살

현관 바닥에 신발이 가득한 걸 보니 다들 온 모양이었다. 그 여자는 발끝으로 그것들을 양옆으로 밀면서 자기 신발을 가지런하게 벗어놓을 수 있는 자리를 마련하는 동안 안에서 새어나오는 얘기를 엿듣고 말았다. 엿들을래서 엿들은 건 아니었다. 그럴 생각은 추호도 없었다. 현관문은 처음부터 발끝으로 열 수 있을 만큼 틈이 나 있었다. 반상회나 그 밖의 모임이 있을 때는 뉘 집에서나 다들 그렇게 했다. 아무리 문이 열렸더라도 양손에 짐만 들고 있지 않았다면 아마 일단은 초인종을 누르거나 현관문을 두어 번 두드리고 들어갔을 것이다. 그 여자는 열려 있는 자식의 방에 들어갈 때도 그런 식으로 인기척을 내는 게 몸에 배 있었다. 물론 자식의 방에서 일기장이나 편지를 훔쳐보는 무식한 짓 따위도 하지 않았다. 몸에 밴 자신의 그런 교양 있는 태도를 늘 강하게 의식하고 있었으니까 훔쳐보고 싶은 욕망이 아주 없는 건 아닐 수도 있었다. 시방 그 여자가 헐레벌떡 들어선 오십 평 아파트 안방에 모인 여자들의 입초시에 오르고 있는 건 카타리나였다. 카타리나는 그 여자의 세례명이다. 카타리나가 어떤 성녀인지 그 여자는 잘 알지 못했고 또 알려고도 하지 않았다. 세례명을 정할 때 가장 좋아하거나 닮고 싶은 성녀를 선택한 게 아니라 발음상 그중 로맨틱하게 들리는 이름을 골랐다. 카타리나행 기차는 여덟 시에 떠나네,라는 노래 가사도 있는 걸 보면 이 세상 어딘가엔 카타리나라는 지명도 있을 것이다. 유럽어의 철자법으로는 전혀 별개의 카타리나인지도 모르지만 조수미의 목소리로 그 노래를 듣고 있으면 카타리나는 이국 땅의 이름도, 14세기의 성녀 이름도 아닌 그 여자가 경험해보지 못한 삶의 몽롱한 비밀이 스며 있는 이름이 되었다. 그나저나 그 카타리나가 어쨌다는 것일까. 그 여자는 가슴이 쿵쾅대는 소리가 들릴 만큼 숨을 죽이고 꼼짝도 할 수 없었다. 인기척을 내기에는 이미 늦어버리기도 했지만 그들의 목소리에서는 맛있는 걸 저희들끼리만 휘딱 먹어치워버리려는 다급하고도 게걸스러운 식욕 같은 게 느껴졌다. 전혀 상관없는 사람 얘기를 하고 있다고 해도 끝까지 듣고 싶었을 것이다. 그러나 스캔들의 주인공이 자신이 될 것을 알아차렸다면 그전에 중턱을 잘랐어야 하는 것을…… 때를 놓치고 나서 떠오른 생각이었다.

—어머머…… 카타리나 그 천사 같은 여자가 어쩜 그럴 수

가, 말도 안 돼.

— 누가 아니래, 나도 내 눈을 의심했다니까. 어떻게 사람이 그렇게 겉 다르고 속 다를 수가 있는지, 완전히 딴 사람이야. 나한테 현장을 들키고도 눈 하나 깜박 안 하더라니까. 어디서 그런 집게는 구했는지 이따만 하게 기다란 집게 끝으로 시아버지 팬티를 집어가지고 그 어른 방에서 나오는데 어찌나 험하게 오만상을 찌푸리고 있는지, 난 카타리나가 빨랫감이 아니라 약 먹고 죽은 쥐나, 뭐 그런 끔찍한 걸 집어가지고 나오는 줄 알았다니까. 그래도 그게 다였다면 이런 말 꺼내지도 않을 거야. 글쎄 끝까지 그 영감님 속옷을 죽은 쥐 취급을 하면서 다용도실까지 뻗쳐들고 가더니 세탁기 안으로 냅다 뿌리치는데, 그 서슬이 어찌나 시퍼렇던지 그까짓 헝겊조각에서 쨍그렁 소리가 나는 것 같더라니까.

— 아, 알았다. 그 영감님이 속옷에 큰 거나 작은 걸 지렸을 거야. 그 연세엔 능히 그럴 수도 있을걸?

— 아냐, 그게 아니라니까. 카타리나가 제 입으로 그랬어. 시아버지의 딴 빨랫거리는 다 참아주겠는데 팬티만은 이런 취급이라도 해야 직성이 풀린다구.

— 세상에, 세상에…… 그 점잖은 노인네가 아들네 집에서 그런 구박을 받다니. 나는 카타리나가 그런 독종인 줄은 꿈에도 몰랐네. 이건 엽기다 엽기, 안 그래?

— 그건 네 엽기 취미구, 지금 문제는 그게 아니잖아. 그 이중

성이 문제지. 생각해봐, 우리가 무의탁이나 거동이 불편한 노인들 목욕 봉사를 해보자고 힘을 모았을 당시의 주동자가 누구였는지. 카타리나였잖아.

— 글쎄, 그랬나. 딱히 주동자랄 건 없잖아. 성당 피정 가서 같은 학교 학부형끼리 친해지고 어떤 학원이 좋은지, 어떤 선생이 족집겐지, 아이들 과외공부 정보 교환하다가 하나 둘 대학에 집어넣고 나니 홀가분하다가 허전해지고 그래서 몇 번 같이 몰려서 나이트도 가보고 관광도 다니다가 이럴 게 아니라 뭐 좋은 일 할 게 없나 물색하다가 돌볼 가족이 없는 노인들 목욕 봉사를 다니자는 제안을 제일 먼저 한 것은 나야, 나.

— 그래, 그건 네가 했다고 치자. 그때 그럴듯한 의견이 좀 많이 나왔냐. 입 가지고 듣기 좋은 소리 누군 못 하냐? 그 분분한 여러 좋은 의견 중에서 목욕 봉사를 확 낚아챈 게 카타리나였잖아.

— 얘는 목욕 봉사가 무슨 월척이라도 되냐, 낚아채게.

— 그래, 카타리나에겐 월척이었을 거야. 그때까지 듣기만 하던 카타리나가 그때부터 우리를 리드하기 시작하면서 일이 일사천리로 진행됐잖아. 네가 목욕 봉사를 제안한 건 연필 굴리기처럼 그냥 해본 소리일 게 뻔하고, 그걸 책임질 수 있는 정답을 만든 건 카타리나였다구.

— 재는 누가 아직도 입시생 엄마 아니랄까 봐 저 말투 좀 봐.

— 그래, 난 아이를 셋씩이나 낳아서 아직도 현역이다, 어쩔래.

—어쩌긴, 부러워서 그래. 막내가 고3일 때는 언제 이놈의 고3 엄마를 면하나 지긋지긋하더니만 막상 면하고 나니 허전하고 허무하고, 분한 것 같기도 하고 억울한 것 같기도 하고, 아마 사오십대에 정리해고당한 가장의 심경이 바로 이런 거 아닐까 싶네. 우리 식구들한테 난 도대체 뭘까.

—그만 해, 너 철학과 나온 거 다 아니까 개똥철학 그만 하고 본론으로 돌아가자고. 생각나? 목욕 봉사를 지금처럼 남자 노인만 대상으로 하자고 우긴 게 바로 카타리나였다는 거.

—일방적으로 우긴 건 아니었어. 카타리나의 의견을 우리가 다들 그럴듯하게 받아들인 거지. 여자 노인들은 원래 씻는 걸 싫어하지 않아서 씻기기 편하고 딸이나 며느리가 스스럼없이 달겨들어 씻겨줄 수도 있지만 배우자 없이 홀로 된 남자 노인들은 그렇지 못하다는 말에 우리가 다 고개를 끄덕였잖아. 딸도 아버지 씻겨드리기는 좀 그렇다는 건 사실이고.

—그래, 그래서 우리가 본격적으로 일을 시작하면서 모임 이름을 만들 때도 듣기 좋고 수더분하게 효녀회라고 하자고 했더니 카타리나가 효부회로 하자고 주장했잖아. 애정보다는 의무의 느낌이 더 강한 이름이 우리에게 알몸을 맡길 노인에게나 우리 봉사자에게나 덜 위선적이고 거리감도 생겨서 좋다고.

—그것도 맞는 말이었잖아. 그래서 그때 카타리나에게 이 참에 아주 회장 하라고 했고, 카타리나는 쾌히 승낙했고.

—회장님 소리가 그렇게 듣고 싶었을까. 아무튼 이상한 사람

이야.

— 그건 너무하는 소리 아냐? 카타리나가 회장 한다고 우리가 월급을 줬어, 회비를 면제해줬어, 일을 덜 시켰어. 오히려 남이 하기 싫은 일을 혼자서 다 도맡아 했잖아. 노인 용품은 또 얼마나 많이 기증을 받았냐? 그이 남편이 그런 제조업을 한다고 해도 반값도 아니고 완전 거저로 내놓기는 쉬운 일이 아니다, 너. 일을 그만큼 하고도 우리가 그동안 회비 명목으로 모은 돈 거의 안 썼어. 내가 경리니까 그건 보증해. 오늘 나 회계보고하면서 회비 조금 더 올려서 내년에는 해외여행 가자고 바람 좀 넣으려는 참이었는데.

— 얘는 순진하긴. 그렇게 해서 공짜로 남편 회사 피알할 속셈이었을 거야. 근래에는 우리가 봉사 나가는 날이면 그 회사에서 봉고차까지 내주었잖아. 즈네 회사 제품 이름이 덕지덕지 붙은. 카타리나도 노인들 목욕시킬 때나 하소연을 들어줄 때나 그분들에게 이러이러한 게 있었으면 편리하다 싶은 걸 하나도 그냥 지나치지 않고 주의 깊게 듣더라구. 얼마나 약은 사람인데. 그걸 아마 남편 회사에 아이디어로 제공할 거야.

— 그럼 팔아먹었단 소리 아냐? 설마.

— 그게 어때서? 생산업자로서는 신제품이 나왔을 때 실수요자의 반응을 즉각즉각 파악하는 게 얼마나 중요한 일인데.

— 봉사가 사실은 비즈니스의 일환이었다고 해도 좋다 이거야. 일석이조와 이중성은 다르다고 생각해. 카타리나가 목욕 봉

사의 대상을 남자 노인에게만 국한시키자고 한 게 과연 딴 뜻은 없었을까? 난 처음부터 이상했어. 아무리 늙은이라고 해도 어떻게 남의 남자의 성기에 손을 대나, 그게 난 젤로 자신이 없었으니까. 생각만 해도 손끝이 오그라들었거든. 아마 다들 그랬을 거야. 나는 벗은 노인 얼굴을 마주 보는 것도 민망해서 주로 등만 밀어드렸지만, 발을 공 들여 닦아드린 일만 한 사람도 성기에 손 댄 사람은 없었을걸. 아랫도리 전문은 카타리나였잖아. 카타리나가 얼마나 기쁜 얼굴로 아랫도리를 오래 주물러댔는지 다들 봤잖아.

— 거기가 제일 뭐가 많이 끼잖아요. 뒤보고 나서 뒤처리를 잘 하지 않은 노인들 거기를 깨끗이 해주려면 불려가면서 닦아야 하니까 오래 걸릴 수밖에 없을걸요.

조신한 목소리로 끼어든 건 동숙이었다. 아, 동숙이도 와 있었구나. 동숙이가 끼어들자 좌중이 갑자기 신중하고 진지해지는 게 느껴졌다. 그 여자는 더욱 긴장할 수밖에 없었다.

— 그 정도는 나도 알아요. 그렇지만 유난히 오래 떡 주무르듯 했어요. 그렇게 성기를 주름주머니와 다름없이 여길 수 있는 사람이 어떻게 다만 성기가 닿았다는 이유 하나로 시아버지의 팬티를 그렇게 엽기적으로 학대할 수 있냐 말예요.

— 넌 그럼 그 두 가지 물건 사이에 상관관계가 있다고 생각하는 거니?

— 있지, 그럼. 카타리나에겐 분명 성적 욕구불만 아니면 왜

곡된 성관계에서 오는 죄의식, 어쩌면 근친상간이나 유아기에 당한 성폭행이나, 그런 어두운 과거가 분명 있을 거야.

—또, 또, 너 또 프로이트하고 엮어보려고 그러지? 누구 기 죽일 일 있어?

웃음소리가 나면서 분위기가 풀어지려는 틈새로 동숙이가 끼어들었다.

—왜 이렇게 늦을까. 마중을 가봐야 할까 봐요. 혼자 들고 오긴 무거울 텐데.

암만해도 그 자리가 불편한 듯 서먹한 목소리였다. 배달시켜도 되는 걸 누가 저더러 사서 고생하라고 했냐느니, 회장 노릇이 얼마나 힘들다는 걸 과시하려고 일부러 그런다느니, 깎아내린 김에 아주 깔아뭉개버리려는 소리는 확신에 차서 성토할 때보다 한결 나직하고 부드러웠다. 그 여자는 오히려 그 조심스러운 속삭임에 진저리가 쳐졌다. 아직도 양손에 무거운 짐을 든 채로 서 있었다는 걸 그제서야 깨달았다. 그동안 팔이 한 자는 늘어난 것 같았다. 십여 명분의 김밥과 떡과 과일과 음료수와 일인분씩 따로 포장한 왜된장국까지 들어 있는 보따리였다. 미련하게 무거웠다. 배달을 시킬 줄 몰라서가 아니라 될 수 있으면 싸고 맛있는 걸로 사려고 길 건너 재래시장 단골집에 들르다보니 그렇게 되었다. 김밥 아줌마는 미리 주문받은 김밥을 혼자서 싸면서 반찬 장사도 하기 때문에 배달을 못 해주는 걸 미안해하면서 부득부득 왜된장국을 덤으로 주었다. 재래시장을 이 집 저 집 돌아다니면서 싸고 좋은 것으로 사는 재미와 마땅히 그래야 한다는 회장으로서의 의무감 때문에 짐이 무거운 줄도 몰랐다. 손에서 힘이 빠지자 두 개의 검은 비닐봉다리가 소리도 없이 바닥에 내려앉았다. 늘어난 팔은 원상으로 돌아올 것 같지 않았다. 뻣뻣하게 굳어서 구부려보아도 잘 구부러지지 않았다. 그때 안방 쪽에서 정말 마중을 나갈 참인지 동숙이 반코트에 팔을 꿰며 스르르 거실로 나타났다. 동숙이하고 시선이 마주치자 그 여자는 방금 온 것 같은 표정을 지어야 한다고 생각했지만 그건 불가능했다. 그건 아마 동숙이도 마찬가지였을 것이다. 둘 다 그런 면의 순발력은 평균 이하라는 걸 서로 알고 있었다. 효부회의 멤버들은 처음엔 성당의 영세 동기들로만 구성이 됐다가 자주 빠지는 사람, 이사 가는 사람이 생기면서 소문을 듣고 같이 일하고 싶어 하는 사람 또한 그만큼 생겨서 늘 일하기 좋은 적정선인 십여 명을 유지하고 있었다. 동숙이는 그 여자가 끌어들인 고교 동창이었다. 성당 교우가 아닌 최초의 멤버였다. 고교 때 친한 사이는 아니었다. 대학을 갔는지 안 갔는지도 잘 생각나지 않는 걸 보면 고3 때 같은 반도 아니었던 것 같다. 거기에 대해서 아직 물어보지도 못했으니 같은 단지에서 살게 된 걸 알고 나서 전화질도 하고 왕래도 했지만 속내를 드러낼 만큼 가까워진 건 아니었다. 그래도 서로 통하는 걸 느꼈다. 같은 또래의 남매를 두고 있었고 두 집 다 막내를 부모의 욕심에 못 미치는 대학에 막 집어넣은 뒤였다. 찜찜하고도 허전한 느낌, 실패감도 성취감도 아닌

게 빠져나간 자리를 메꾸고 싶은 욕망의 허덕거림, 그러나 모호한 방향감각, 화끈한 것에 대한 소심증, 서로의 이런 공통점이 소싯적의 엎으러지는 우정과는 다른, 보듬는 친밀감을 만들어냈다. 동숙은 그 여자가 회장 노릇 하는 일에 기꺼이 동참해주었지만 딴 회원들하고는 아직도 서먹하여 깍듯이 예의를 지키며 지냈다.

동숙이가 미처 뭐라고 그러기 전에 그 여자가 먼저 얼른 현관을 도망쳐나왔다. 서로의 난처한 입장을 모면하는 길은 그 길밖에 없었다. 엘리베이터는 일층에 서 있었다. 동숙이하고 얼굴을 맞댈 자신이 없었다. 엘리베이터가 마침 십일층에 아가리를 벌리고 서 있다고 해도 타지 않았을 것이다. 그게 더 빠른 줄은 알지만 도망치고 싶은 급한 마음에 맞지 않았다. 자기는 가만히 있는데 계단이 저절로 발밑으로 말려드는 것 같은 느낌은 현기증일까, 속도감일까. 돌고 도는 물레방아를 미는 것처럼 계단은 끝날 줄을 몰랐다. 마침내 층층다리가 끝난 아득한 곳에서 동숙이 턱 쳐들고 기다리고 있었다. 피할 수 없이 동숙과 맞닥뜨리자 그 여자는 미안해,라고 속삭였다. 동숙이 피식 웃자 그 여자도 따라 웃었다. 정말이야, 다시 힘주어 말하자 미안한 까닭이 분명해졌다. 차마 못 들을 소리를 엿들은 자신보다는 그 자리를 같이한 동숙이 얼마나 민망했을까, 동숙이를 앞에 놓고 어떻게 그런 말을 할 수 있단 말인가, 그것 때문에 미안하고 치가 떨렸다. 동숙이가 어깨를 감싸는 걸 뿌리쳤다. 미안한 것하고는 다른 떨림을 들키고 싶지 않았다. 너, 다 들었구나? 동숙이 조심스럽게 물었다. 동숙의 어깨 너머로 관리실 아저씨가 난롯가에서 졸고 있는 게 보였다. 건축할 때부터 관리실에는 난방시설을 안 해놔서 겨울이면 수위들은 연탄난로를 끼고 살았다. 가스 때문인지 경비상의 필요성 때문인지 유리창을 줄창 열어놓고 있었다. 별게 다 신경에 거슬렸다. 그 여자가 대답을 미루고 뜸을 들이는 사이에 일상적인 표정으로 돌아온 동숙이 약간은 도전적인 목소리로, 앞으로 그 사람들하고 상종을 할 거냐 말 거냐고 물었다. 그 당돌한 물음에 그 여자는 모욕감을 느꼈다. 그 여자가 주도해온 목욕 봉사는 누가 뭐래도 보람 있는 일이었다. 왜 내 진부한 일상이 숭고를 좀 입으면 안 되나. 거룩한 직업을 가진 이가 가끔 쾌락을 입는 것을 눈감아주는 것만큼만 봐주면 되는 것을. 그 여자는 어느 틈에 방금 당한 인신공격을, 위선에는 엄하고 위악에는 너그러운 세태로 일반화시키고 있었다.

"그렇게 다그치지 마. 잘못을 엿들은 죄는 나한테도 있는 것이니까. 될 수만 있다면 안 들은 걸로 하고 싶어."

"알았어. 그럼 내가 얼른 가서 그런 방향으로 수습하고 올게. 지금이면 늦지 않았을 거야. 또 도망치지 말고 기다려. 그 더러운 기분은 당일로 풀어야 할 거 아냐. 혼자 삭이려고 하지 마. 병 된다, 너. 시장통 김밥 아줌마 집 옆으로 난 막다른 골목 전통찻집에서 기다리고 있을래? 좀 구질구질해도 이 아파트 단지 여자들이 잘 안 가는 데잖아."

아닌게아니라 깔끔하지도 세련되지도 않은 찻집이었지만 손님도 없어서 한결 마음이 가라앉았다. 동숙이네서 대추차를 대접받은 생각이 나서 두 잔을 시켰는데 식기 전에 나타났다.

"아니나 달라, 점심 보따리가 그냥 그 자리에 나자빠져 있더라구. 잘됐지 뭐. 내가 마중 나가서 받아온 것처럼 했구. 넌 암만해도 집에 무슨 일이 생긴 것 같으니 가봐줘야겠다고 이내 돌아나왔어. 미련하게 배달시키지 않았다고 투덜대더라. 된장국이 식었다나 어쨌다나. 지금쯤 즈네들이 한 소리는 다 잊어먹고 아귀아귀 잘들 처먹고 있을걸."

김밥 아줌마가 스티로폼 접시에다가 김밥하고 순대를 들고 왔다. 웬일이냐고 묻자 동숙이가 대답했다.

"웬일은 웬일이냐? 내가 배달시켰지. 넌 욕만 먹어도 배부른 체질이면 안 먹어도 돼. 난 배에서 쪼르륵 소리가 난다. 너도 김밥 아줌마가 바쁘면 과일 집에라도 부탁해서 배달을 시켰어야지. 그럼 그런 소리도 안 듣고 좀 좋아. 넌 너무 잘하려는 게 탈이야."

"맞아, 낑낑대면서 손수 들고 가 수고했단 소리 듣고, 회장님이 사온 김밥은 역시 맛있다는 소리 듣고, 그러면서 만족하고 싶어서 힘든 줄 모르고 신바람을 내다가 그런 꼴을 당하고 말았다는 거 알아."

"네 말투는 어째 벌써 용서한 것처럼 들린다."

"용서는 무슨, 누가 없는 죄를 꾸며댄 것도 아니고 다 진짜걸.

당분간은 좀 힘들겠지만 내가 못 들은 것처럼 하는 게 상책일 거야. 해온 일에 대한 책임감이 무엇보다도 중요하다고 생각해."

"책임감, 그거 참 듣기 좋은 말인데, 그게 혹시 권력욕이라고 생각하지 않니? 회장 자리를 막무가내 지켜내고 싶은."

그 여자는 벌린 입을 다물지 못했다. 못 들을 소리를 엿들었을 때보다 더 기가 막혔다.

"우리 효부회를 누가 알아주며 무슨 덕 볼 건덕지나 권한이 있다고 권력욕씩이나 갖다붙이냐? 그러잖아도 '장'자를 붙여서 부르는 게 거북해서 이번에 그 문제를 거론할 참이었어. 마침 연말 모임이니까 임기 없이 맡은 거지만 번갈아가며 회장을 맡기로 의견을 모으기에 적당한 시기다 싶었거든."

"넌 참 눈치가 없구나. 너보다 그 사람들이 훨씬 더 빨라. 니가 어디서부터 엿듣게 됐는지 모르지만 네 험담이 나온 것도 바로 그놈의 회장 자리 때문이었어, 이 바보야. 나는 신자가 아니니까 성당하고 우리 모임의 관계는 잘 모르지만, 눈치가 본당 신부님도 관심을 가지고 지켜보다가 이렇게 잘나가는 모임은 지원하고 키워보고 싶어 하신다나 어쩐다나. 교회 내에서 인정해주는 봉사단체가 된 후에도 네가 회장직을 맡을 자격이 있나 없나 한번 생각해봐야 되지 않을까, 라고 누가 운을 뗐을 때만 해도 다들 너 말고 누가 있나, 하나마나한 얘기라고 시큰둥하더니만 그게 글쎄 느이 시아버지 팬티 때문에 단숨에 좌중이 활기를 띠면서 역전을 하더라구."

"너도 지금 내 앞에서 활기를 띠고 있어. 너도 내 편이 아니었니?"

"그 활기라는 게 바로 스캔들의 힘이야. 사람들은 일단 스캔들의 편을 들게 돼 있구. 섭섭해하지 마라."

"안 할게. 니가 그래도 내 역성 들어주는 것까지는 엿들었으니까. 네 말대로라면 나를 가장 숭하게 말한 사람이 차기 회장감이겠구나."

"몰라, 그것까지는. 나까지 빠졌으니까 즈이끼리 북 치고 장구 치고 잘 해먹었겠지."

"아무나 할 수 있는 일이 아냐. 궂은 일이 얼마나 많다구. 내 손길을 기다리고 그리워하는 노인분들을 지금 와서 어떻게 몰라라 할 수 있겠어. 정말이야, 그게 회장 자리보다 더 중요한 내 진실이야. 믿거나 말거나."

"난 믿어. 그리고 너만큼 그 일을 진국스럽고 완벽하게 할 사람도 없다는 것도 알고 있고. 그건 다들 인정하니까 즈네들이 하기 싫은 일은 계속해서 너한테 시키겠지. 아무도 네가 엿들었다는 거 모르니까, 너도 안 할 수 없을걸."

"왜 그렇게 생각해?"

"사람들이 회장 벼슬보다 더 좋아하는 건, 나 아니면 안 되는 일이야. 그 여자들이 찧고 까부는 건 당연해. 네가 그 일을 할 때 보면 완전히 성녀의 경지야."

"별로 노력 안 해도 나는 노인의 아랫도리가 얼굴이나 딴 부위보다 주름이 더 조밀한 곳이라는 생각밖에는 안 들었어."

"그렇게 완벽한 박애주의자가 어떻게 시아버지 팬티를 그렇게 모질게 구박을 할 수 있나, 그게 바로 엽기가 되는 거 아니겠어? 아까 그 여자가 집게로 팬티 집어다가 팽개치는 네 흉내까지 내는데 얼마나 섬뜩했는 줄 알아? 난 느이 시아버지 잘 알잖아. 점잖고 품위 있으시고 말수 적으시고. 그 어른 인품도 인품이지만 네가 정성껏 거둬서 저 양반 저렇게 곱게 늙어가시는구나, 네가 내 친구라는 게 자랑스럽기도 하고 그랬는데, 얼마나 놀랐겠어. 하긴 그 여자 워낙 허풍쟁이니까 과장도 있었겠지만."

"허풍이 아냐. 그 여자가 내가 그 짓 할 때 쨍그렁 소리가 나는 것 같다고 했는데, 어떻게 그렇게 내 마음을 꿰뚫어봤을까, 나 자신도 소름이 끼치더라니까. 그게 그냥 헝겊조각이라면 무슨 재미로 그렇게 내치겠어. 어떤 때는 한낱 헝겊조각이 양철통도 됐다가 유리그릇도 됐다가 하는 거야. 그래서 내칠 때마다 쨍그렁 소리, 와장창 소리, 별소리가 다 나. 소리와 함께 내 전 존재가 번쩍 섬광을 발하면서 폭발하는 것 같은 느낌, 그건 이루 말할 수 없는 쾌감, 거의 엑스터시의 경지야."

"점점, 넌 네가 변태인 줄 모르는 변태야. 잘 생각해봐. 예전에 시아버지한테 고약한 일을 당한 걸 감추다가 잊어버리고 만 게 아닌지."

"벌 받을 소리 작작 해. 그분은 정말 점잖고 착하고 소심한 분이야. 내가 얼마나 정성껏 모시는지는 네가 상상하는 거 이상일 걸. 힘이야 물론 들지. 힘든 일일수록 때때로 쾌락이 필요한 거 아니겠냐. 이건 순전히 내 이중성의 문제야. 아무리 도덕군자라고 해도 아이 만들기 위한 섹스만 하는 건 아니잖아. 도덕군자에게는 섹스의 쾌락도 없다고 생각하진 말고 이해해줄 순 없냐."

"그게 왜 하필 시아버지 팬티냔 말야. 어떻게 성적인 상상을 안 하겠어. 망칙하다고 피할 수 있는 게 아니라고 생각해. 시아버지 팬티가 남사스러우면 시아버지는 빼고 그냥 남자 팬티로 일반화해보자. 너 틀림없이 남자에게 억하심정을 품을 만한 사건이 있었을 거야. 두려워하지 말고 그걸 밝혀내야 돼. 네 정신건강을 위해서야."

"지금 네 표정은 마치 최면이라도 걸어서 내 과거의 어두운 터널을 들어가보고 싶은 눈친데, 내 과거엔 터널 같은 거 없어. 여학교 땐 우리 집이 너무도 평범하고 정상적인 가정이라는 데 열등감까지 느꼈다니까. 성폭행은커녕 눈길을 주고 따라오는 남학생 하나 없이 여고시절을 마감했으니까. 성적인 폭행이나 장난은 추녀나 노인도 당한다지만 난 아래위 남자형제에 낀 외딸이어서 그랬는지 부모들의 과보호가 심했어. 학교에서 조금만 늦게 와도 엄마가 버스 정류장에서 기다리고 있었으니까. 얼마나 싫었다고. 성교육은커녕 성적인 정보로부터도 철저히 차단돼서 길러졌어. 그래서 더욱 남자한테 꼬리를 칠 줄 몰랐을 거야. 대학교 가서 비로소 남자들과 자유롭게 섞일 수 있었지만 특별한 사이는 쉽게 안 생기더라. 미팅을 아무리 열심히 해봤댔자 애

프터가 잘 안 들어오니까, 난 섹시하지 않다는 열등감만 늘어서 주눅이 들어 지내다가 다행히 대학교 졸업하기 전에 지금의 남편을 만났어. 처음으로 꾸준하게 날 좋아하는 남자가 생기니까 내가 너무 허둥거렸나 싶기도 해. 왠지 오빠가 중매하는 남자한테는 죽어도 시집가기 싫었어. 나 먼저 치우고 자기가 장가가야지 지 마누라 신상이 편할 거라고 내가 지 아랜데도 말끝마다 똥차 취급을 했으니까. 그 오빠하고는 연년생이고 부모가 아들한테는 자유방임주의였으니까, 연애대장이었어. 난 그런 오빠가 부러웠구. 그래서 여봐란 듯이 연애결혼을 하느라 임자 나섰을 때 좀 서두른 감이 없진 않지만 그렇다고 후회를 하는 건 아냐. 그인 한 번도 여자 문제로 나를 속 썩인 일도 없고, 성적으로도 불만이 없어. 그이가 나보다 좀 강한 편이지만, 그 반대보다는 그게 낫다고 생각해. 여자가 남자에게 게걸게걸하면 해결도 잘 안 될뿐더러 얼마나 비참하겠어. 남자가 게걸대면 여자는 자기 매력을 수시로 확인할 수 있으니까 좀 좋아. 그게 착각이라 해도 우선 심리적으로 안정이 되거든. 그렇다고 우리 그이가 경제적으로 무능한 남자도 아니잖아. 시부모님 덕분에 연탄 때는 작은 아파트지만 처음부터 따로 날 내 집도 있었구. 아이들 과외공부 시켜 대학까지 보내놓고 나서 빚 없이 강남의 오십 평 아파트에 산다면 나름대로 성공한 인생이라고 생각해."

"그럼 시아버지 모시게 된 건 그분이 홀로 되신 후부터였니?"

"네 관심사는 그저 시아버지로구나. 좀 비켜가면 안 되겠니?"

"왜 비켜가고 싶은데?"

"집요하긴……"

그 여자가 말끝을 흐리며 복잡한 표정이 되었다. 그걸 감추려는 듯 고개를 떨구면서 손으로 이마를 짚었다. 손바닥으로 얼굴을 가린 그 여자를 바라보면서 동숙은 뭐가 있긴 있다고, 내심 회심의 미소를 지었다. 그러나 그 여자가 말할까 말까 갈등하는 건 시아버지에 대해서가 아니라 시어머니에 대해서였다. 그 여자가 시아버지를 모시게 된 것과 무의탁 남자 노인 목욕 봉사를 시작한 것은 어느 쪽이 먼저였는지 잘 생각나지 않을 정도로 비슷한 시기였다. 시부모님 양쪽이 아직 정정하고 성격도 차갑다 할 정도로 독립적이어서 모셔야 할 시기가 그렇게 빨리 올 줄은 몰랐다. 노후 설계를 잘하고 있으니 경제적으로 의존하는 일은 없을 거란 소리는 자식들이 궁금해하기 전에 시어머니를 통해 자주 들은 바가 있었다. 아무리 치밀한 설계라고 해도 노인네들이 하는 일이니 차질이 생길 수도 있으련만 시어머니는 그걸 거의 입버릇처럼 강조해왔다. 돌연 두 분이 사시던 집을 정리하고 헤어져 따로 살겠다는 뜻을 밝혀왔을 때도 으레 경제적인 파탄이려니 했다. 그런 일이라면 조금만 일찍 의논을 해주셨어도 집은 건질 수 있었지 않겠느냐고 남편은 안타까워했다. 남편에겐 대학교수인 누이동생이 하나 있었고, 그녀도 풍족하게 사는 편이었다. 그들 남매는 어릴 적 추억이 어린 낡았지만 뜰이 넓은 부모님의 집을 좋아했다. 특히 시집도 서울 토박이인 누이는 아이들을 데리고 친정 나들이를 자주 하는 편이었고, 자기가 어려서 타던 그네에 아이들을 태우고 밀어주고 있으면 고향이 시골인 것처럼 착각하게 된다고 좋아했다. 여북해야 누이는 진작만 알았으면 자기라도 사서 그 집을 보존했을 거라고 아쉬워했다. 그러나 그건 다 부모님이 말 못 할 경제적 사정 때문에 집을 처분했다고 가정했을 때 얘기고 단지 서로 얼굴을 안 보고 따로 살기 위해 그렇게 할 수밖에 없었다는 데야 무슨 할말이 있겠는가. 집은 좋은 값을 받고 팔았으니 따로따로 작은 아파트를 장만할 수도 있다, 허나 그렇게 되면 영감님이 빨래나 식사 등 불편할 때마다 빌붙을 테니 무슨 소용이냐고 했다. 서로 헤어져 살고 싶은 게 그 정도로 확고하다고는 그 사이에서 태어나 나름대로 행복하고 순조롭게 성장했다고 믿어온 자식들이 어찌 상상이나 했겠는가. 별거의 장소를 아버지는 아들네로 어머니는 딸네로 정한 것도 시어머니였다. 느이 아버지는 딸하고 사는 건 수치로 아는 분이니까, 평생 그래온 것처럼 그 양반이 싫어하는 걸 내 몫으로 정해야지 어쩌겠느냐고 했다. 마치 생선이나 배추김치도 가운데 토막은 영감님 드리고 내 차지는 대가리와 꽁지밖에 없었다고 술회할 때와 다름없이 짐짓 처연한 빛으로 그렇게 말했다. 저축해놓은 노후 자금이랑 집 판 돈은 공평하게 나눠 가졌으니까 조금도 경제적 부담은 주지 않겠다, 느이들은 그저 끼니 때 숟가락 하나만 더 놓으면 된다, 길러주고 가르친 부모를 위해 그 정도도 귀찮아할 자식들이 아니란 건 믿는다, 믿는다만 가진 돈을 내놓지 않는 것은 느이가 조금이라도 구박하는 눈치면 즉각 유료 양로원으로 가야 할 돈은 쥐고 있어야 하기 때문이다, 늙을수록 돈이 힘이란 걸 느이도 늙어보면 알 것이다, 쥐고 있어봤자 죽고 나면 느이 차지 된다는 걸 잊지 말아라, 그런 부연설명까지도 다 시어머니가 했고 시아버지는 가타부타 말이 없었다. 말을 섞기 싫어하는 것 같기도 하고 자기 의견이 없는 사람 같기도 했다. 두 사람을 같이 대할 때 시어머니의 왕성한 말발 때문에 상대적으로 점잖고 편안하게 느껴지던 시아버지의 의견 없음이 숨통을 압박해오는 것처럼 답답하게 느껴졌다. 두 분이 잘살 때였는데 아버지에 대한 험담을 늘어놓는 어머니에게 아들이 우리 어머니는 뭘 몰라, 우리 아버지 같은 공처가 애처가가 어디 있다고 그러세요, 라고 끼어든 적이 있다. 그때 시어머니는 정색을 하고 저 양반은 평생 내 말을 어디 개가 짖나 정도로 치부하고 살아온 분이라고 했다. 그건 맞는 말이었다. 시아버지의 마나님에 대한 이런 점잖은 치지도외(置之度外)에는 보는 사람까지도 도저히 참아낼 수 없게 하는 천부적인 교만함 같은 게 있었다. 여태까지 들어온 영감님에 대한 시어머니의 불평은 이기적, 독선적, 가부장적 등등으로 요약할 수 있는, 며느리 세대도 충분히 공감할 수 있는 것들이었지만 이번엔 그게 아닌데 싶었고, 자식들까지도 과묵함보다는 수다쟁이 편을 들고 싶게 만들었다. 실은 편을 들고 말 것도 없었다. 시어머니는 당신이 하고 싶은 걸 마지막 소원이라고 했고 그 말이 강력한 카리스마를 발했다.

두 분의 별거엔 아무런 문제도 없었다. 그 여자의 시아버지는 정말로 숟가락 하나만 더 놓는 정도밖에 며느리에게 폐를 안 끼쳤다. 방 청소도 손수 깔끔하게 했고 나들이옷은 세탁을 주었다. 창고처럼 쓰던 북향 방을 드렸건만 불평 한마디 없었고 매일 아들과 비슷한 시간에 나가서 저녁시간에 맞춰 들어왔고, 밖에서 식사하는 날은 미리 알려줘서 찬밥을 만들지 않도록 했다. 가끔 온천도 다녀오고, 해외여행을 같이 갈 친구도 아쉽지 않게 가지고 있었다. 그럴 때마다 용돈을 드리려 해도 받지 않았다. 친구들이 아들네로 들어간 턱을 내라는데 네가 좀 수고해줄 수 있겠냐고 넌지시 물어왔을 때 그 여자는 기꺼이 그러겠다고 했고, 있는 솜씨 없는 솜씨 다해서 진수성찬을 차렸다. 친구분들이 다들 멋있고 돈도 있어 보이고 이름이 알려진 명사도 몇 명 있는 게 자랑스러웠다. 요리사를 부르고도 남을 넉넉한 수고비를 내놓고도 어찌나 고마워하는지 이 정도면 시어른 모시기가 누워서 떡 먹기라고 생각했다. 그런 좋은 분이 세탁기가 빨아줄 것을 믿고 속옷 좀 내놓은 걸 가지고 그렇게 못되게 굴었다면 천벌을 받아도 싼 일이었다. 헤어져 살면서 행복하긴 시어머니도 마찬가지였다. 그 집은 부부가 다 출근하기 때문에 매일 아줌마를 부르고 있었고, 그 일을 대신하겠다고 나설 시어머니도 아니었다. 그 집에는 시어머니에게 맞는 일이 있었다. 아줌마를 부리고, 손자들하고 식사를 같이 하고, 방과 후 다녀야 하는 수많은 과외학원 교통정리를 하는 일 따위였다. 잘난 딸도 도저히 어째볼 수 없는 주부로서의 약점을 커버해주는 일이 얼마나 보람 있는 일인지, 시어머니의 하루하루 생기 있어지는 표정에서 잘 드러났다. 두 분의 왕래는 시어머니가 딱 자른 대로 전혀 없었다. 그 대신 아들네 식구가 어머니를 뵈러 가고, 딸네 식구가 아버지를 뵈러 오는 일이 너무 뜸하지 않도록 양가에서 신경을 썼기 때문에 제 살기 바빠 명절 때나 만나도 그만인 중년의 남매간이 그 어느 때보다도 친밀해졌다. 모두모두 행복했다. 시어머니의 결단은 그야말로 모두모두의 행복을 위한 탁월한 선택이었다. 그런데도 시누이가 어머니가 와 계시니 얼마나 좋은지 모른다고 야비다리를 치는 소리를 들으면 울컥 부아가 치밀면서 시어머니에 대해 참을 수 없는 적의에 사로잡히곤 했다. 시아버지 팬티는 자동적으로 시어머니 얼굴을 떠올리게 했다. 될 수 있는 대로 간략하게 말했는데도 동숙이는 충분히 알아먹은 표정으로 고개를 주억거렸다.

"원죄는 성적 스캔들이 아니라 고부간의 갈등이었구나. 시시껄렁하게."

"사람 마음 그렇게 간단한 게 아니다, 너. 내가 하는 이상한 짓은 시어머니와 완벽하게 한편이 되어 시아버지를, 아니 그분의 남성성을 구박하는 의식일 수도 있다는 생각이 들어."

"그래봤댔자 결국은 고부간의 문제야. 이건 내 얘긴데, 요전 대통령 선거 때 있잖니. 난 일찌거니 이회창 찍어야지 정하고 있었어. 이유야 간단하지. 김대중 정권에 대한 싫증이 절정에 달

했을 때니까 그 의사표시는 마땅히 반대 당을 지지하는 거라고 생각했지. 근데 투표 전날 시어머니가 전화해서 이회창 찍어야 한다, 명령조로 그러시는 거야. 네, 그러려고 해요, 이러면 되는 것을 왜요? 하고 물었지. 그랬더니 반듯한 집안 출신 아니냐, 이러시는 거야. 그때 속에서 불끈 뭐가 치밀더라. 아버지 일찍 돌아가시고 홀로 된 우리 엄마가 경양식집 해서 우리들 키웠잖니. 결혼하고 시집의 반듯한 가풍에 따라 삼 년이나 시집살이를 했는데, 그때 제일 자주 들은 소리가 반듯한 집안 타령이었다. 내가 한 것은 뭐든지 다 반듯한 집안에서는 이렇게 안 한다고 타박을 했으니까. 하다못해 돼지고기도 상에 올리면 반듯한 집안에서 누가 이런 걸 먹냐고 남까지 못 먹게 했다면 말 다 했지. 지금은 장수식품이라고 잘만 잡숫더라만. 다음 날 투표하러 가는데 어쨌는 줄 알아? 가랑이에 마구 신바람을 내면서 투표장에 달려가서 노무현을 콱 찍는데 그렇게 기분 좋을 수가 없는 거야. 엑스터시까지는 안 가도 오래간만에 스트레스가 확 풀리는 기분이더라. 마치 복수라도 한 것처럼. 혼자서 괜히 실실 웃으면서 집에 와서 생각하니 내가 겨우 이것밖에 안 되나 비참해지더라구."

"왜? 잘못 찍은 것 같아서?"

"그건 아냐. 처음부터 이 사람 아니면 안 된다고 생각한 후보가 있었던 게 아니니까. 아무가 돼도 세상이 달라질 게 없다는 정치적 무관심이 집에서 살림 사는 일까지 맥 빠지게 하는 것 같

아. 가뜩이나 재미없어 죽겠는데."

"느닷없이 우리 대학 다닐 때 생각이 난다. 툭하면 계엄령 선포되고 대학문 닫던 그 끔찍한 칠십년대, 저것들은 공부는 안 하고 맨날 데모만 한다는 소리 들었지만 그때 우리 얼마나 치열하고 순수하고 신바람 났냐. 모두 하나였구. 그때는 세대 갈등도 없었지 아마. 우리 아버진 공무원이었는데도 은근히 데모에 협조적이셨어. 학교 갈 때마다 데모에 앞장서진 말거라, 맨 뒤로 처지지도 말아라, 사진 찍히면 곤란하니까, 라는 잔소리는 들었어도 데모하지 말라는 소리는 들은 기억 없어. 구호 외치고 노래 부르느라 목이 잔뜩 잠겨서 들어가도 네가 부럽다, 밥 많이 먹고 힘내라고 격려까지 해주셨고. 술 드시면 내가 떨려나서 알거지가 되는 한이 있어도 이 세상 망하는 것 봤으면 원이 없겠다는 게 단골 술주정이셨으니까."

"그래 맞아, 그때 그게 진짜 신바람이었는데. 그런 우리가 왜 이렇게 기죽고 쪼잔하게 돼버렸나 몰라. 386들은 명칭까지 붙여 가며 즈이끼리의 동질감을 과시하는데 우리 칠십년대 학번은 그러지도 못 하고, 불의에 항거하는 젊은 열정만으로 어떤 암흑도 밝힐 수 있을 것처럼 물불 안 가리던 때가 정말 우리에게도 있기나 있었을까 싶다니까. 기껏 시어머니한테 어깃장이나 놓고, 넌 시아버지 팬티한테 분풀이나 하고."

"별수 없는 여편네 팔자 소관 아니겠냐."

"그렇게 생각하지 마. 난 그렇게 생각해도 넌 그러면 안 되지.

그때 불어넣은 정의감을 헛되게 소진하지 않고 어느 한구석에 간직하고 있는 게 그래도 여자들이라고 나는 생각한다. 네가 그 구설수만 분분하고 땡전 한푼 안 생기는 목욕 봉사에 그렇게 헌신적일 수 있었던 것도 그놈의 정의감의 찌꺼기 때문이었을걸. 소외된 사람 나 몰라라, 내 집구석 내 식구만 잘살면 그만으로 사는 게 어쩐지 편치 못해서 시작했을 테니까."

"무슨 정의감씩이나. 순전한 자기 위안이지."

"자기 위안이면 예술이게. 맞아, 넌 그 일을 예술처럼 하더구나."

"놀리지 마라. 그게 설사 예술이라고 해도 내 이중성은 용서받지 못할 거야. 난 왜 이렇게 겉 다르고 속 다를까. 어디까지가 진실이고 어디서부터 가짜인지 나도 모르겠는 거 있지."

"그건 네 인간성의 문제가 아니라 으레 그러리라고 정해진 고정관념과 사실과의 상관관계야. 너한테 말 안 했지만 나 손자 봤어. 내일모레가 백날이야."

"애가 어쩌면 이렇게 남의 뒤통수를 세게 칠까. 난 너한테 장가든 아들이 있는 것도 몰랐어. 중간에 하나를 잃어서 막내보다 한참 손위라길래 그런 줄만 알았지."

"나 졸업 못 하고 결혼했어. 그래서 첫애가 남보다 좀 이르긴 했어도 벌써 손자까지 본 건 연애하다가 애가 들어섰다기에 부랴부랴 식을 올렸기 때문이야. 며느릿감이 인물이나 집안이나 다 괜찮은 아인데도 개혼을 그렇게 쫓기듯이 하는 게 속상해서 될 수 있는 대로 조촐하게 했어. 지나고 보니 너무했나 후회도 되지만 어쩌겠어. 우리 막내 때나 만회해야지."

"너 보기보다 독종이구나."

"나한테도 내가 모르는 면이 많더라구. 나 유난히 아기 좋아하잖아. 쓰잘데없는 연속극도 아기가 나오면 그놈 자라는 재미로 빠뜨리지 않고 볼 정도니까. 대사가 있는, 말하는 어린이 말고 그냥 우유병 물고 이 사람 저 사람 무릎으로 옮겨다니거나 보행기 타는 아기 말야. 지하철에서도 가까이 아기가 있으면 눈 맞추고 어르는 재미에 내릴 역을 깜빡하기도 하고. 신생아실 들여다보는 재미는 또 어떻구. 그건 재미가 아니라 감동이지, 뭐. 가슴이 울렁대고 눈물이 그렁해지고 마니까. 이런 나를 아는 사람들은 이다음에 손주 보면 눈꼴 시어 어떻게 보냐고 놀리고, 나도 내가 으레 그러려니 했어. 근데 내 첫 손주하고 첫 대면할 때는 그런 기분이 전혀 안 우러나는 거야. 신생아실의 다른 신생아들은 다 예전처럼 예쁜데 내 손주는 안 예쁘니 내가 얼마나 난처했겠어. 전혀 예기치 못한 일이었으니까. 아기가 못생겼냐구? 아냐. 즈이 외할머니가 안고 들까불면서 자랑을 하는데 세상에 그런 미남은 없지 뭐. 쾌남, 꽃미남, 장군, 대통령…… 온갖 촌스러운 걸 다 갖다붙이더라. 아무리 그래도 내 마음은 뜨악하기만 하니 얼마나 당황스러웠겠냐. 티브이나 신생아실의 아기들은 추상의 아기들이고 내 손자는 현실의 아기인 거야. 그 차이가 엄청나더라구. 그 핏덩이는 채송화씨보다도 작을 때부터, 내가 지를 모를 때부터 어른 빰치게 교활한 생존전략을 터득하고 한 발 한 발 접근해왔다는 느낌은 어찌나 고약하던지, 손자 보고 기껏 한다는 생각이, 저것만 안 생겨났어도 내 아들이 그 본데없는 여자에게 발목이 잡히지 않았을걸 싶은 내 마음은 정말 싫지만 잘 극복이 안 돼. 내일모레 백날 치를 생각을 해도 부담스럽기만 하지 하나도 안 기뻐. 만일 그애들이 내 속을 들여다본다면 얼마나 정이 떨어지겠니. 모든 인간관계 속엔 위선이 불가피하게 개입하게 돼 있어. 꼭 필요한 윤활유야."

"고맙다, 위로해줘서."

"위로하려고 한 말 아냐. 쇼크 먹으라고 한 말이지. 참, 한복집에서 백날 옷 찾으러 오란 날이 어젠가, 오늘인가. 오늘이 무슨 요일이더라. 아줌마, 왜 벌써 내년 달력은 걸고 그래요. 우리한테는 금년이 황금 같은 핸데, 우리 집에선 금년 달력 적어도 삼 년은 더 써먹으려고 벼르고 있어요."

동숙이는 눈으로 달력을 찾다가 벌써 내년 달력이 걸린 걸 보고 주인아줌마한테 이렇게 지청구를 먹이고 먼저 나갔다. 누구 만날지도 모르니까 따로따로 가는 게 좋을 거라고 했다. 그 여자도 동숙이한테 지청구 맞은 내년 달력을 바라보면서 아직은 남아 있는 올해가 이미 빠져나간 것처럼 아쉬워했다. 올해는 일부종사의 따분한 팔자를 교란시킬 수 있는 불꽃 같은 사랑을 기다려보기로 한 마지막 해가 아닌가. 세월이 빠져나간 자리의 허망함이여. 그 여자는 요새 부쩍 더해진 식탐이 걷잡을 수 없이 도지는 걸 느꼈다. 조금씩 같이 먹은 줄 알았는데 김밥과 순대는 거의 그냥 남아 있었다. 그 여자는 그 소박하고도 느글느글한 것들을 짐승 같은 식욕으로 먹어치우고 인삼차를 한 잔 더 시켰다. 금년부터 치수를 28로 늘려 입었는데도 바지 허리는 만복을 이기지 못해 짤룩하게 뱃살과 허릿살을 갈라놓고 있었다. 명치가 등에 붙을 듯이 날씬하다가도 생명만 잉태했다 하면 보름달처럼 둥글게 부풀어오르던 배는 이제 두꺼운 비계층으로 낙타 등처럼 확실한 두 개의 구릉을 이루고 있었다. 허리의 후크를 풀자 역겨운 트림이 올라왔다. 자신이 비곗덩어리에 불과한 것처럼 느껴지면서 메마른 설움이 복받쳤다. 위선도 용기도 둘 다 자신이 없었다. 울고 싶은 갈망과는 동떨어진, 여자들이 찧고 까불고 비웃는 소리가 귓전에서 잉잉댔다.

후남아, 밥 먹어라

공항엔 달랑 조카며느리 혼자 마중 나와 있었다. 누구 팔에 먼저 안겨야 좋을지 모를 만큼 많은 일가친척들의 마중을 받은 삼 년 전 귀국과는 딴판이었다. 삼 년 전 귀국은 아버지의 부음을 듣고 부랴부랴 달려온 귀국이었고 앤이 미국으로 시집간 지 삼십 년 만에 처음 한 친정나들이였지만 상중인 집에서 그렇게 많은 사람들이 마중 나올 줄은 몰랐다. 가족들 말고도 조문객들까지 묻어나온 듯 누가 누군지 하나도 알아볼 수가 없었다.

앤은 오남매의 가운데여서 위로 언니가 둘 아래로 남동생이 둘이었다. 오남매에서 불어난 사촌간이 열넷이나 되었고 그중 앤이 낳은 삼남매를 빼도 조카뻘 되는 아이들이 열한 명은 될 터였다. 다 앤이 이민간 후 불어난 식구들이라 얼굴은 고사하고 이름도 모를 수 있었다. 그러나 앤은 열한 명 조카들의 신상을 환히 꿰뚫고 있었다. 누가 기혼이고 누가 미혼이며, 다니는 직장이나 학교가 어디라는 것 정도는 기본이고, 좋은 대학에 가 부모의 콧대를 한껏 높인 아이, 머리는 안 좋은데 집념은 강해 삼수까지 한 아이, 심성 좋고 학벌 좋은데 키가 작아 좋은 혼처가 안 들어와서 부모 속을 태우는 아이, 비만 치료 중인 아이, 돈을 곧잘 벌다가 성형수술에 이골이 난 후 빈털터리가 된 아이, 준재벌급 집안으로 시집가면서 수준을 맞춘답시고 친정을 거덜낸 아이, 조카들에 대한 이런 시시콜콜한 정보와 그애가 뉘집 자식이고 이름이 뭐고 어떻게 생겼는지를 정확하게 꿰맞출 수 있는 기억력을 가지고 있었다. 동기간과 조카들의 생일까지 일일이 다 외진 못하지만 만약 그런 것들을 적어놓은 수첩을 어디다 놓고 찾지 못하면 식구들까지 동원해서 찾을 때까지는 그 생각 외에 다른 생각은 못할 정도로 어쩔 줄 몰라 했다. 피붙이들의 기념될 만한 날엔 비록 작은 거라도 며칠 전부터 요모조모 궁리하고 설레는 마음으로 고른 선물을 보내는 걸 잊어본 적이 없다. 남편은 자상하지는 않았지만 순한 사람이어서 너무 싼 물건을 부칠 때면 송료도 안 되는 선물을 안 반기면 어쩌나 넌지시 귀띔을 한 적도 있다. 그럼 앤은 너무도 당당하게 미젠데 그럴 리가 없다고 남편의 걱정을 일축했다. 앤의 수첩은 고국의 피붙이로부터 잊혀질까 봐 시시때때로 더듬고 확인해보고자 하는 집요한 촉수를 간직하고 있는 그녀의 일부였다.

피붙이 중한 걸 시집가기 전엔 몰랐다. 중하기는커녕 이를 갈고 앙심을 먹은 적도 있다. 셋째딸은 선도 안 보고 데려간다지만 앤은 언니들보다 공부도 잘 못하고 영악하지도 못했다. 순해빠져서 샘도 없었다. 언니들은 둘 다 대학에 갔는데 앤만 고졸로 학력을 마감했다. 언니들이 나온 정도의 대학은 그녀도 갈 수 있었건만 무슨 배짱인지 수재만 가는 대학에 응시해 낙방하고 이차는 보지 않았다. 실업학교 기술직 공무원인 아버지의 월급으로 자그마치 오남매가 다 대학에 가겠다는 건 아버지의 목을 조르는 것처럼 잔인하게 느껴졌다. 아버지는 술만 한잔 들어갔다 하면 아무짝에도 쓸모없는 계집애들을 대학에 보내야 하는 자신의 팔자를 저주했다. 전생에 무슨 죄를 많이 졌기에……로 시작하는 우울한 술주정을 듣고 있으면 자신이 아버지의 운명적인 재앙이란 생각이 들었다. 집안 형편이 그런 중에 위로 딸 둘이 대학에 갈 수 있었던 것은 어머니의 생활력과 무식의 덕이 컸다. 어머니는 돈 될 만한 일이라면 체면이나 귀천을 가리지 않았다. 미제 물건 장사를 화장품 장사로 전환했는데 다 보따리 장사였다. 한편 계도 여러 개 들기도 하고 스스로 오야 노릇도 했다. 오야 노릇을 하다가 계가 깨져 도망을 다닌 적도 있다. 아버지가 쪼들리는 살림살이를 타고난 팔자로 돌리고 체념한 것과는 달리 어머니는 원인을 분석하고 같은 실수를 자식에게는 물려주지 말아야겠다는 강한 의지를 가지고 있었다. 어머니의 분석은 단순하고도 명쾌했다. 못 배운 여자가 최선의 선택으로 기술자하고 결혼할 때에는 이 정도의 고생은 각오했다는 투였다. 아버지가 죽지 못해 사는 사람처럼 남까지 우울하게 한 것과는 달리 어머니는 고생을 고생인 줄 모르는 사람답게 씩씩했다. 앤은 어머니가 사계절 씩씩한 것은 뭘 모르기 때문이기도 하다고 여겼다. 앤은 언니들이 다니는 대학을 은근히 깔보고 있었다. 앤은 꼭 하고 싶은 공부가 있는 것도 아닌데, 순전히 간판을 따기 위해 그것도 남들이 알아줄 것 같지도 않은 시시한 간판 때문에 부모에게 못할 노릇을 시킬 만큼 모질지도 못했지만 부모 동기간을 위해 내 한몸 희생할 각오를 할 만큼 착하지도 않았다. 부모의 등골이 빠진 등록금으로 다니는 삼류대학은 금의(錦衣)가 아니라 남루였다. 남루는 교복까지 언니 것을 물려입어야 했던 고교시절로 끝내고 싶었다. 그래도 낙방은 낙방이니까 체면상 실의에 빠져 있는 그녀에게 어머니가 넌지시 고맙다, 네가 효녀다라고만 속삭이지 않았으면 머나먼 미국땅으로 시집 같은 거 안 갔을지도 모른다. 어머니가 그녀에게 비굴하고도 은근한 목소리로 고마워했을 때 그녀는 있지도 않은 희생정신을 들킨 것처럼 느꼈고 그 느낌이 여간 고약한 게 아니었다. 누가 누구를 위해 희생한단 말인가. 희생할 만한 가치가 없는 것들한테 속아서 희생당한 것을 빨리 만회하고 싶었다. 꼴도 보기 싫은 식구들한테 뭔가 본때를 보여주고 싶은 마음이 속에서 지글거릴 때 친척의 소개로 미국서 참한 신부를 물색하러 나온 신랑을 만나 단시일 안에 뜻이 맞아 혼사가 이루어졌다. 서로 맞아떨어진 건 뜻이라기보다는 조급증이 아니었을까. 그녀는 어머니가 고맙다고 말하면서 한참이나 쥐고 있던 손의 거칠고 끈적한 습기를 잊지 못했다. 하루속히 떨쳐버리지 않으면 미칠 것 같았다. 조실부모한 신랑은 군복무를 마치자마자 미국에서 식당을 하는 누나의 초청으로 이민을 가 이제는 누나의 없어서는 안 될 오른팔 노릇을 하고 있었다. 미국생활에 대한 허황한 꿈을 가진 여자만 아니라면 같이 안 벌어도 먹여 살릴 자신이 있었다. 남자는 먼저 장모 마음에 들었다. 남자는 미국서 잘사는 것처럼 부풀릴 마음이 조금도 없었고, 장모의 그에 대한 평가는 안식구 밥은 안 굶기게 생겼다는 거였다. 전후 한때 밥이나 안 굶길 남자를 최고의 신랑감으로 친 적이 있었지만 그 정도의 궁상은 벗어난 70년대였다. 그런 촌스러운 소리가 미국물을 십 년 가까이 먹고 난 남자에겐 오히려 시대착오적으로 들리지 않고 신선하고도 정답게 와닿았다. 그녀를 미국으로 시집보내기로 마음을 정한 어머니는 대학도 안 나온 딸이 그런 최고 인텔리 신랑을 만날 줄은 몰랐다고 만나는 사람마다 붙들고 자랑을 늘어놓았다. 어머니 눈에도 가식이라고는 없어 보이는 소박한 청년이 영어도 할 줄 아느냐는 질문에 밥 벌어먹고 살 정도는 한다고 대답한 게 어머니에게 그런 비약적인 사고를 하게 했다. 어머니가 뭘 너무 몰라서라기보다는 시대가 그렇게 어수룩한 시대이기도 했다. 대학 나와 판판이 노는 큰언니하고 재학 중인 작은언니까지도 그녀가 재미교포한테 시집가게 된 것을 집안에 신데렐라가 난 것처럼 질시할 정도였으니까. 피붙이들의 착각과 선망 때문에 신랑쪽 하객이 거의 없는 결혼식이 섭섭한 줄도 몰랐다. 헹가래질을 당하는 것만큼의 불안감도 없이 공중에 붕 뜬 것 같은 무중력감이 그냥 즐겁기만 했다. 신랑은 매우 미안해하면서 신혼여행은 생략하고 곧장 미국으로 데려가고 싶다고 했다. 친정붙이 중 누구도 그 사실을 섭섭하게 여기지 않았다. 신랑 신부를 비행장에서 전송할 수 있다는 사실에 정신없이 들떠 있었다. 그건 여태까지 한번도 경험해보지 못한 신분상승의 황홀경이었다.

만약 누군가 한 사람을 신나게 헹가래치던 사람들이 공중에 뜬 사람을 무사히 착지시키기 전에 일제히 그 자리를 떠나버린다면 어떻게 될까. 헹가래질당한 사람은 아마 골통이 터지든지 척추가 부러지고 말 것이다. 김포공항을 뜬 지 거의 이십 시간 만에 엘에이공항에 내려 시집식구들의 대대적인 환영을 받은 그녀의 기분이 꼭 그러했다. 척추가 부러진 것 같은 충격적인 착지감은 그녀가 두발 딛고 살아야 할 땅에 그녀의 피붙이는 한 사람도 없다는 사실이었다. 공항이 떠들썩하게 마중 나온 사람들은 다들 신랑과는 사촌 이내의 친척들이었다. 그건 그녀에게도 해당되는 촌수였지만 피붙이는 아니었다. 피붙이끼리의 관계망 속으로 복귀한 신랑은 한국에서 볼 때와는 달리 편안하고도 의젓해 보였다. 그녀는 그런 신랑이 의지가 되기보다는 달랑 외톨이라는 소외감만 더했다. 신랑은 오남매 중 막내였다. 큰누나가 먼저 와서 음식장사로 자리잡은 후 줄줄이 따라온 동기간들이 이제는 나름대로 독립해서 살 만한 듯했다. 독립을 못 하고 큰누나 밑에 있는 건 그녀의 신랑밖에 없었다. 욕심이 덜하든지 큰누나의 신임이 특별하든지 둘 중의 하나일 것이다. 신랑은 결혼식 올리기 전에 신부가 미국 가면 불가불 부대끼게 될 시집 식구들에 대해 간략한 사전 정보를 준 적이 있는데 표현을 조금씩 다르게 하긴 했어도 억척스럽지만 친절하다는 걸로 요약할 수 있을 것 같았다. 개인적인 특징은 다 잊었는데 큰누나를 처음 대면하는 순간 퍼뜩 그게 생각났다. 개같이 벌어서 정승같이 살자가 생활신조라고 했던가. 여장부형의 당당한 몸집에 짙은 화장을 하고 알이 큰 준보석급의 장신구를 목에, 귀에, 팔목에 줄줄이 늘어뜨린 양이 난 개같이 벌어서 정승같이 산다, 어쩔래? 이렇게 시위를 하고 있는 것처럼 보였다. 하나 그녀가 큰누나한테 압도당한 건 그런 거침없는 생활력의 과시 때문만이 아니라 단신으로 미국땅에 건너와서 부모 없는 동생들을 다 끌어들여 거느리고 사는 그 강한 피붙이의 카리스마였다. 그녀를 환영하고 새 식구로 받아들이는 잔칫상이 큰누나 집에 차려져 있었다. 미국 내에서 치르는 또 한번의 결혼식이라고 볼 수 있는 자리니까 그녀는 미리 준비해가지고 간 한복으로 갈아입었다. 곱고 얌전하단 칭찬의 소리가 쏟아졌다. 그들은 큰소리로 웃고 떠들고 조그만 의견 차이에도 으르렁거리며 덤벼들기도 잘했다. 점잔을 빼는 사람은 한 사람도 없었다. 먹는 건 또 얼마나 잘 먹는지, 푸짐하고 지글거리는 고깃덩어리를 소리 내어 씹고 우거지처럼 아낌없이 먹어치우는 그들의 맹렬한 식욕은 맹수들의 향연을 연상시켰다. 새신랑이 그중 비실이로 보였다. 행여 그런 신랑이 색시에게 변변치 못해 보일까 봐 걱정이 되는지 큰누나는 누구에게랄 것도 없는 혼잣말을 중얼거렸다. 재가 어려서 젖을 실컷 못 얻어먹어 저렇다니까. 워낙 노산인 데다 왜놈들이 망해갈 때였으니까 우유는커녕 암죽도 변변히 못 먹였어. 재가 젖 달라고 마른 입술을 내휘두를 때 내 속이 다 바작바작 타들어가는 것 같았으니 우리 엄마 마음은 오죽했겠어. 또 그 소리, 신랑이 얼굴을 찡그리며 듣기 싫어하는 걸 보면 툭하면 듣는 소리인 듯했다. 그래도 누나는 한마디 덧붙이는 걸 잊지 않았다. 보긴 저래도 강단은 제일로 있다고. 그러면서 무어라 표현할 수 없는 애틋한 시선으로 동생을 바라보는 것이었다. 바로 저거다 싶었다. 피붙이간에만 있을 수 있는 건 근본을 안다는 것, 그래서 비록 흉악한 범죄를 저질렀다 해도 어릴 적의 천사 같은 미소를 기억하며 착한 사람이라고 말할 수 있는 맹목의 믿음, 마지막 보호막 같은 거 말이다. 그녀를 위한 잔치답게 그들은 그녀에게도 자주 관심과 호의를 보이며 말을 시키기도 하고 대견해하는 시선으로 바라보기도 했다. 그러나 당하는 그녀는 그들 중 가장 처지는 비실이가 획득해온 전리품 취급을 받고 있는 것처럼 서럽고 비참했다.

누나가 강단이 있다고 말한 것은 몸에 대해서가 아니라 성깔에 대해서가 아니었을까. 그녀는 살면서 차차 그렇게 생각하게 되었다. 아마 극성맞고 생활력 강한 누나들에게 질려서였을 것이다. 그는 여자는 집에서 조신하게 살림하고 애나 낳고 남자는 밖에서 열심히 일해서 처자식을 책임지고 먹여 살려야 한다는 가부장적 사고방식에 투철했다. 그는 그녀보다 여덟 살이나 위였다. 미국서도 노총각이었다. 동기간들이 교포 중에서 물색한 색싯감은 그에게 하나같이 건방지지 않으면 억척스러워 보였다. 둘 다 그가 가장 싫어하는 타입이었다. 그는 태어나자마자 젖도 실컷 못 얻어먹은 걸로 시작해서 조실부모, 이민, 식당 웨이터에서 지배인까지 어느 하나도 그가 원해서 된 건 아니라는, 원한 게 뭔지는 모르지만 다 놓쳤다는 원초적인 결핍감을 가지고 있었다. 원하는 게 뭔지 구체적으로 확실하게 알고 있는 이상 꼭 이루고 싶었다. 그 유일한 것마저 못 이룰 거면 왜 태어났나, 태어난 게 너무 억울한 것 같은 그의 심정을 큰누나는 이해해주었다. 누나가 이해해주었기 때문에 색싯감을 찾아 한국까지 갈 수 있었다. 누나는 그를 혹사했지만 보수는 충분히 주었다. 그러면서 입버릇처럼 말해왔다. 네 색시는 네가 어떻게 번 돈인지 모르고 그냥 그 돈을 소중하게 아는 사람이었으면 좋겠다. 그런 점에서 성격이 판이한 두 사람이 그리는 이상형은 결국 같은 사람이 되었다. 그가 한국에서 그녀를 처음 만났을 때 바로 이 사람이구나 싶었다. 그도 결혼을 전제로 하지 않은 연애 경험은 몇 번 있었지만 찾아헤매던 사람을 만난 것 같은 느낌은 그때가 처음이었다.

누나가 마련해준 그들의 신접살림 집은 한국에서 같으면 꿈도 못 꿀 대저택이었다. 없는 것 없이 갖춰져 있고 정결하고 널찍널

찍하고 편리하고 주위에 녹지대가 많아 공기가 상쾌했다. 계단 밑을 이용한 깊숙한 창고에는 새하얗고 보드라운 화장지가 길길이 쌓여 있었다. 그건 그녀가 감히 꿈도 못 꿔본 부(富)티였다. 황홀했다. 친정에선 재래식 변소에서 신문지를 뒤지로 쓰다가 미국으로 시집온 거였다. 언니들은 어쩌다 가본 호텔 화장실에서 흰 두루마리 화장지를 둘둘 말아 핸드백 속에 숨겨가지고 와서 화장을 지울 때만 아껴가며 썼다. 크리넥스를 쓴다는 건 곧 부의 척도였다. 신혼기간 동안 차례를 정해가며 그들 내외를 초대해준 남편의 친구나 동기간의 집을 돌면서 느낀 것도 이 나라엔 어쩌면 이렇게 종이가 흔할까 하는 거였다. 저것들을 언니들한테 몇 통만 부쳐주면 얼마나 좋아할까. 눈을 빛내며 탄성을 지르고 나서 곧 질투심으로 배가 아플 것이다. 흔해빠진 것과의 긴장감을 계속해서 유지하기 위해서도 언니들은 있어야 했다. 아무리 없는 것 없이 살면 무엇하나. 그걸 보고 대견해하거나 샘을 낼 부모 형제가 없는데. 그녀는 집에서 특징 없는 오남매의 중간인 것처럼 학교에서도 특별히 잘하는 과목도 못하는 과목도 없는 존재 희박한 학생이었다. 남의 무관심에 익숙해왔기 때문에 남이 나를 부러워하기를 바라는 이렇게도 강력한 욕망이 자기 안에 숨어 있는 줄을 미처 몰랐다.

화장지 다음으로는 온갖 편리하고 아름다운 주방용품에 경탄을 하다가도 같이 신기해하며 탐을 낼 언니들이 못 보는데 이런 물건들이 무슨 소용이란 말인가, 맥이 빠지면서 그가 소유한 미제 물건들이 무의미해졌다. 미국 생활에 익숙해지면서 다들 그 정도는 살고 있다는 걸 알게 됐지만 비교하고 싶은 욕망은 수그러들지 않았다. 이웃엔 한국 사람 중국 사람 인도 사람 들이 주로 살고 있어서 피부색 때문에 기죽을 일도 없었다. 신랑은 보기보다 예민한 사람이었다. 색시가 곧 권태로워지리라는 걸 알고 있었다. 그는 잠시도 한가할 틈 없이 바쁘게 살고 있었지만 실은 같은 일의 반복과 미래에 대한 꿈도 불안도 없는 생활을 권태로워하고 있었기 때문에 권태가 얼마나 지독한 불행감인지 알고 있었다. 식당을 쉬는 날 아내를 데리고 집에서 가까운 라구나 비치로 피크닉을 간 적이 있다. 이민 초기 이 큰 나라에서 툭하면 왜 그렇게 가슴이 답답해지곤 했던지, 가슴이 옥죄어 미칠 것 같을 때 그 바닷가에 가면 속에 맺혔던 게 탁 터지면서 갈매기처럼 미소하고 자유로워지는 걸 느끼곤 했다. 그는 아내에게도 그 아름다운 비치가 위안이 되길 바랐다. 어머머, 지구가 정말로 둥그네. 그게 아내의 첫 탄성이었다. 뭘 보고 지구가 둥글다는 건지 처음에 그는 아내의 말을 이해하지 못했다. 아내가 수평선을 가리켰다. 섬도, 곶〔岬〕도, 시야를 방해하는 아무것도 없이 열린 수평선은 아닌게아니라 완만한 호(弧)로 보였다. 그는 그런 아내가 귀엽고 사랑스러웠다. 다음에 아내의 관심은 물새로 옮겨갔다. 무슨 갈매기가 저렇게 크냐고, 저렇게 큰 갈매기는 징그럽다고 말했다. 그건 그도 동감이었지만 될 수 있으면 아내의 마음을 신선한 감동 쪽에 붙들어두고 싶었다. 그래서 이건 태평양이고 이 바다는 한국에 닿아 있다고 말해주었다. 그들이 지금까지 지구상에 생겨난 교통수단 중 가장 빠르다는 비행기로도 스무 시간이나 걸려서 날아온 바다가 고국에 닿아 있다는 말에 난 왜 그런 생각을 못 했을까, 바닷바람 때문인지 숨차게 말하며 그를 바라보는 아내의 눈길은 얼마나 유순한지. 모르는 게 아니라 단지 생각이 못 미쳤을 뿐인 것을 상기시켜줬을 따름인데 그걸 마음으로부터 고마워하는 여자가 안쓰러웠다. 해안도로 언덕에는 호화주택이 드문드문하고 노란 겨자꽃이 흐드러지게 피어 있었다. 제주도 같아. 아내의 목소리가 한결 명랑해졌다. 겨자꽃을 유채꽃인 줄 알았을까, 아내는 아마 제주도에 가본 적이 없을 것이다. 그도 신혼여행지로 꿈꾼 적은 있어도 가보지는 못했다. 아내도 그러리라 생각하며 유채꽃 대신 겨자꽃의 고장으로 데려온 것이 미안해 마음이 찔린 듯이 아팠다. 그는 아픔을 참을 수 없어 차를 세우고 아내를 안았다. 품속의 여자가 그렇게 애틋할 수가 없었다. 그는 그녀에게 처음으로 사랑을 느꼈다.

그는 식당에서 먹고 자다가 새신랑이 된 후에는 집에서 출퇴근했지만 세끼 식사는 여전히 식당에서 해결했다. 아내가 혼자 하는 식사를 대충 할까 봐 신랑은 밑반찬이나 양념한 갈비 같은 것을 부지런히 식당에서 날라왔다. 그래도 그녀는 동네 공터에서 야생근대를 뜯어다가 된장국을 끓여놓는 걸 잊지 않았다. 근대가 남아돌아 데쳐서 말린 적도 있다. 그도 어느 틈에 그녀가 줄기차게 끓이는 된장국에 맛들여 될 수 있으면 아침저녁은 집에서 먹게 되었다. 아내의 정성을 헛되게 하고 싶지 않았다. 그러나 뭐니 뭐니 해도 아내를 가장 생기 있게 하는 건 태평양을 바라볼 수 있는 비치로 피크닉을 가는 거였다. 그는 비치에 가잔 소리를 지구가 아직도 둥근가 보러 가자고 했다. 그는 농담을 잘 못하는 사람이었다. 사랑이 그를 농담도 할 수 있게 만들었다. 그러나 아내가 수평선을 끌어당길 듯이 강하게 바라보는 걸 보면 가슴이 미어졌다. 지구가 찌그러지기 전에 그만 갑시다. 그는 슬프게 말했다. 여자는 시들시들 수척해갔다. 그 헛되고 힘겨운 끌어당김을 위해 여자의 생명력이 하루하루 소진해간다는 게 눈에 보이는 듯했다. 남자는 안타까웠다. 아내가 거죽만 남기 전에 고국의 피붙이들로부터 완전히 떨어져나온 게 아니라는 걸 확인할 수 있는 끈 같은 걸 마련해주어야겠다는 생각이 들었다. 그런 생각이 확실해진 건 아내가 미국 이름을 정할 때였다. 그녀는 여자가 결혼하면 남편 성을 따라야 한다는 미국식을 좀처럼 납득하려 들지 않았다. 그런 상실감을 무마하기 위해 친한 사이에 일상적으로 부를 수 있는 이름을 친정 성에서 따올 수도 있다고 말했다. 그녀의 친정 성은 안씨였고 그의 미국식 이름은 존이어서 존과 안이 다같이 짧고 부르기 좋아 잘 어울릴 것 같다는 생각도 일조를 했다. 그녀는 그의 제안에 기대 이상으로 반색을 했다. 그는 꼬박꼬박 안이라고 불렀지만 친척들은 앤 아니면 앤 아줌마라고 불렀다. 여자는 그 정도는 개의치 않는 듯했다. 남자는 어떻게든 정체성을 놓치지 않으려는 여자가 눈물겨워 더 확실하고 구체적인 끈을 마련해주고 싶었다. 처음에 아내가 크리넥스를 보고 감격한 나머지 언니들한테 부쳐주고 싶어 했을 때는 말렸지만 그는 한국서 환영받을 만한 값싼 미제 물건들을 많이 알고 있었다. 남편의 도움으로 그녀는 차차 생기를 회복했다. 그녀는 집요한 열정으로 고국의 명절과 피붙이들의 대소사와 생일을 챙겼다. 태평양을 보러 피크닉을 가는 것보다는 프라이스클럽으로 쇼핑 가는 걸 더 좋아하게 되었다. 명절이나 생일 등 때마다 보내는 선물은 그녀가 신기하게 여긴 잗다란 생활용품이나 슈퍼마켓에 진열된 값싼 화장품이나 영양제 또는 선글라스나 장신구 같은 거였다. 어떤 선물에도 빠지지 않고 포함되는 건 초이스나 맥스웰의 인스턴트 커피였다. 한국에서는 피엑스에서 흘러나온 걸 암시장이나 보따리 장수를 통해 사 쓸 때라 그 가격 차이가 엄청났다. 봉지에 넣어서 더욱 싸게 파는 커피를 짐 속에 챙길 때마다 그녀는 마치 자기가 그 차익을 남겨먹는 것처럼 흐뭇해했다. 크리스마스를 앞두고는 각종 초콜릿을 큰 상자로 하나 가득 사모아 미리 배편으로 부치기도 했다.

선물할 일은 해마다 늘어났다. 앤이 제일 먼저 아이를 낳고 한국의 언니들도 시집을 가서 아이를 낳고 동생들도 약혼을 하고 결혼을 하고 부모들은 회갑이 되기도 하고 고희를 바라보기도 했다. 선물 목록 중에서 아이들 장난감이나 학용품이 차지하는 비율이 늘어났다. 그쪽에서도 고춧가루나 된장, 동생이 장가들 때 받은 예단 등을 부쳐왔다. 사진들을 교환하면서 이쪽의 사는 형편은 십 년 전과 달라진 게 없는데 그쪽은 해마다 잘살게 된다는 게 눈에 띄었다. 이사들은 잘도 다녔다. 뉘 집이 어디 살다 어디로 아파트 평수를 늘려갔단 소리를 안 듣는 해가 없었다. 몇 년에 한 번씩 늘려가도 여러 집이니까 듣는 쪽에선 해마다 이사를 다니는 것처럼 느껴질 수밖에 없었다. 앤의 관심은 오로지 피붙이들한테만 가 있었지만, 존은 한국 사람들이 주로 드나드는 데서 일하느니만큼 한국 사회 전반에 대한 현장감이 한국 내에서만 살아온 사람보다도 뛰어났다. 그는 눈치껏 아내가 챙기는 선물의 질을 업그레이드 시켰다. 단골을 정해놓고 명품의 세일기간을 적절히 이용했고 약방의 감초 격인 가루커피도 원두커피로 바꾸었다. 이젠 사회적으로 한가락 하게 된 동생들이나 형부들이 미국으로 출장을 올 때도 있었다. 마당에서 연기를 풍겨가며 엘에이갈비를 구우며, 영어도 잘하지만 한국어밖에 모르는 엄마 말도 잘 알아듣는 아이들한테 이것저것 심부름도 시키고 잔소리도 할 때는 마치 미국땅을 다 정복한 것처럼 당당하고 흡족해 보였다. 앤은 이제 귀여운 여인이 아니건만 존은 한국땅에 대한 라이벌 의식을 버리지 못했다. 미국으로 시집온 지 이십여 년 만에 앤이 원하기 전에 존이 먼저 그러자고 해서 드디어 부모님을 초청하고 비행기표를 부쳤다. 앤은 눈물까지 그렁그렁하며 고마워했다. 존은 용의주도한 사람이었다. 장인 장모를 기쁘게 해드리기 위해 치밀한 여행계획을 짜놓고 충분한 저축을 한 것도 그랬지만, 그동안 아이를 셋씩이나 낳고 그 아이들을 잔손 안

갈 만큼 키울 때까지 아내에게 한 번도 친정나들이의 빌미를 주지 않은 것도 그랬다. 그가 '나무꾼과 선녀'에게서 배운 건 아이 셋 낳을 때까지가 아니라 죽을 때까지가 가장 안전하다는 거였다. 그는 휴가를 내어 장인 장모를 모시고 샌프란시스코도 가고 요세미티도 가고 그랜드캐니언도 가고 라스베이거스도 갔다. 노인네들 눈엔 좋은지 만지 얼떨떨한 것도 어머니 아버지 모시고 오려고 아껴뒀던 곳이라고 말해 앤까지 함께 감동먹게 했다. 그건 사실이었다. 남들이 부모님을 초청해 호강시켜드리는 걸 볼 때마다 나도 꼭 한번 그래보고 싶다고 별렀으니까. 노인들이 귀국할 때는 네모나게 꽝꽝 얼린 엘에이갈비를 잘 포장해 부치는 짐에 넣어드렸다. 그동안 비행시간이 많이 단축된 것도 일조를 했겠지만 그 기상천외한 선물이 조금도 상하지 않고 도착해서 여러 집이 나누어 포식했단 전갈이 왔다. 그걸 그대로 자랑삼아 풍긴 게 잘살게 된 조국에서 반길 만한 마땅한 선물이 없어 고민하던 교포사회를 한동안 풍미했다.

그 후 몇 년 더 있다가 장인이 위독하단 소식이 오고 아내를 보낼까 말까를 망설일 새 없이 곧 부음이 왔다. 앤은 존에게 같이 갈지 남을지를 물었지 자기가 못 갈 수도 있단 생각은 해보지도 않은 것 같았다. 세 아이들은 하나같이 동부로 가서 취직도 하고 대학도 다니고 있었다. 거칠 것이 없었다. 존은 지점을 몇 개씩이나 내놓고 은퇴한 누나를 대신해서 총지배인이 돼 있었다. 한가하달 수도 바쁘달 수도 있는 위치였는데 그는 바쁜 쪽으로 부풀려 말하고 아내 혼자 비행기를 태워 보냈다. 장례를 치르러 가는 상제답지 않게 흥분하고 들떠 보이는 아내를 배웅하면서 존은 막연하고도 우울한 자기모멸감에 사로잡혔다. 마치 이를 갈고 성공한 라이벌에게 아내를 빼앗기는 기분이 들었다. 집에 돌아와 홀로 끊은 지 오래된 담뱃갑을 헛되게 찾다 말고 자기의 이런 어처구니없는 망상에 실소를 금치 못했다. 호상이어서 그런지 장례와 삼우제를 치를 때까지도 전화기를 통해 듣는 아내의 목소리는 평상시나 다름없이 침착하고 명랑했다. 한국서도 이젠 곡을 안 하나보지? 그렇게 물어볼 정도로 아내의 목소리에 슬퍼한 흔적은 묻어 있지 않았다. 애통이 심하지 않은 걸로 미루어 삼우제까지만 보면 돌아올 줄 알았는데 어머니나 동기간들이 앞다투어 자기 집에서 다만 며칠이라도 묵어가라고 붙든다는 핑계로 차일피일 하더니 사십구재까지 치르고야 겨우 돌아왔다. 돌아온 아내는 체중이 불어나 둔해 보였고 마중 나온 남편을 보고 한 첫인사도 아아, 피곤해였다. 시차 때문일 거라고 눙쳐주면서 부아가 치밀었다. 아내는 정말 지치고 기운 없어 보였다. 도대체 무슨 짓을 하다가 왔기에…… 그는 마치 바람을 피우고 나서 시침 떼는 아내에게 하듯이 곱지 않은 시선을 보냈다. 그는 한국하고도 서울을 마치 정숙한 아내의 마음을 빼앗은 외간 남자처럼 인격화하면서 걷잡을 수 없는 적의를 느꼈다. 회갑을 바라보는 나이답지 않은 맹목의 격정이었다. 한국에서 있었던 일을 시시콜콜 알고 싶어 하는 그에게 돌아온 아내의 대답은 늘 대접받은 음식 얘기에서 맴돌았다. 큰언니네선 며느리가 정통 궁중요리를 선보였고, 작은언니는 허영심이 여전해서 요리사까지 불러다가 차렸고, 남동생은 어찌나 애처간지 앞치마를 두르고 아내하고 음식 장만을 같이하고도 맛있다고 칭찬해준 음식은 다 아내의 손맛으로 돌리더라는 둥. 어느 집에서나 극진한 대접을 받은 것 같았다. 그들은 집에서만 먹인 게 아니라 소문난 음식점도 골고루 끌고 다닌 듯했다. 어느 호텔의 프랑스식당 메뉴에서 음식값을 보고 기절할 뻔했다느니, 어느 호텔 뷔페식당에선 값을 생각하고 억울하지 않을 만큼 먹느라 배가 터지는 줄 알았다느니, 교외의 이름난 두부집, 산채백반집 온통 먹는 얘기 천지였다. 음식점이고 동기간 집이고 한우 고기를 썼다는 걸 어찌나 밝히는지 미제 고기만 먹고사는 자기가 지지리도 가난한 것 같은 기분이 들더라는 얘기도 했다.

"허구한 날 그렇게 잘 얻어처먹고 다녔는데 왜 그렇게 초죽음이 돼서 왔냔 말야, 이 여편네야."

그는 아내가 뭔가를 숨기기 위해 딴청을 부리는 것만 같아 눈을 부라리며 때릴 듯이 위협도 해보았다.

"당신이 몰라서 그렇지 매일같이 이리저리 끌려다니면서 진수성찬만 먹는 일이 얼마나 피곤한 줄 알아요. 피곤해서 죽는 줄 알았다니까요."

아내는 정말이지 피곤하고 피곤해 보였다. 죽을 때까지 낫지 않을 것 같은 아내의 피곤증을 보면서 그는 피곤하도록 잘 먹는 나라는 도대체 어떤 나라일까, 그가 태어난 나라에 대해 생소한 혐오감을 느꼈다. 앤의 피곤증은 점점 깊어졌다. 음식에 대해서 뿐 아니라 손때 묻은 살림살이, 깍듯이 도리를 지키던 시집 식구들, 남편까지 허드레 물건 보듯 시들하게 대했다. 저 여자는 누구인가, 라구나 비치의 수평선을 끌어당기고 말 것처럼 강렬한 눈빛의 잔광은 어디에도 남아 있지 않았다. 시들해하는 건 미워하는 것보다 더 견디기 힘들었다. 그리고 그 일이 났다.

그가 없는 사이 앤은 아이들이 어려서 쓰던 물건들을 다락방에서 내려다가 정원에 설치해놓은 소각통에 집어넣고 불을 지른 것이다. 장난감, 놀이기구, 아이들 키와 체중에 맞게 설계한 의자나 책상 등 그녀가 그 편리함과 우아함에 감탄 감탄하면서 장만한 것들이었다. 사용하는 동안에도 그런 것들은 그녀의 최초의 감탄을 배반하지 않았을 뿐 아니라 앞으로 몇 아이를 더 기르고도 남을 만큼 튼튼했다. 그래서 손자를 보면 대물림해서 주려고, 또한 한국의 동기간들이 손자를 보면 미제 물건 자랑삼아 선물로 보내려고 알뜰하게 모아둔 거였다. 가볍고 색상이 고운 그런 어린이용 가구들은 거의가 합성수지 제품이었다. 검은 연기와 고약한 냄새가 아름다운 풍치를 자랑하는 한적한 교외 마을을 덮치자 그녀는 고발당했고, 경찰에서 정신과 의사를 거쳐 심리치료사한테까지 넘어가게 되었다. 그 전문가는 한국에선 지방대학 영문과를 나왔는데 남편 따라 미국에서 살면서 마흔이 다 된 나이에 다시 대학에 가 상담심리학을 전공해 학위를 따고 그 일을 하게 됐다고 했다. 수수한 여자가 잘난 척하지 않고 친하게 굴면서 남의 말을 잘 들어주었다. 남의 속에 든 이야기를 이끌어 내는 특별한 재주가 있는 사람처럼 보였지만 앤의 마음의 병을 고칠 수 있을 것 같지는 않았다. 왜냐하면 병이 없다고 단정적으로 말했으니까. 스스럼이 없어지면서 앤을 언니라고 부르게 되었고, 자기의 사소한 고민을 털어놓으면서 앤의 조언을 구할 적도 있었다. 주객전도였다. 그가 언니라고 부르는 데 익숙해져서 앤도 그에게 반말을 하게끔 친해졌을 때 그는 앤에게 한국에 다시 한 번 다녀올 것을 권했다. 자기는 대학생일 때 이모의 초청으로 미국 구경을 해봤는데 보는 것마다 어찌나 좋아 보이던지 한국에 돌아간 후에도 그것만 눈에 밟히고 한국의 모든 것이 후지고 너절해 보여 도무지 살맛이 안 나더라는 것이었다. 우울증에 빠진 딸을 보고 아버지가 무슨 생각을 했는지 다시 한 번 갔다오라고 여비까지 마련해주어 두번째로 오니까 사람 사는 건 다 비슷하다는 게 비로소 보이더라고 했다. 앤은 그 팔자 좋은 얘기가 자신의 우울증과 무슨 상관인지 잘 이해되지도 않거니와 남편에게 더는 미안한 짓을 하고 싶지 않아 그냥 지나가는 말 정도로 들어넘겼다. 그녀의 증세가 그럭저럭 소강 상태로 접어든 걸 그녀도 남편도 느끼고 있을 무렵 큰언니로부터 어머니의 건강이 급속히 나빠졌단 소식을 들었다. 소강 상태란 덧들이지 않을수록 오래 유지되는 상태라는 걸 그들 부부는 암묵적으로 알고 있었다. 서로 눈치보며 조심스럽게 알아본 결과 몸도 안 좋지만 정신을 놓을 적도 많다고 했다. 모시던 아들네서 버거워해 큰 언니네가 모셔왔는데 자주 집을 나가는 일이 생겨 시골 사는 이모네로 보냈다고 했다. 이모라면 어머니의 동기인데 어머니에게 언니가 한 분 있다는 건 알지만 서로 멀리 살아서 자주 왕래한 것 같지는 않다. 앤의 이모에 대한 기억은 집에 전화를 처음 놓고 어머니가 처음 한 전화통화가 시골 이모하고였다는 것 정도이다. 그때 이모네는 전화를 놓기 전이어서 이장네로 걸어서 불러낸 이모하고 하도 오래 통화를 해서 아버지가 옆에서 혀를 차던 생각이 나는 걸 보면 왕래는 자주 못해도 서로 그리워하는 자매간이었다는 건 틀림없다. 그뿐이었다. 아버지 장례 때도 이모를 본 것 같지 않고, 그 후 한국에 머무는 동안도 이모 소식을 들은 것 같지도 궁금해한 것 같지도 않다. 여태까지의 그런 무관심 때문이었을까, 어머니가 거기 가 있다는 게 생뚱맞게 들렸다. 이건 구박이 아니라 유기라고 생각했다. 서로 잘사는 걸 그렇게 뽐내던 사남매가 어머니 한 분을 못 모시고 어머니보다 더 나이 먹은 노인한테로 보내다니. 전화로 길길이 뛰는 그녀에게 언니는 누누이 어머니가 원해서 그렇게 해드렸을 뿐이라는 걸 강조했다.

"내가 이럴 줄 알고, 안 알리려고 했는데 아무것도 모르고 있다가 돌아가셨다면 네가 또 충격받을까 봐 알리는 거야. 아버지 장례 치르고 가서도 너 많이 힘들어했다며? 김서방이 얼마나 걱정한 줄 알아."

"그럼 쉬 돌아가신단 말야?"

"오래 사실 건 아니잖아. 연세가 있잖니? 우리 엄마처럼 경위 바른 분이 치매에 걸릴 줄 누가 알았겠냐?"

"몰라 몰라, 내가 가서 당장 모셔다가 미국 병원에서 고쳐놓고 말 거야."

"이 철부지야, 미국 대통령도 못 고치는 병을 네가 무슨 수로 고쳐. 김서방 속 좀 작작 썩이고 엄마가 정신 아주 놓기 전에 한 번 다녀가려면 다녀가. 그렇다고 억지로 오라는 건 아냐. 네 건강도 생각해야 되니까 김서방하고 잘 의논해서 결정해."

"그러니까 엄마가 정신 아주 놓은 건 아니구나, 그치?"

"가끔 네 생각은 나시나 봐. 우리 딸막내 어디 가서 밥이나 안 굶나, 하시면서 먼산을 바라보신단다."

"딸막내가 뭐야?"

"네가 딸로는 막내 아니냐?"

"그럼 엄마가 내 이름도 생각 안 난단 말야?"

"누구 이름은 생각난다던? 글쎄 병수한테도 댁은 뉘시유, 하신단다. 병수가 누구냐? 엄마가 하늘같이 받들던 맏상제 아니더냐."

그런 어머니가 딸막내를 찾는단다. 딸막내, 얼마나 예쁜 이름인가. 막내딸보다 더 마음에 들었다. 진작 좀 그렇게 불러주지. 원망인지 그리움인지 모를 격정이 복받쳐 더는 통화를 잇지 못했다.

"비행기에서 못 주무셨나 봐요. 시차 적응하려면 며칠 걸리실 텐데."

서울에 거의 다 온 모양이다. 할 말이 없어 줄창 눈을 감고 있는 앤에게 조카며느리가 조심스럽게 말을 시켰다. 조카며느리는 큰언니의 며느리였다. 창밖에 대도시의 불빛이 찬란하고 차는 가다 서다를 되풀이했다.

"날 어디로 데려가는 거냐?"

"네?"

"우리 어머니한테로 곧바로 가고 싶은데."

"오늘 밤은 저희 집에서 주무시고 내일 아침에 가셔요. 어머님이 그렇게 하라고 하셨어요."

"할머니 계신 시골이 그렇게 머냐?"

"여주, 안 멀어요. 한 시간에서 두 시간 사이. 내일 아침 출근 시간 전에 떠나 좀 밟으면 한 시간 안에도 갈 수 있을 거예요."

"너 참 운전을 편안하게 하는구나. 느이 시어머니도 가끔 모시고 다니냐?"

"잘 못 그래요. 바라시지도 않구요."

"공항이 멀어져서 그런지 김포로 들어올 때보다 마중들을 덜 나오는 것 같더라. 나 말고 딴 사람들도 말이다."

"이젠 외국인이고 내국인이고 거의 다 공항버스를 이용하지요. 리무진이 안 닿는 데가 없으니까요. 달랑 저 혼자 마중 나온 거 섭섭하신가 보다. 이모님 그렇죠?"

"너 혼자라서 섭섭한 게 아니라 핏줄들이 하나도 안 보이는 게 좀 허전하구나."

"미국서 이모부님이 어머님한테 이모님을 흥분시키지 말라고 신신당부하셨다나 봐요. 참 애처가세요."

앤은 쓸쓸하게 웃기만 하고 대꾸하지 않았다. 그녀가 다시 한국에 나올 수 있기까지 두 사람 사이에 뻔질나게 전화통화가 있었다는 건 어렴풋이 알고 있었다. 오나 가나 병자 취급이 다시 그녀를 피곤하게 했다. 아닌게아니라 언니집엔 언니네 식구들 외엔 아무도 와 있지 않았고 저녁상도 조촐했다. 며느리가 나란히 봐놓은 잠자리에 들어서도 언니는 회포를 풀 생각은 안 하고 하품 먼저 했다.

"엄만 어느 정도 나쁜 거야? 언니 며느리 착하던데 그런 착한 며느리도 눈치 보였어?"

"눈치는 나도 보여. 여긴 미국보다 더 핵가족이야. 외시할머니가 당키나 하냐?"

"그럼 차라리 양로원으로 보내지 우리가 이모를 언제 봤다고 그리로 보내."

"그건 엄마가 원해서야. 그쪽에 가셔서 겨우 안정되셨어. 몇 집이 다리 뻗고 자게 된 지 얼마 안 되니까, 이제 와서 효녀 척 평지풍파 일으키지 마라, 알았지?"

"그 정도야? 우리 엄마가. 말해봐."

"이랬다 저랬다 종잡을 수가 없어. 너도 보면 알 거야. 백문이 불여일견이지."

"엄마가 무슨 경치야?"

앤은 휙 돌아눕고 이내 언니의 코 고는 소리가 들렸다. 잠자리가 뒤숭숭했지만 아주 못 잔 건 아닌 듯했다. 지금쯤 출발해야 하는데 어쩌나 하는 조카며느리의 목소리에 깨어났다. 언니는 벌써 일어났는지 어제 남은 국이라도 데우지 미국서 온 분한테 아메리칸 브렉퍼스트는 좀 그렇지 않니, 하는 잔소리도 들렸다. 그런 두런거림이 싫지 않고 아늑했다. 앤은 벌떡 일어나서 간단히 소세만 하고 조반은 사양했다. 으레 언니가 동행해줄 줄 알았는데 다녀온 지 며칠 안 된다며 집에 있겠다고 했다. 왜 그렇게 야박하게 구는지 얄미웠지만 뭐라고 그러지 않고 꾹 참았다.

그녀에게 여주라는 고장은 별로 낯설지 않았지만 전에 와본 적이 있는 것 같지는 않았다. 아마 여주 이천 쌀이라는 소리를 잊지 않고 있어서 친밀감을 느끼는 듯했다. 기름이 자르르 흐르게 잘 지어진 이밥을 풀 때면 어머니는 여봐라 여주 이천 쌀은 다르지, 하며 만족해했다. 행여 조금이라도 윤기가 덜하거나 푸석푸석하면 속여먹었다고 싸전 욕을 할 적도 있었다. 어쩌다 목돈이 생겨 여주 이천 쌀을 가마니로 들일 때는 그리도 흡족해하더니만 안에는 쌀가마니를 싸놓고 밖에는 큰 맷방석에다 입쌀을 고봉으로 담아놓고 됫박질을 하던 옛날 싸전은 어디에도 보이지 않았다. 특산물도 바뀌었는지 도자기를 도매하는 집도 자주 보이고, 여주 특산 맛있는 고구마를 판다는 간판도 심심찮게 보였지만 고구마를 밖에 내놓고 팔지는 않는 듯 실물을 구경할 수는 없었다.

번창한 읍내에서 어머니가 있는 마을까지는 반 시간도 더 걸리는 것 같았다. 곡창지대니까 무조건 평야려니 했는데 차가 헐떡거릴 만큼 가파른 고개를 넘고 넘어야 하는 외진 동네였다. 외진 동네지만 몇 채 안 되는 집들이 다 번듯한데 어머니와 이모가 사는 집은 폐가처럼 퇴락하고 썰렁해 보였다. 이모네 자식들도 다 도회나 읍내로 나가고 이모도 따라나가 한동안 서울 큰아들네서 살다가 갑갑해 못 살겠다고 비워두었던 집을 조금 손보고 사는 중이라는 걸 조카며느리가 운전하면서 도란도란 일러주었다. 다행히 마을에 남아 있는 이모네 시집 쪽 친척들이 가까이에서 두 노인을 보살펴주고 무슨 일이 있으면 즉각 자식들에게 연락을 취해줘서 그나마 안심이 된다고 했다. 그 대신 양쪽 자식들이 그 친척이 섭섭하지 않을 만큼 보내는 돈도 쏠쏠하니까 노인들이 구박을 받는 일은 없을 거라는 소리도 했다. 그러니까 혹시 집이 비어 있을지도 모른다고 했는데 인기척에 두 노인이 안방에서 손잡고 나왔다. 처음엔 누가 어머니인지 앤이 분간을 못할 정도로 두 노인은 닮아 있었다. 한 노인이 다른 노인에게

"네 미국딸 왔다. 너 보러 미국서 여기까지 왔대. 아는 척 좀 해봐, 이 등신아."

그제야 앤은 등신이라고 불린 노인을 얼싸안으며 목멘 소리를

질렀다.

"엄마, 나야 나. 딸막내. 엄마의 딸막내. 뭐라고 좀 그래봐. 미국서 여기까지 엄마 보러 왔단 말야. 착한 딸막내가."

그러나 어머니의 표정에서 어떤 변화도 읽을 수 없었다. 세 사람은 어둑한 안방에 들어앉고 조카며느리는 구경꾼처럼 조금 떨어져 서 있었다. 이윽고 어머니의 흐릿한 눈동자에 어떤 느낌이 돌아오는 듯하더니 밥 먹고 가야지 하면서 일어서려고 했다.

"이모, 엄마가 날 알아봤어요. 봐요, 밥 먹고 가라지 않아요."

"야, 그건 누구한테든지 느이 엄마가 하는 소리야. 느이 엄마가 할 수 있는 소리는 밥, 똥 그런 것밖에 몇 마디 안 돼야아."

이모는 흥분하는 앤에게 이렇게 찬물을 끼얹으면서 뭉그적거리며 일어서려는 동생의 어깨를 찍어눌렀다. 조카며느리도 맞아요, 그 소리는 저한테도 하시는 걸요,라고 서늘한 목소리로 맞장구를 쳤다. 딸막내 왔다고 아무리 외쳐봐도 그 이상의 반응은 얻어내지 못했다.

"야아 미국댁아, 넌 조금 나가 있었음 좋겄다. 동네 귀경도 할 겸 우리 두 늙은이한테 고맙게 구는 우리 일갓집에 인사도 갈 겸. 느이들이 식전에 떠났단 소리 듣고, 밥은 지어놓으라고 벌써부텀 일러놨으니까 곧 올 거다. 니가 그러구 앉았으면 이 화상은 계속해서 밥 지러 나갈 테니 찍어누르기도 힘들어 죽겠어야아."

앤도 더는 참을 수 없는 기분이어서 밖으로 뛰쳐나가긴 했어도 따라나올 줄 안 이모가 안 나오기에 친척집에 인사가는 건 미루고, 동네 한가운데로 난 한길로 걸음을 옮겼다. 인가가 얼마 없는 동네 길답지 않게 반듯하게 포장된 넓은 길이었다. 아마 읍내로 통하는 버스 길인 듯했다. 처음엔 도망치듯 빨리 걷다가 마음을 가라앉히면서 차차 천천히 걸었다. 맑은 시냇물이 졸졸 새처럼 지저귀며 길을 따라오고 있었다. 길과 시냇물 사이 누렇게 시든 풀섶에 푸릇푸릇한 건 쑥잎일까, 민들레일까. 오면서 먼산에 잔설을 본 것도 같으나 등덜미에 내려앉은 햇살은 무게가 느껴질 정도로 도타웠다. 무디어졌던 계절 감각이 눈뜨는 것 같은 설렘을 따라, 걸어오던 길을 벗어나 시냇가를 바싹 붙어 길 없는 길을 걷다가 편안해 보이는 둔덕을 찾아 앉았다. 시차보다도 더 깊은 피로, 뭔지 모를 것을 찾아 여러 생을 헤맨 것 같은 지독한 피로를 이기지 못해 그녀는 따습고 폭신한 둔덕에 점점 깊이 파묻혔다. 얼마나 그러고 있었을까.

"후남아, 밥 먹어라. 후남아, 밥 먹어라."

어머니가 저만치 짧게 커트한 백발을 휘날리며 그녀를 부르며 달려오고 있었다. 아아 저 소리, 생전 녹슬 것 같지 않게 새되고 억척스러운 저 목소리, 그녀는 그 목소리를 얼마나 지겨워했던가. 밖에서 놀이에 정신이 팔려 있을 때나 동무 집에서 같이 숙제를 하고 있을 때도 온 동네를 악을 악을 쓰면서 찾아다니는 저 목소리가 들리면 그녀는 어디론지 숨고 싶었다. 왜 그냥 이름만 불러도 되는 것을 꼭 밥 먹어라는 붙이는지. 하긴 끼니때 아니면 찾아다니지도 않았으니까 그 소리가 꼭 끼니나 챙겨먹이면 할 도리 다했다는 소리처럼 들렸다. 아침에 늦잠 자는 그녀를 깨울 때도 마찬가지였다. 학교 늦겠다 어서 일어나라 하면 될 것을 꼭 후남아 밥 먹어라로 깨웠다. 급한 건 학교가 아니라 밥이라는 듯이. 어렸을 때는 밥 먹어라 소리가 그리도 듣기 싫더니 자라면서 후남이라는 이름을 더 싫어하게 되었다. 학교 선생님이 출석을 부르다가 그녀를 한 번 볼 거 두 번 보면서 이상하게 웃는 것도 기분 나빴는데 너 사내동생 봤냐? 혹은 너 몇째 딸이야? 이렇게 물어보는 어른도 있었다. 그녀의 동기간들은 다 병자 돌림이었다. 언니들 이름에도 병자를 넣어 지었는데 그녀의 이름만 얻어온 자식처럼 항렬자에서 제외시켰다. 밑으로 사내동생 보라고 그렇게 지었다는 걸 나중에 알았다. 투박하기 이를 데 없는 어머니가 어쩌다 딸에게 애정 표현을 할 때도, 밑으로 사내동생을 줄줄이 둘이나 본 신통한 내 새끼, 하는 식이었다. 그럼 난 오직 사내동생을 보기 위해 태어났단 말인가. 처음부터 자식의 고유한 존재가치를 인정하지 않은 이름을 지은 부모, 고유한 존재가치 없이 태어난 인생, 둘 다 싫었다.

"후남아, 밥 먹어라. 후남아, 밥 먹어라."

백발의 어머니가 젊고 힘찬 목소리로 악을 악을 쓰고 있었다.

하여튼 우리 엄마 밥 좋아하는 건 알아줘야 해. 아들자식을 원할 때도 그런 마음이었겠지만 딸들 앞에서 아들을 특별대우할 때도 변명처럼 말하곤 했다. 야아는 제삿밥 떠놓을 애니까라고.

아아, 가엾은 우리 엄마. 그녀는 달려오는 엄마를 한길 한가운데서 맞이했다.

"어디 갔었냐, 밥 뜸 드는데. 야아는 꼭 끼니때면 싸돌아다닌다니까."

그것도 어려서 많이 듣던 소리였다.

"엄마 나 알아? 나 후남인 거, 알아보고 하는 소리야"

"야아가 에미를 놀리네. 밥 다 타겄다. 어여 가자."

아닌게아니라 집 안에선 밥 뜸 드는 냄새가 구수하고, 부뚜막 앞에 서 있던 이모와 조카며느리와 그 밖의 낯선 여자들이 신기한 얼굴로 제각기 한마디씩 했다.

"미국딸 보고 정신이 돌아오셨나 봐요. 안 그래요? 아주머니."

"얼마나 보고 싶었으면…… 진작 오시지."

"정신이 돌아온 건지, 더 달아난 건지 원. 난 십년감수했다. 귀한 손님 왔으니까 반찬 한 가지라도 더 챙겨오려고 야아네로 건너가서 찌개 간도 보고 나중에 고구마도 좀 쪄오라고 일르고 있다가 보니까 우리 집 굴뚝에서 연기가 나지 뭐냐. 마당에도 연기가 자욱하고. 불난 줄 알았어. 이 화상이 이제 안 하던 불장난까지 하니 어쩔꺼나 한달음에 달려와 보니 멀쩡하게 밥을 짓고 있지 뭐냐. 곧잘 지었어. 안 쓰던 무쇠솥도 깨끗이 가셨나 봐. 밥에 녹물이 하나도 안 든 거 보렴."

녹물은 안 들었는지 몰라도 밥 뜸 드는 냄새에는 무쇠 냄새도 섞여 있었다. 매캐한 연기 냄새도, 연기가 벽의 균열을 통과하면서 묻혀온 흙냄새도, 그 모든 냄새와 어우러진 밥 뜸 드는 냄새가 그렇게 좋을 수가 없었다. 아아 이 냄새, 이 편안함, 몇 생을 찾아 헤맨 게 바로 이 냄새가 아니었던가 싶은 원초적인 냄새, 이열치열이라더니 음식 때문에 뒤집힌 비위를 부드럽게 위로하는 이 편안한 냄새. 어머니는 왜 아무 연고도 없는 이리로 왔을까. 나는 또 생전 처음 맡아보는 이 냄새가 왜 이렇게 좋은가. 어머니는 셋째딸을 낳을 때 또 딸일까 봐 산파 비용 아끼려고 쌀 한 말을 이고 시골 친정집에 가서 몸을 풀었다고 한 적이 있었다. 외가는 가난했고 외할머니는 일찍 돌아가셔서 그녀는 철나고 한 번도 외갓집이라는 데를 가본 적이 없었다. 난 혹시 이런 집 이런 방에서 이 세상 첫 빛을 본 건 아니었을까.

"나 안방에 조금 누웠다가 밥 먹으면 안 될까."

"그랴그랴, 몸 좀 녹여라. 빰이 시퍼렇다. 밥 좀 눌으면 어떠냐. 무쇠솥에 눌은 밥은 별미야. 요샌 시골서도 그런 밥 잘 못 얻어먹어. 야아네서도 전기밥솥을 통째로 들고 왔잖냐."

후남이는 알맞게 부숭부숭하고 따끈한 아랫목에 편안히 다리 뻗고 누웠다. 그리고 평생 움켜쥐고 있던 세월을 스르르 놓았다. 밥 뜸 드는 냄새와 연기 냄새와 흙냄새가 어우러진 기막힌 냄새가 콧구멍뿐 아니라 온몸의 갈라진 틈새로 쾌적하게 스며들었다. 잠깐만, 어머니가 후남아 밥 먹어라, 다시 한 번 불러줄 때까지 잠깐만 눈붙이고 나면 모든 것이 다 좋아지리라.

거저나 마찬가지

나, 김영숙은 아직 사십대 초반인데도 건망증이 심하다. 그것 때문에 난 왜 이러지 하고 머리를 쥐어뜯어가며 짜증을 내는 일이 잦다. 그러나 남하고의 약속이나 꼭 해야지, 하고 자기하고 한 다짐을 까먹은 적은 없다. 따로 살건만도 부모 형제의 생일이나 부탁, 남하고의 약속을 허술하게 넘긴 적도 없다. 식구들의 생일에 꼬박꼬박 참석한다는 뜻은 아니다. 차려드리지도 가 뵙지도 못하면서 부모님 생신을 기억하고 그날을 보통날과 다르게 보내게 되는 건 더 힘든 일이다. 혈연이나 남과의 관계에서 건망증이 문제가 된 적은 없는 셈이다. 나의 건망증은 아주 사소한 것들이다. 열쇠나 안경, 가위나 빗, 숟가락, 국자, 마시다 만 커피잔, 먹다 만 빵 조각, 읽던 책 따위가 내가 방금 쓴 근처나 늘 두던 자리에서 감쪽같이 없어지는 일 따위이다. 그런 것들이 안 보이면 어디 두었더라, 그 물건들을 최근에 쓴 때로 거슬러 올라가 그때의 행동 반경을 생각해낼 생각은 안 하고 내가 맨 먼저 자신 있게 달려가는 데는 냉장고이다. 휴대폰이나 전기다리미를 어따 놓았는지 잊어버리고 찾다 찾다 나중에 냉장고 속에서 찾았다는 얘기가 건망증의 전형적인 증상처럼 되어 한동안 우스갯소리로 떠돈 적이 있다. 나는 한 번도 잃어버린 물건을 냉장고 속에서 찾은 적이 없건만 그 소리를 처음 들었을 때 남들처럼 웃어넘기지 못하고 충격을 받았다. 나도 조만간 그렇게 될 것 같기도 하고, 그런 적이 한두 번 있었던 것 같기도 해서였다. 그래서 제일 먼저 냉장고 속을 확인하고 안 보이면 일단 안심이 되긴 하는데 앞으로 어디서 찾을 것인가 우두망찰하게 되고 그때부터 가슴이 두근두근하고 피가 머리로 올라오면서 생각의 회로가 엉망으로 헝클어진다. 그리고 나를 이 지경으로 만든 집 안에 널린 일용 잡화 생필품에 대해 욕지기가 치밀 것 같은 혐오감을 느낀다. 그것들은 다 싸구려들이고 누군가가 불필요해서 유기한 것들이라는, 그것들의 근본이 나를 욕지기 나게 하는 것이다.

그러나 가스 불 끄는 걸 잊어버린 것에다 대면 그 밖의 것들은 아무것도 아니다. 고추장을 푼 찌개 냄비를 가스 불에 올려놓은 채 두부를 사러 갔다 온 적이 있다. 내가 사는 데는 경기도니까 듣기 좋게 수도권이라고 할 수 있어도, 뭐 하나라도 사려면 슈퍼마켓이 있는 읍 소재지까지 나가야 한다. 거기까지 4킬로미터가 넘는 외딴 산골이다. 공기 좋고 경치 좋다는 게 밖으로 알려지면서 집에서 바라보이는 곳에 펜션도 생겨났지만 아직은 건축 중이고, 바로 옆에도 집이 있지만 몇 년째 사람이 살지 않아 허물어져가는 폐가이다. 그 산골에 인가는 내가 살고 있는 집 한 채뿐이다. 책과 이부자리 취사도구뿐 값나가는 물건이 없기 때문에 도둑은 안 무섭지만 그냥 사람이 무서워서 개울가로 산책을 나갈 때도 문 잠그는 건 안 잊어버린다. 내가 없는 동안에 모르는 사람이 들어와 우뚝 서 있다면 그 사람보다 내가 먼저 기절을 해버릴 것 같다. 산책을 나가고 싶어도 열쇠를 못 찾아 못 나갈 적도 있다. 그날은 열쇠는 금방 찾아 재수 좋다고 생각했는데 가스 불 끄는 건 잊어버리고 만 것이다. 읍에 명색이 슈퍼마켓이라는 게 생기고 나서는 산모롱이에 가린 이웃 마을에 있던 구멍가게가 없어져서 처음엔 불편했는데 곧 슈퍼마켓까지 가는 길을 좋아하게 되었다. 그날도 서두르지 않고 천천히 두부 한 모가 목적이 아니라 산책이 목적이었던 양 한눈을 실컷 팔면서 갔다 오는데 문틈이랑 창틈이랑 집의 구멍이란 구멍으로 검은 연기가 뭉게뭉게 피어오르는 게 아닌가.

식구들하고 같이 살 때 양은 주전자를 태운 적이 있는데 바닥은 뻥 뚫어지고, 노란색이 하얗게 바랜 몸통도 너덜너덜 구겨져 있었는데 스테인리스는 꺼멓게 변색만 했지 형태는 멀쩡했다. 집주인은 그 냄비를 3중 바닥이라고 했던가, 5중 바닥이라고 했던가. 아무튼 비싼 거란 소리였을 것이다. 그 집의 주방 기구는 거의 다 집주인의 것이다. 철수세미로 문지르니까 반짝이는 본

바탕이 보였다. 죽어라 힘을 빼면 감쪽같이 원상 복구를 해놓을 수도 있었다. 그러나 힘 빼기 귀찮아서 안 했다. 나도 배짱이다, 이거야. 그렇게 생각하니까 잠깐이지만 후련했다. 배짱 부릴 줄 알게 됐다는 것 말고도 불을 낼 뻔한 일은 나에게 획기적인 사건이 되었다. 열쇠는 반드시 가스레인지 스위치에 걸어두기로 작정하니까 두 가지 건망증이 한꺼번에 해결이 되는 게 아닌가. 그 두 가지 이상 중요한 건 없었다. 가위가 안 찾아진다고 큰일 날 건 없었다. 하던 일을 안 하면 되고, 대신 칼이나 이빨로 해결할 수도 있는 일도 있었다. 가위를 열심히 찾다가 내가 무엇에 쓰려고 그걸 그렇게 찾았는지 까맣게 생각이 안 나면 그렇게 낭패스러울 수가 없었다. 그럴 때 끊어지기 직전의 신경줄을 늦춰주는 방법을 최근에 개발했는데 그건 여기 있던 게 자취도 없이 사라졌으니 기적이다, 나는 종종 기적을 행하는구나, 그렇게 생각하기로 하니까 한결 마음이 편해졌다. 사람들은 왜 아무것도 없는 데서 뭐가 생겨나는 것만 기적이라고 하는 걸까. 무에서 유가 되는 게 기적이라면 유에서 무가 되는 것이 기적이 못 되란 법 없지 않을까. 잃어버린 건 언젠가 엉뚱한 곳에서 나오기 마련이었다. 그럼 또 한 번의 기적이 일어났다고 기뻐하면 된다. 집주인은 가끔 나에게 딱하다는 듯이 말하곤 한다. 너는 무슨 애가 그렇게 노력을 안 하고 사니? 그럼 이 모든 무력증이 노력의 결과가 아니란 말인가.

집주인은 나의 고등학교 선배 언니이다. 나중에 같은 고등학교를 나왔다는 걸 알아보고 특별한 친밀감을 느끼긴 했지만 학교를 다닌 시기가 같았던 건 아니다. 대학은 선배 언니가 훨씬 좋은 대학을 졸업했고, 나는 등록금 전액을 면제해주는 조건 안에 드는 좋은 성적 때문에 이류로 분류된 대학밖에 못 갔는데도 졸업을 못 했다. 대학 다니려면 등록금 외의 용돈도 있어야 하고 먹어야 하고 입어야 하고 다리 뻗고 잘 수 있는 잠자리도 있어야 했으므로. 등록금도 댈 수 없을 만큼 어려웠던 가정 형편이 가족의 생존을 위한 기본적인 것도 보장해줄 수 없을 만큼 더욱 남루해지면서 집에서는 똑똑한 딸이 혼자서라도 빠져나가 과외 교습 아르바이트를 해서 학교를 마칠 수 있기를 바랐다. 잘 가르친다는 소문만 나면 제 학비만 해결되는 게 아니라 식구들에게도 가뭄의 비 같은 도움을 줄 수도 있었다. 때는 마침 중고생 과외 열풍이 극에 달해 대학생 아르바이트가 호황을 누릴 때였으니까 나도 대학만 가면 으레 그런 돈벌이가 기다리고 있으려니 했다. 그러나 일류에 들지 못하는 대학에 다닌다는 게 그런 경쟁에서도 절대로 불리한 조건이라는 걸 곧 깨닫게 되었다. 치사한 걸 무릅쓰고 힘겹게 얻어걸린 자리는 겨우겨우 살면서 공부도 못하는 아이뿐이었다. 좋은 대학에 다니는 동창들은 좋은 보수를 흥정해서 선불로 받고 가르치는데 나는 그보다 한 단계 낮은 보수조차 성적이 오르면 주겠다는 후불을 전제로 하는 수가 많아 떼어먹히기 일쑤였다. 공부보다는 생각이 영 딴 데 가 있고, 집도 넉넉지 못한 아이 성적을 올려주기가 쉬운 일이 아니었다. 그런 아이일수록 제 성적이 안 오르는 핑계를 대는 데는 선수였다. 착한 부모는 제 새끼 말만 믿고 남처럼 비싼 과외를 못 시키고 싸구려 이류한테 자식을 맡긴 걸 통탄하면서 싸구려나마 지불하는 게 아까운지 무쪽같이 떼어먹고 나를 잘라버렸다. 하소할 데 없는 무단 해고였다. 그런 경험이 거듭되면서 나는 이류를 택한 걸 후회했고, 이류에 정이 떨어지고 말았다.

가장이 몇 년째 몸져누운 우리 집안 형편을 딱하게 여겨 무슨 때마다 신경을 써주던 외당숙뻘 되는 친척이 나에게 그의 회사에 와서 일해보지 않겠느냐고 권해왔다. 내가 학교는 다니는 둥 마는 둥 과외 아르바이트를 걷어치우고 패스트푸드점에서 일하는 걸 목격하고 당장에 한 제안이었으니까 즉흥적인 동정일 수도 있으련만 그 아저씨는 성의를 다해 호의적으로 말했다. 회사에 자기편이 필요하다는 거였다. 좋은 조건이었고 그 아저씨가 믿을 만한 사람이라는 건 그전부터 알고 있던 터라 나는 끗발이 있을 것 같지 않은 대학하고는 양다리 걸칠 것도 없이 아예 중퇴를 해버렸다. 취직을 해보니 회사라기보다는 공장이었다. 내가 회사라고 알고 있는 데는 강북의 중심가나 강남의 고층 빌딩에 있는 엘리베이터 타고 올라가는 사무실이어야 하고, 사장실은 비서실 거쳐서 들어갈 수 있는 곳이어야 하고, 복도나 층계참에 자판기가 있어야 하고, 남자직원은 담배를 피우고, 여직원은 그런 남자들을 흘금거리며 품평회를 하거나, 누가 리모컨으로 조정하고 있는 것처럼 질서 정연한, 아득한 지상의 차의 흐름을 조망할 수 있는 옥상이 딸린 곳이라야 했다. 아는 사람이 그런 회사에 있어서 가본 적이 있는 건 아니었다. 연속극에서 보고 익숙해진 웬만한 회사를 나름대로 정형화시켜본 거였다. 골고루 보잘것없는 친척 중에서 그 아저씨는 유일하게 큰돈 번 성공한 사업가로 알려져 있었으니까 그 정도는 과대망상이 아니었다.

아저씨의 사업체는 수출하는 의류를 납품하는 봉제 공장이었다. 살벌한 공장 지대에 위치한 공장은 종업원이 백 명도 넘는 제법 큰 규모였지만 사무실은 공장 옆에 혹처럼 붙어 있는 컨테이너 박스였다. 두 개를 잇대놓아 기차간처럼 보였다. 아저씨는 나에게 회계 일을 보아달라고 했지만 은행 심부름이나 임금 계산이 주 업무였고, 어떻게 수지를 맞추는 회사인지 경영에 관해서는 자기만 알고 있었다. 아저씨는 노동 시간에 따른 임금 계산 때문에 공원들과 마찰을 빚을 때마다 자기는 강경한 입장을 취하고 나에게는 공원들 편을 들도록 은근히 부추겼다. 아저씨는 내가 공원들하고 한통속이 되길 바라고 있었다. 자기 사람이 필요하다는 소리는 공원들 동정을 염탐해줄 첩자가 필요하단 소리였을 것이다. 아저씨는 노조가 생길까 봐 두려워하고 있었다. 그 무렵 이력서에 나하고 같은 고등학교 출신으로 돼 있는 언니가 시다로 들어왔다. 나보다 훨씬 선배니까 올드미스인데 이제 견습공으로 들어온 게 안돼 보여 관심을 갖게 되었다. 비록 컨테이너 박스일망정 사장실하고 붙은 방에서 사무를 보는 사장 친척이니까 그 언니가 백으로 느껴주길 바라는 마음에서 후배라는 사실도 일찌거니 밝혀놓았다. 그러나 그 언니는 좀처럼 나에게 곁을 주지 않았다. 후배가 윗사람이 되었으니 기분이 더러웠을 것이다. 엄마가 한때 파출부 나갈 때 시골서 같이 자라던 소학교 동창 집에 가게 되었을 때처럼 기분이 더러웠던 적이 없다고 했다. 그런 열등감이라면 우리 모녀의 기본 정서였다. 나는 그 더러운 기분도 눅쳐줄 겸 용기도 내게 할 겸 언니는 다른 종업원들하고는 어딘지 달라 보인다, 근본은 못 속이나 보다고 말해준 적이 있다. 위로하기 위한 말이었는데 맹탕 헛소리를 한 건 아니란 생각이 들 정도로 말해놓고 나니 정말 달라 보였다. 그 말을 받아들이는 태도 때문이었을 것이다.

"달라 보이는 게 당연하지. 너희들은 선택의 여지 없이 이렇게밖에 못 살지만 난 아냐, 난 내가 선택해서 이렇게 살고 있는 거니까."

나는 그 소리에 충격을 받았다. 그 소리를 할 때 순간적으로 내비친 먹물 냄새 때문이었을 것이다. 그건 고졸 학력의 표정이 아니었다. 다들 못 알아보는 걸 나만 알아본 것처럼 느낀 건 나도 대학을 못 나왔다는 열등감의 민감성 때문이었을 것이다. 혹시 이 언니가 우리 아저씨 회사에 위장 취업을 한 게 아닌가 하는 생각이 들었다. 중소기업 사장들이 위장 취업한 운동권 때문에 멀쩡한 회사를 말아먹을까 봐 전전긍긍할 때였다. 우리 아저씨도 그런 불쌍한 사장 중의 한 사람이었다. 나는 나의 의구심을 아저씨한테 고해바치지 않았다. 나는 우리 아저씨보다는 선배 언니에게 더 도움을 주는 사람으로 변해가고 있었다. 나는 언니가 권하는 딱딱한 책을 잘 읽지도 않았고 별로 좋아하지도 않았다. 어디다 쓸 건지 모르지만 그 언니가 착취당하는 민중들의 의분을 고취시키는 선언문 같은 걸 보여주면서 느낌을 물었다. 너 정도가 알아듣고 마음을 움직이게 하는 문장을 쓰고 싶은데 그게 잘 안 된다고 했다. 유치한 문장을 쓰기에는 너무 먹물이 많이 배어 있다는 소리로 들렸다. 나는 별로 자존심이 상하지 않았다. 학교 다닐 때 친구들의 연애편지를 써준 경험이 욱신거렸다. 내 리라이팅은 기대 이상으로 그녀를 만족시켰다. 얼마 안 고쳤는데도 무릎을 치면서 감탄, 감탄하곤 했다. 차츰 인쇄해서 돌릴 문건 말고도 모임을 주도할 연설문 같은 것도 대강 초만 잡아놓고 나더러 살을 붙이라고 했다. 내가 그녀의 브레인, 아니지, 감성 노릇을 했기 때문에 오히려 나를 그녀가 하는 일에 가담시키지 않고 숨겨두려고 했다.

"내가 작사가라면 너는 작곡가야. 우리 외할아버지는 말끝마다 한때 항일 투사였다는 걸 자랑하시는 분인데 말년엔 보잘것없어져서 술만 한잔 하셨다 하면 꼭 일본 군가를 부르셨어. 위로받고 싶은 불쌍한 표정으로. 가사를 한마디도 알아듣지 못하는 나도 그 곡조를 들으면 잠자던 피가 끓는 것 같기도 하고 어차피 한번 죽을 목숨이라는 허무감 같기도 한 묘한 기분에 사로잡히게 되더라. 틀림없이 천황을 위한 충성심을 고취하고 천황을 위해 용맹스럽게 전사하는 걸 최고의 가치로 찬양하는 가사일 테니까 그런 달착지근한 감상은 아마 곡조에서 비롯된 것이었을 거야. 자기 죽음에 도취해서 황홀하게 죽게 만드는 힘은 결코 가사에 있지 않고 곡조에 있었던 거지. 선동당한다는 걸 잊고 스스로 도취하게 만드는 힘은 음악에만 있는 줄 알았는데 네 글솜씨에도 그런 게 있는 것 같아. 내가 말하고 싶은 취지는 그대로 있는데 네가 조금만 손을 봐주면 감동이 생기거든. 그거 내가 발굴한 거니까 딴 데 함부로 써먹으면 안 된다. 알았지?"

내가 그녀의 사람이 된 건 그녀와 나만 아는 비밀인 줄 알았는데 어떻게 아저씨가 알게 되었는지 나는 회사에서 쫓겨났다. 그게 그렇게 회사에 해되는 일이었을까. 내가 회사에 해코지를 했다는 게 우리 집을 도와주고 싶어 한 아저씨에게는 엄청난 타격이 되었던 것 같다. 네가 우리 회사 말아먹는 일에 앞장설 줄은 정말 몰랐다고 노발대발하면서 내 따귀까지 때렸고, 그 여파는 우리 집 식구한테까지 미쳤다. 이래서 예로부터 머리 검은 짐승은 거두지 말라고 했다는 말까지 하고 간 모양이다. 자식을 잘 가르치지도 풍족하게 먹고 입히지는 못했어도 의리 하나는 지키도록 가르쳤다는 확고한 믿음을 가진 우리 부모에게는 그 소리가 얼마나 모욕적이었는지 그 즉시로 나를 버린 자식 취급을 했다. 너 같은 자식 하나 없는 셈 치겠다는 소리에 나는 속으로 코웃음을 쳤다. 누가 할 소리인지 몰랐다. 그런 소리는 적어도 있는 집 부모나 하는 소리가 아니었던가. 가난을 찬양하는 건 부자들이나 즐겨 하는 짓인 것처럼. 나보다 먼저 부모 슬하를 벗어난 내 바로 밑 동생의 자취방에서 힘들게 개개다가 얻어걸린 직장이 이벤트 회사였다. 주로 신장개업한 음식점이나 편의점 앞에서 초미니스커트 차림으로 요란한 음악에 맞춰 춤을 추는 바람잡이 일을 했다. 그런 일을 하기에는 환갑 진갑 다 지난 나이가 돼버려서인지, 나에게 정말 나도 모르는 소질이 있어서인지, 다른 일이 주어졌는데, 몸으로 바람을 잡는 일에서 바람 잡는 짧은 말을 지어내는 일로 승격이 되었다. 승격은 내가 지어낸 말이고 보수는 몸으로 일할 때보다 더 형편없었다. 그러나 그것도 먹물들의 일이라고 생각해줘서 그런지 몸으로 뛰는 아이들처럼 함부로 쫓아내지 못했고, 얼마 있다가는 거창하게도 대외홍보팀 팀장이라는 직함까지 달아주었다. 이용 가치를 길게 보는 것 같기도 했고, 미스 김이라고 부르기엔 나이를 너무 많이 먹어버린 것도 장(長) 자를 붙여주는 데 일조를 했을 것이다. 회사가 망하기 전엔 안 쫓아낼 것을 믿어도 될 만큼 차차 나는 여러 가지 중요한 업무까지 휘뚜루 맡아보게 되었다. 심지어는 길바닥에서 춤추던 아이 임금을 떼어먹고 도망가 새로운 사무실을 얻는 일까지 거들게 되었지만 나는 조금이라도 내 소질을 살릴 수 있는 일로 입에 풀칠할 수 있다는 걸 보람으로 삼았다.

그 무렵 박기남이를 다시 만나게 되었다. 거리에서 춤출 때 만나지 않은 게 다행이었다. 더 일찍 만날 수도 있었는데 내가 떳떳해질 때까지 숨어 살고 싶었다. 유령 회사나 다름없는 이벤트 회사 팀장을 떳떳한 직업으로 여겼던 것은 떳떳해졌다고 믿고 싶은 마음이 급해서였을 것이다. 수소문하면 더 일찍 만날 수도 있었다. 길 가다 문득 저만치 기남이 같은 청년이 걸어오는 것 같은 느낌으로 가슴이 울렁거린 적도 한두 번이 아니었다. 가까이서 확인하기 전에 우선 몸부터 피했다. 만나고 싶은 마음보다는 만나서 그럴듯해 보이고 싶은 마음이 더 힘이 셌기 때문이다. 내 마음속에서 일어나는 일은 왜 늘 그 모양인지 모르겠다. 그래서 내가 살아온 길은 구불구불하다. 그건 극적인 것하고는 다르다. 극적인 삶은 아마도 푸른 하늘을 선명하게 긋는 비행운처럼 아름다운 직선일 것이다. 먼 곳에서 먼 곳까지의 거침없는 최단거리, 나는 아무리 아름다운 구름을 보고도 감동한 적이 없지만 비행운은 볼 때마다 내 존재의 무게가 사라지는 듯한 일종의 무아지경에 빠지곤 한다. 나의 구불구불은 아마도 어른들이 말하는 나이를 헛먹는다는 것하고 같은 뜻이 될 것이다. 헛먹은 나이가 체한 것처럼 매슥거릴 무렵 기남이를 만났다. 내가 그를 찾은 게 아니라 그가 나 있는 데를 알아냈지만 내가 어디 있다는 정보를 예전 동료 사이에 슬쩍 흘린 건 나였다. 얼마나 찾아 헤맸는지 아느냐는 그의 첫마디가 나를 달콤하고 행복하게 했다.

내가 아저씨네 공장에 있을 때 그는 그 공장 기술자였다. 재단이나 봉제를 하는 기술자가 아니라 기계가 잘 돌아가도록 돌보고 고장이 났을 때 고치는 일을 했다. 그는 박기사로 통했다. 그와 회포를 푸는 과정에서 아저씨네 회사가 아주 망한 걸 알게 되었고, 거기 연루되어 기남이도 경찰서에 불려 다니는 고역을 치렀고 선배 언니는 정말 위장 취업을 한 게 드러나 옥고를 치르고 지금은 더 큰 일을 하다가 주모자로 잡혀가 아직도 옥살이를 하는 애인의 옥바라지를 아주 씩씩하게 하고 있다고 했다. 좋은 소식은 아니었지만 언니에게 애인이 있다는 말에 나는 마음을 놓았고 그와 해해거릴 수 있을 만큼 기분이 좋아졌다. 나는 그때 기남이를 좋아하면서도 선배 언니를 의식해서 드러내놓고 좋아하는 척을 못 했다. 나는 매사에 언니보다 한 수 아래라는 열등감이 있었고, 그는 선배 언니가 좋아할 타입이었다. 잘생기고 건강하고 성실하고, 무엇보다도 언니가 끔찍이 위해 마지않는 못 배운 노동자 계급이었으니까. 언니의 정체를 잘 모를 때이긴 해도 그 잘난 언니를 라이벌로 생각했다는 건 내가 그만큼 기남이를 과대평가했기 때문일 것이다. 기남이를 다시 만난 지 얼마 안 있다 기남이 자취방에서 같이 살기 시작했다. 기남이로부터 구혼까지는 아니더라도 사랑의 고백이라도 듣는 순서조차 안 거치고 동거에 들어갔다. 이벤트 회사가 풍비박산이 나서 올데갈데없는 신세가 돼버렸기 때문이다. 회사에서 나에게 팀장 자가 들어간 명함까지 박아준 지 며칠 안 돼서였다. 탄탄한 아스팔트 길에서 허방을 밟은 것처럼 어이가 없었고, 그보다도 팀장이라는 호칭에 대한 내 애착은 더 기가 막혔다. 내 곁에 기남이가 있는 게 그나마 의지가 되었다. 그러나 내가 먼저 빌붙은 건 아니었다. 오히려 너무 불쌍해 보이지 않으려고 내 걱정보다 오죽했으면 그렇게 감쪽같이 망해버릴 수 있었을까 회사 걱정부터 했다. 요샌 위장 취업은 한물가고 위장 폐업이 성행한다더라. 이 바보야, 그러면서 기남이는 아무렇지도 않게 나를 제 자취방으로 데리고 갔다. 나는 기남이의 인간성을 믿었기 때문에 이것저것 따지지 않고 푸근한 마음으로 그에게 안겼다. 그는 결혼식이나 혼인 신고를 안 했다고 해서 여자를 함부로 버릴 남자가 아니라는 걸 나는 알고 있었다.

그가 아저씨네 공장에서 박기사로 일할 때 백여 명의 공원들 사이에선 크고 작은 사고가 그치지 않았다. 거의 다 공원들 실수지 기계가 잘못한 건 아닌데도 그는 누가 시키지도 않은 책임감 때문에 괴로워하고 안타까워하는 걸로 공원들 사이에 평판이 나 있었다. 그건 까딱하단 남에게 바보처럼 보일 수도 있는 약점인데 공원들은 그를 깔보지 않고 좋아하고 따랐다. 남의 몸이 다치거나 아파하는 걸 차마 못 보는 측은지심은 어디서 배우거나 흉내 낸 교양이 아니라 타고난 천성 같은 거여서 잘 통했던 것 같다. 한번은 여공의 네 손가락이 절단기에 잘린 적이 있는데 감독이나 절단기 책임자 다 제쳐놓고 그가 나서서 신속하고 냉철하게 대처하는 태도에는 평소의 그에게 있을 것 같지 않은 카리스마까지 있었다. 119가 일반화되어 있지 않을 때 그는 기절한 소녀의 손에서 잘려나간 손가락의 청결을 최대한으로 유지해 깨끗한 거즈에 싸고 부패하지 않도록 얼음에 채우라고 명령했고 다들 벌벌 떨면서 어쩔 줄을 모를 때 나는 마치 그의 입속의 혀처럼 그의 명령대로 빠르게 움직였다. 사람이 신속과 정확을 함께 할 수도 있는 거로구나 그때 비로소 알았다. 그는 근처에 있는 공단 단골 병원 다 제쳐놓고 사장 차를 무단으로 손수 운전해서 부천에서 머나먼 구로동까지 갔다. 어디서 얻어들었는지 거기 있는 큰 종합병원에 절단된 손가락을 감쪽같이 이을 수 있는 신기에 가까운 의술을 가진 성형외과 전문의가 있다는 걸 그는 알고 있었던 것이다. 수술이 성공해 소녀의 손가락에 피가 통하고 감각이 살아났을 때 그는 거의 생색을 내지 않았지만 걱정하던 동료들은 울고불고 박수 치고 난리를 쳤다. 내가 그때 선배 언니의 표정에서 기대에 어긋난 것 같은 실망의 빛을 보았다면 내 심보가 너무 꼬였던 것일까. 언니가 소녀의 회복보다는 그 일을 기화로 동료들의 분노를 총집결해 불을 지필 만반의 준비를 하고 있다는 걸 눈치채고 있었기 때문일 것이다.

그때 손발이 척척 맞던 그 일치감은 몸의 기억일까, 마음의 기억일까. 그건 잘 모르겠지만 내가 망설임 없이 너무도 쉽게 그와 몸을 섞고 동거에 들어간 이유는 그때의 기억 때문이라고밖에 할 말이 없다. 그러나 기남이는 지금도 그때처럼 그 일에 대해 덤덤하다. 자기는 공고도 안 나오고, 기계에 대한 아무런 자격증도 없는 아마추어가 전임자 밑에서 배운 눈썰미 하나로 기계들을 총괄하려니 늘 불안하고 사장한테도 공원한테도 똑같이 미안하고 사소한 기계 사고에도 죄책감이 먼저 들어서 그렇게 호들갑을 떨었을 것이라고 했다. 지금은 보일러 일을 따라다니고 있었다. 둘이 먹고살 만큼은 벌어왔다. 나는 그에게 자격증

콤플렉스가 있다고 넘겨짚고, 이번에는 어떡하든지 배관공 자격증을 따도록 하라고 격려했다.

나에게도 좋은 일이 생겼다. 인간관계에 허위의식이 별로 없는 그는 나와의 동거를 옛날 동료들한테 숨기지 않았고 선배 언니한테까지 소문이 들어간 모양이었다. 언니는 나에게 전과 같은 일을 시키고 싶어 했다. 아마 그런 필요성 때문에 만나자고 한 것 같았다. 그렇다고 위장 취업의 시대가 또 온 건 아니었다. 만약 시대가 그렇게 답보 상태에 있다고 해도 언니는 앞으로 나갈 사람이지 거기 마냥 몸담고 있을 사람이 아니었다. 언니는 그동안 옥바라지를 끝내고 그 남자와 결혼도 하고 아이도 낳고 사회적인 위치도 제자리를 찾은 것 같았다. 나하고는 격이 달라 보였다. 바야흐로 운동권이 빛을 보기 시작할 때라 한때 수감 생활을 한 그녀의 남편도 지금은 대학에 강의를 나간다고 했다. 벌써 한자리하는 옛날 동지들에 비해서는 품위 유지비도 안 나오는 수입이라 언니도 생활에 보탬도 될 겸, 자기 발전도 도모할 겸 번역 일을 하고 있다고 했다. 나더러 그녀가 번역한 걸 윤문해달라는 것이었다.

"언니야 그건 말이 안 되지. 성명서도 아니고, 대상이 대중이 아닐 거 아냐. 언니가 번역하는 거면 분명히 지식인들이나 읽는 사회과학 서적일 텐데 그걸 나 같은 게 어떻게 할 수가 있겠어. 윤문이란 건 읽는 대상에 수준을 맞추려고 하는 거 아닌가?"

"걱정 마. 그런 거면 시키지도 않아. 우선 내 실력이 어려운 거 번역하기엔 달리니까. 나도 사람 볼 줄 다 알고 손해날 짓은 안 해. 돈의 문제가 아니라 명예가 걸린 문제니까. 길고 짧은 건 대봐야 한다고 엄살 먼저 떨지 말고 일거리를 우선 읽어나 봐."

견본 삼아 보내온 번역 원고 몇 꼭지는 그녀의 말대로 사회과학 서적이 아니라 처세술 아니면 땅에 발 붙이고 살아본 적이 있을 것 같지 않은 먼 나라의 도사급 성인의 설교집이나 명상록 같은 책들이었다. 극과 극 같은 두 종류가 일맥상통하는 데가 있는 것도 재미있었고 내가 내 마음에 들게 고친다고 누가 될 것도 없지, 싶게 책 내용을 얕본 것도 용기가 되었다. 더 솔깃한 건 언니보다 글재주를 타고난 동생이 자기 일을 많이 도와줬는데 그 동생이 금년에 신춘문예에 동화작가로 데뷔를 했다는 것이었다.

"내 동생, 문학을 하겠다는 생각 전혀 없던 애야. 유아교육과 나왔으니까 유치원 선생이 꿈이었겠지. 졸업하고도 마땅한 유치원에 취직이 안 되니까, 어디 주부교실에 동화 구연이라나 그런 걸 가르치러 다니더라고. 나하고 달라서 같은 말이라도 듣기 좋게 반드르르하게 잘하는 아이라는 건 나도 전부터 인정하고 있던 터에 마침 내가 동창이 하는 아동물 출판사에서 일거리를 얻어다가 동화를 번역할 때여서 좀 봐달라고 했더니, 요게 글쎄, 하룻밤 새 손봤다는데 영 느낌이 달라지더라고. 네 생각이 나면서 내가 인복 하나는 타고났다 싶더라니까. 나도 재미가 들리고 지도 재미가 들려서 계속 일거리를 주었더니만 글쎄 지가 동화작가가 돼버리더라구. 왜 있잖아? 서당개 삼 년이면 풍월을 읊는다고. 누가 아니, 너도 이 바닥에서 잘하면 소설가나 수필가가 될 수 있을지. 그 바닥은 학벌 따지는 데는 아닌가 보더라. 그렇게만 되면 나도 널 이용한 게 아니라 키운 게 되니 좀 좋아. 동생 시상식에 갔었는데 소감을 말할 때, 감사할 몇몇 사람 중에서 이 언니도 빼놓지 않더라. 너무 돈 쬐금 주고 부려먹은 것 같은 가책이 없지 않았는데 결국 지한테 득 되는 일이었던 거야. 일은 지가 다 해놓고도 무명이니까 공역자도 못 되고 내 이름으로만 나갔으니까. 세상이 다 그렇잖아. 아무리 언니 일이지만 이용만 당하는 것 같고 그게 억울해서 아마 동화작가로 데뷔를 했을 거야. 데뷔는 했다지만 실상 내 동생 글재주는 너만 훨씬 못해. 그런 재주 뭣 하러 썩히냐. 잘만 하면 우리 장박사도 너를 필요로 하게 될지 몰라. 그건 전적으로 너 하기 달렸어."

장박사는 언니의 남편이다. 나는 그를 만난 적도 어떤 사람인지 궁금해한 적도 없다. 나는 장박사한테까지 유용해지고 싶지 않다. 내가 되고 싶은 건 언니의 동생처럼 서당개 삼 년에 풍월을 읊을 수 있는 거였다. 겉으로는 안 그런 척했지만 속으로는 그 소리가 가장 달콤했다. 언니 말대로 나에게 돌아온 일거리는 내 지적 능력이 못 미치게 어려운 것들이 아니었다. 이런 걸 뭣 하러 번역씩이나 하는 걸까 이상할 정도로 뻔한 소리나 이미 듣던 소리가 태반이었다. 저학년이나 유아용 동화책은 일도 아니었다. 나도 졸업은 못 했지만 영어는 좀 하는 편이어서 윤문뿐 아니라 오역도 발견해서 슬그머니 고쳐놓곤 했다. 그가 얼마를 받고 그 일을 하는지 모르지만 나에게 돌아오는 돈은 약소했다. 팁을 주듯이 거만하게 굴기도 하고 슬그머니 안 주기도 했다. 그래도 노는 것보다는 나았고 유령 회사 팀장보다는 보람도 있었다. 번역자가 내 이름으로 돼 있지는 않지만 내 글솜씨가 분명한 글이 아름다운 삽화와 함께 미려한 책이 되어 서점에 나온 걸 어루만져보는 맛은 섭섭하고도 대견스러웠다. 돈 되는 일보다 돈 안 되는 정체 모를 일거리가 더 많이 끼어들었는데도 그 일에는 마약 같은 중독성이 있었다.

"너 누가 뭐 하냐고 물으면 프리랜서라고 그래. 좀 거만하게 상대방을 약간 깔보는 태도로 그래 보란 말야. 넌 자랑할 건 안 하고, 창피한 건 감출 줄 모르더라."

"내가 뭘 감춰야 하는데? 나 창피한 거 하나도 없어, 언니."

"이런 맹꽁이, 프리랜서가 일용직 노무자하고 사는 게 그럼 자랑이냐?"

"언니가 그 사람을 그렇게 얕보면 어떡해? 그 사람이야말로 민중이야. 언니가 사랑하자고 외쳐 마지않던 민중."

"아유 이 맹꽁이. 그래 나 민중 사랑한다. 내가 민중이 아니니까. 가난뱅이가 가난 좋아하는 거 봤냐. 부자들이나 한때 가난했던 걸 부풀려서 자랑거리로 삼지."

나는 모욕감을 느끼지 않았다. 그녀의 말투에서 질투심 같은 걸 감지한 것처럼 느꼈기 때문일까. 언니 부부의 이념이 맞아서 한 동지애적인 결혼보다 마음으로부터 반해서 한 우리의 동거에 나는 자부심을 느꼈다. 나는 그와의 동거 생활에 만족했고, 나보다 더 행복한 사람 있으면 나와봐라, 외치고 싶을 만큼 몰입해 있었다. 프리랜서라는 말도 듣기 좋았다. 그게 바로 서당개 삼 년이면 풍월을 읊을 수 있는 일 년 차나 이 년 차쯤 되는 과정이 아닐까.

일만 바쁘지 어디다 프리랜서라고 이름 붙여 내놓을 일을 한 것도 아닌데도 프리랜서에게도 서재가 있어야 되겠다는 생각이 들기 시작한 것은 거처가 불안해지고 나서였을 것이다. 기남이의 자취방이 달라진 건 아무것도 없었다. 그의 월세방을 처음 보았을 때 생각보다 누추하지도 협소하지도 않았고, 작지만 부엌까지 따로 있는 건 여태까지 혼자 살았다는 게 믿기지 않을 정도였다. 옥탑방도 지하방도 아닌 출입문 계단까지 주인집과 분리된 이층집의 독립된 공간이었다. 그는 그걸 보증금 내고 월세로 들었고 그가 번 돈에서 꼬박꼬박 월세도 밀리지 않고 지불하고 있었다. 그러나 거기가 그만의 전유 공간이 아니란 걸 차차 알게 되었다. 잠자리가 필요할 때 드나들던 그의 친구들이 한두 명이 아니었다. 동거 초기에 그런 일을 눈치 못 챘던 것은 단골로 드나들던 친구들이 두 사람이 신혼 시절이라는 것을 감안해 봐줬기 때문이었다. 남들처럼 정상적인 신혼 기간은 채 석 달도 가지 않았다. 얼굴에 철판 깔고 재워달라는 친구가 없나, 바람벽만 보고 듣지도 보지도 않을 테니 나 없는 셈 치고 두 사람 깨를 볶든지 기름을 짜든지 마음대로 하라고 능글대는 친구가 없나, 다

늦게 와가지고 뭉그적대다가 슬그머니 고꾸라져 코를 고는 친구가 없나. 그러나 맨날 그런 건 아니었고 우리끼리 오붓하게 지낼 수 있는 날이 훨씬 더 많아서 나는 환대라고는 할 수 없지만 그런 무례한 친구들을 얼마든지 참아줄 수 있었다. 정말 힘든 건 기남이가 외박을 할 때 잠자리를 구걸하러 온 친구를 돌려보내야 할 때였다. 내가 혼자 있을 때도 기남이 친구를 두려워하거나 의심하진 않았지만, 그냥 잠시 들렀던 것처럼 황망히 돌아가는 착해빠진 친구들의 처진 뒷모습을 보면 걷잡을 수 없는 연민이 화풀이처럼 기남이에게 돌아가곤 했다. 저따위 친구밖에 없는 기남이와 장래를 같이할 생각 같은 건 안 하는 게 좋았을 것을. 지내보니 기남이가 일 나가는 데는 지방일 때도 있었고, 일이 너무 바빠 현장에서 잘 때도 있었다. 일거리는 불규칙해서 일이 아주 없을 때도 있었다. 그러니까 나하고 합치기 전의 기남이 자취방은 비슷하게 불규칙한 생활을 하는 친구들을 위한 만만한 합숙소 같은 구실을 해온 거였다. 무슨 말끝엔가 일정한 잠자리가 없는 건 끼니가 없는 것보다 훨씬 더 못할 노릇이라는 소리를 그가 한 적이 있다. 그 소리가 내 마음에 와 닿았다. 내가 거쳐온 일 중에 생각만 해도 닭살이 돋아 기억에서 지워버리고 싶은 건 길거리에서 반 벌거숭이로 춤추던 일일 것이다. 그렇게 하기 싫은 일을 할 수밖에 없었던 것은 숙식을 해결할 수 있는 조건 때문이었다. 배고픈 설움이 제일이라지만 날 저물어서도 다리 뻗고 잘 잠자리가 없는 설움에다 대면 아무것도 아니다. 먹을 것은 몇 푼만 있어도 해결할 수 있는 먹을거리가 많은 세상이고, 구걸을 하거나 아닌 말로 훔쳐 먹을 수도 있다. 잠자리는 얼굴을 안다고, 방이 많다고 내주지 않는다. 가족이나 내준다. 가족 사이로는 비집고 들어가 칼잠을 자도 푸근하다. 그게 바로 가족이 좋다는 의미인 것이다. 엄마의 뱃속도 잠자리고 이 세상에 태어나서 처음으로 인간 세상이 따습고 포근하다는 걸 실감하게 하는 것도 잠자리이다. 가족이라는 말이 주는 무조건적인 평화롭고 따뜻한 느낌도 아마 이런 이 세상 최초의 감촉에서 비롯되었을 것이다.

이렇듯 좋게좋게 나를 다독거려도 그들보다는 한결 보람 있고 고상한 일을 하는 나의 집필 환경이 이렇듯 열악하다는 건 짜증나는 일이었다. 언니가 가져오는 일 중에 거저 시킬 것이 명백한 일거리는 요새 뒤숭숭해서 도무지 글이 안 써진다고 마치 전업 작가 같은 핑계를 대곤 했다. 나도 집필실을 가져보려고 열심히 돈을 모은다는 것도 숨기지 않았다. 알량한 일 시켜먹으면서 내가 그걸로 먹고사는 것처럼 비치기 싫었다. 기남이의 체면도 그 정도는 세워주고 싶었고, 기남이도 친구 좋아하는 것만 빼고는 그 정도 부양의 의무는 열심히 지고 있었다. 또 돈을 모으고 있는 게 사실이기도 했다. 언니가 얼마나 모았냐고 물었다. 며칠 있으면 오백만 원짜리 적금을 탄다고 말했다. 기남이하고 동거를 시작하고 나서 삼 년 동안 부은 적금이었다. 듣자마자 마침 잘됐다고 시골에 별장으로 쓰던 집이 한 채 있는데 그곳을 집필실로 쓰라고 했다. 나는 별장이 있다는 언니의 말이 솔직히 놀라웠다. 언니 형편이 나보다 나은 건 확실하지만 내가 고졸 학력에 맞게 가난한 것처럼 언니는 석사나 박사 학력에 어울리게 가난하려니 했다. 별장은 가당찮았다. 피붙이나 친한 친구가 영 안 어울리는 옷을 입고 나타났을 때 이를 어쩌나, 대신 창피해서 어쩔 줄을 모르는 얼굴로 언니를 쳐다본 건 아니었을까. 언니가 눈치 빠르게 정정했다.

"놀라긴, 듣기 좋게 별장이지 오막살이야. 지금은 좀 올랐으려나? 그때만 해도 거저주운 거나 마찬가지였어. 너도 오백만 원 전세면 거저나 마찬가지다."

어떡하면 별장이든 오막살이든 거저주울 수가 있을까. 언니의 그런 운수랄까, 기민한 기회 포착 능력에 대한 시기와 찬탄이 오백만 원 전세가 거저나 마찬가지라면 그거라도 낚아채고 싶다는 욕심을 부리게 했다. 나는 덜컥 언니하고 구두로 그 집을 내가 쓰기로 약조하고 며칠 후에 탄 적금을 건넸다. 거저나 마찬가지라는 것밖에는 영수증이나 아무런 문서상의 약정도 맺지 않았다. 우리 사이에 그런 게 뭐가 필요하겠어? 내가 계약서를 쓰자고 했으면 언니가 그렇게 말했을 테고, 언니가 계약서를 쓰자고 했더라도 내가 그 말을 했을 것이다. 그래서 둘 다 불필요한 말을 안 했다. 언제든지 이사 가도 좋다고 해서 집에 가봐야 최소한의 살림 도구라도 장만하지 않겠느냐고 했더니 냉장고, 세탁기, 가스레인지 등 오피스텔 수준으로 빌트인돼 있다고 했다.

이게 웬 떡이냐 싶었다. 컵 하나 공기 하나도 살 거 없다고 했다. 말하자면 빌트인된 로지라고 했다. 빌트인된 오피스텔이든지 로지든지 다 그럴듯했다. 둘 다 프리랜서에게 잘 어울렸다. 둘 중의 하나는 내가 선택하기에 달렸다. 나는 비로소 프리랜서의 품격을 갖춘 것처럼 느꼈고, 구두만 높은 걸로 갈아 신어도 세상이 달라 보인다는 걸 깨달았다. 높은 구두는 생각보다 위험하거나 불편하지 않았다.

가보니 언니가 빌려준 집은 별장과 오두막의 중간쯤 되어 보였다. 오두막이라기엔 너무 크고, 별장이라기엔 구질구질하고 무질서했다. 서로 아무런 관계도 없어 보이는 세간들이 뒤죽박죽으로 뒤섞여 있었다.

"이 집 장만하고 나서 한동안 친구들이 버리긴 아깝고 쓰자니 구닥다리인 세간은 다 나한테 몰아주더라고. 내가 쥐띠잖아. 모아들이긴 선수고 버리긴 잘 못해. 모아들이기만 했지 뭐가 어디 있는지도 잘 모르니까 앞으로는 네 맘대로 정리하고 살아. 외국에선 이렇게 가구 낀 집은 컵 수효까지 체크하고 목록을 만들었다가 집 비울 때 하나라도 없어지면 물어내야 하지만 내가 설마 그러겠냐. 이 큰 집도 거저나 마찬가지로 빌려줬는데."

그렇게 인심을 썼다. 나는 언니가 인심이 후하다는 걸 의심하지 않았다. 빌트인된 별장 집을 작업실로 쓰는 프리랜서로 만들어준 게 누군데 감히 의심을 하겠는가. 집이 발 디밀고 살 만하게 정리되기까지는 기남이 공이 컸다. 그는 정리벽 같은 게 있었다. 별로 깔끔하지 못한 친구들한테 개방하다시피 한 자취방이 그렇게 잘 정갈하게 유지되어온 걸 봤을 때부터 알아봤었다. 비어 있는 북향의 큰방에다 도처에 무질서하게 널려 있던 고물들을 꼭 필요한 것만 남기고 쟁여 넣고 나니 집 안이 허전할 정도로 넓어 보였다. 그런 일을 그는 시원시원하게 해치웠고 집의 혈관이라고 할 수 있는 배관 배선을 손보는 것은 거의 전문가 수준이니까 지켜보기만 해도 믿음이 갔다. 도배하고 못 박고 칠하는 건 일도 아니었다. 그의 친구들의 도움이 필요한 일도 있었다. 새는 곳만 손보려고 한 지붕 공사가 커졌을 때는 그의 친구들이 떼로 몰려왔다. 순서가 좀 거꾸로 되어 내부는 살 만해진 때였으므로 내가 안에서 밥도 짓고 안주도 장만해 그들을 잘 먹였지만 따로 임금을 주진 않았다. 나는 이 큰 집을 거저나 마찬가지로 쓰게 한 언니의 인심을 믿은 것처럼 기남이 친구들의 호의를 믿었다. 의심을 조금이라도 했다면 저것들이 나만 빠져나오면 기남이 방을 제 집 드나들듯이 할 생각을 하고 저렇게 신바람을 내는구나, 하는 정도였을 것이다. 그때는 옆집도 지금처럼 폐가가 안 됐을 때였다. 정정한 할머니 한 분이 살고 계셨다. 매일같이 집이 달라지는 게 신기한 듯이 구경 와서 기뻐하고 내가 아주 이사 오기를 손꼽아 기다렸다.

다 된 집으로 몸만 들어갔으니 이사가 아니라 입주였다. 이사하고 나서 모두모두 행복해졌다. 나는 꿈에도 그리던 독채 집에서 주인 행세를 할 수 있게 되었고 기남이는 내 눈치 보지 않고 자기 방을 친구들과 나눌 수 있게 되었고, 우리 둘은 마음껏 사랑을 나눌 수 있는 공간을 갖게 되었다. 그의 친구들이 행복해진 건 말할 것도 없을 것이다. 기남이가 오는 날은 우리 집을 휴양지의 호텔방처럼 상상할 수도 있었다. 기남이는 자주 왔고 공사가 끊겼을 때는 며칠씩 우리 집에서 묵장을 쳤다. 묵장을 칠 때도 놀지는 않았다. 옆집 할머니하고 말벗을 하기도 하고 할머니가 가꾸는 채마밭에 같이 엎드려서 벌레를 잡는지 솎아주는지 한나절을 보내고는 싱싱한 열무나 상추를 한 소쿠리 얻어오기도 했다. 할머니한테 어찌나 잘 보였는지 기남이가 없을 때도 할머니는 나만 보면 푸성귀를 마음대로 뽑아다 먹으라고 성화를 했다. 서울서 할머니의 자손들이 수시로 드나들어 갖다 먹지만 먹어도 먹어도 남고, 나눠도 나눠도 남는 게 농사라고 할머니는 가는 눈을 뜨고 자랑했다. 땅이 화수분이야. 할머니의 말버릇이었다. 할머니의 아들딸들도 내가 옆에 사는 걸 좋아하고 고마워하면서 주스나 케이크 따위 할머니 드릴 걸 사올 때 나 줄 것도 사왔다. 거저나 마찬가지 집에 사니 생활비도 훨씬 덜 들어 거저 사는 거나 마찬가지였다. 기남이는 할머니한테 배운 게 아까운지 우리 집 주위에도 밭을 만들었다. 집주인 언니는 대환영이었다. 집만 언니 건 줄 알았는데 집에 딸린 대지가 오백 평이 넘는다며 경계에다 펜스까지 쳐주었다. 꽃도 보고 열매도 따먹을 수 있는 과수도 언니가 사람을 시켜 심어주었다. 나는 창 밑으로 꽃밭을 만들고 기남이는 밭을 만들고, 봄이 무르익자 집 주위가 황홀해졌다. 죽는 날까지 이렇게만 살아도 여한이 없을 것 같았다. 나에겐 돈 되는 일보다 돈 안 되는 일이 더 많았지만 상관없었다. 기남이가 같이 살 때와 마찬가지로 최소한의 생활비를 보탰기 때문에 내 수입은 적어도 그만이었다. 부수입이었으니까. 가끔 여성지나 사보 같은 데 실린 꽤 괜찮은 글의 필자가 프리랜서로 소개된 걸 보면 나도 이왕이면 그렇게 떳떳한 자유 기고가가 되고 싶었고, 누가 시켜만 주면 못할 것도 없다고 생각했지만 욕심이 과하면 마가 낄 것 같아서 그런 생각을 황급히 지우곤 했다. 그 정도로 그동안은 내 생애에서 가장 만족도가 높은 시기였다.

옆집 할머니가 돌아가셨다. 손수 가족들에게 평소와 다른 몸의 이상을 전화로 알릴 만큼 뒷마무리를 깨끗이 하고 돌아가셨다. 달려온 가족들은 이미 숨을 거두신 후에 병원으로 모신 듯했다. 유족들은 처음엔 집을 그 모양으로 비워두고 싶어 하지 않았다. 나에게 전세냐 사글세냐를 물었고 전세 오백이라는 걸 알고는 자기들도 그럼 그 값에 부동산에 내놓겠다고 했다. 읍내에도 부동산 하는 집이 있었지만 산모롱이에 가린 이웃 동네의 구멍가게도 부동산 소개를 겸하고 있었다. 인터넷에까지 띄웠다고 했다. 어쩌다 보러 오는 사람이 있긴 해도 집은 빈집으로 퇴락해만 가는 사이에 몇 해가 지났다. 그 집이 안 나가니까 나도 나의 오백만 원이 그렇게 하찮게 취급당할 액수가 아니란 생각이 들기 시작했다. 사람이 안 사는 집의 퇴락은 신속했다. 그러나 옆집의 유족들은 가끔 들러서 집 주위를 돌보면서도 퇴락을 걱정하는 눈치는 없었다. 자기 집보다는 우리 집이 잘 있나 보러 오는 사람들 같았다. 전 같지는 않아도 나에게 먹을 거나 일용 잡화 같은 걸 선물로 사올 때도 있었다. 그들은 할머니가 생존해 계실 때보다 더 나에게 고마워했다. 내가 집과 뜰을 그림같이 가꾸면서 사니까 이 동네가 경치 좋다고 소문이 나 땅값이 급상승하고 있다고 좋아하면서, 손가락으로 저기는 평당 얼마에 팔리고 조기는 최근에 더 비싸게 팔렸다고 가르쳐주었다. 땅으로 팔 거면 보기 흉하게 내려앉는 집은 아주 헐어버리면 어떻겠냐고 했더니 집을 멸실해버리면 새로 집 지을 때 복잡해지니까 땅값도 떨어진다고 했다. 결국 내가 사는 까닭도 두 필지의 땅값을 올려주는 데 있었다는 걸 깨달았다.

기남이가 일거리가 줄어들고 엎친 데 덮친 격으로 자취방이 있는 집이 재개발에 들어가 새로 집을 구해야 한다고 했다. 나의 거처가 안정이 됐으니 자기 걱정을 말라는 눈치가 그 집 보증금 헐어 쓰는 건 시간문제일 듯싶었다. 나는 화가 났지만 일정한 거리를 두고 바라봤다. 나는 적어도 프리랜서였다. 기남이가 서울 생활을 청산하고 서울서 멀지 않은 시골에서 과수원을 하며 거기서 나는 소출로 건강 음료를 생산하는 공장까지 가진 친척 집으로 내려가겠다고 했다. 나는 그 친척이란 사람들을 한 번도 만난 적은 없지만 유일하게 기남이하고 안부를 주고받는 사람들이라는 건 알고 있었다. 그 친척마저 없었다면 자기는 고아나 다름없었을 거라고 말하는 걸 보면 정말 하나밖에 없는 친척인 듯했다. 자주는 아니었지만 기남이가 그 집 얘기를 하면서 표정이 부드럽게 풀리는 걸 보면, 나는 이제는 홀로 된 엄마의 소원이 생각나 뭉클한 그리움에 사로잡히곤 했다. 엄마의 소원은 내가 결혼식은 안 하고 살아도 좋으니 제발 사진관에 가서 결혼사진 한 장만 박아다 달라는 거였다.

"월급은 얼마씩이나 준대? 덜컥 내려가지 말고 그거 먼저 정하고 가."

"경기가 나빠 공장 경영이 어렵다고 나더러 좀 도와달라는데 까짓 거 따지게 됐어. 여기 임금 밀린 거나 청산되면 가겠다고 내 사정을 얘기했더니 급한가 봐. 요새 다들 어려운데 어느 하세월에 받겠느냐고 그냥 빨리 오래."

그 집에선 아마 올데갈데없어 찾아간 기남이에게 아무것도 묻지 않고 따뜻한 잠자리를 제공해준 적이 있을 것이다. 그런 추측만 가지고도 나는 기남이를 말리지 못했다.

오늘은 그렇게 해서 친척이 있는 시골로 내려간 기남이가 오는 날이다. 일주일에 한 번은 다니러 오던 기남이가 이번에는 거의 한 달 만에 온다. 과수원이 한창 바쁠 때라고 했다. 기남이가 온다고 하니까 세상이 한층 밝고 아름답다. 이곳은 오월이 가장 아름다운 줄 알았는데 이제 보니 유월이 절정인 것 같다. 장다리가 나온 푸성귀 밭에선 벌들이 잉잉대고 살구 철은 막 지났지만 자두가 예쁘게 익어가고 있다. 비료를 안 해서 그런지 맛은 별로다. 과수원에서 일하게 됐으니 과일을 달게 하는 법도 가르쳐줄 것이다. 기남이는 아무것도 전공을 한 건 없지만 눈썰미 하나로 못하는 게 없다. 숲에 기남이하고 오랜만에 회포를 풀 수 있는 향기롭고 오붓한 자리도 봐놨다. 때죽나무 꽃이 하얗게 만개해 그윽한 향기를 풍기고 있는 곳이다. 오솔길로부터도 집으로부터도 안 보이는 호젓한 곳이다. 집 안 놔두고 왜 하필 여기냐고 물으면 때죽나무 때문이라고 말하리라. 그래도 일단 식탁은 아름답게 장식해놔야지. 나는 자두나무 밑에 수북하게 떨어진 자두 중에 예쁜 것만 골라 줍는다. 들어와 하얀 접시에 담으려는데 한쪽이 이지러진 자두가 보인다. 벌레 먹은 과일이 더 달다는 걸 나는 경험으로 알고 있다. 벌레 먹은 자두의 성한 쪽을 한입 덥석 문다. 자두의 단맛을 미처 혀로 느끼기도 전에 안에서 불개미 떼가 쏟아져나와 사면팔방으로 발산을 한다. 이놈의 것들은 애초에 박멸을 하지 않으면 그 번식을 당해낼 도리가 없다. 한번은 비스킷 부스러기를 잘 처리하지 않아 혼난 적이 있다. 너무 작고 속도가 빠른 것을 손바닥으로 눌러 죽이기는 쉬운 일이 아니다. 반도 못 눌러 죽인 건 재빠르게 입술을 물고 달아난 놈 때문이었을 것이다. 곤충에 물린 데 바르는 약을 발랐건만 보기 싫게 부풀어 오른 왼쪽 입술은 가라앉지 않는다. 이 지경까지 당하면서 자두 한 알을 놓고 불개미와 사투를 벌인 나를 누가 엿보았다면 내 꼴이 어땠을까. 사람의 눈높이보다 훨씬 더 높은 곳에서 바라보는 눈이 있었다면 불개미나 인간이나 비슷하게 미소하고 불쌍해 보였을 터이나 혼자 있을 때도 자꾸만 의식하게 되고 깜짝깜짝 놀라기까지 하는 건 그런 초월적인 시선이 아니다. 습관처럼 창밖과 양쪽에 코스모스를 심어놓은 오솔길과 오솔길이 끝나는 곳에 주차장으로 쓰는 공터까지를 한 바퀴 훑는다. 혼자 살면서도 수시로 드나드는 외부 사람을 시도 때도 없이 의식하면서 깜짝깜짝 놀라는 버릇은 집 안에 있는 물건들과의 불화와 거의 동시에 시작된 버릇이다. 오늘은 토요일이니까 주인 언니가 부부동반으로 놀러 올 확률이 가장 높은 날이다. 주말 아니라도 그들이 제 집 드나들듯 아무런 사전 연락 없이 드나든 지는 오래된다. 하긴 자기 집이니까.

내가 채소밭을 가꾼 게 잘못이었을까. 나는 언니가 다니러 올 때마다 뭔가 싸주고 싶어 했고, 시장에서 파는 것보다 때깔이 형편없는 것을 마다 않고 주는 대로 가져가는 것만 고마워 무농약 채소의 우수성을 강조했다. 맛 들이면 사 먹는 것에다 댈 것도 아니게 고소하고 영양도 풍부하다고. 언니도 차츰 거기 동의해주게 되었다. 나는 신바람이 났다. 옆집 할머니 말 짝으로 땅은 화수분이니까. 넘치니까 덜어낼 수밖에 없고, 이왕이면 낯나게 덜어내야 하지 않겠는가. 내가 인심이 좋은 게 아니라 땅에서 인심 나는 거였다. 언니가 점점 더 욕심을 내기 시작했다. 먹을 만큼 이상을 가져가고 싶어 했다. 먹어본 사람은 다들 사 먹는 것보다 맛도 있고 안심이 된다고 칭찬이 자자하다면서 내가 가꾸는 꽃밭까지 채소밭을 만들었으면 하는 눈치였다. 그뿐이 아니었다. 사람들을 데려오기 시작했다. 데려와서는 밥만 있으면 된다고, 밥하고 상추쌈하고 고추장만 있으면 된다고, 나한테 밥을 시키기 시작했다. 사람들이 내 눈치를 보면서 누구냐고 저 사람을 저렇게 부려도 되냐고 물으면 괜찮다고 우리 집을 거저나 마찬가지로 빌려 쓰는 사람이라고 말하곤 했다. 처음엔 전세 든 사람이라고 했다가 이런 집은 전세가 얼마쯤 되냐고 물으면 전세랄 것도 없어 거저나 마찬가지로 쓰게 한 거니까, 라고 했을 것이다. 그러다가 전세 든 사람에게 이렇게 일을 시켜도 되냐고 묻는 이도 있었을 것이다. 그러면 괜찮아, 괜찮다니까, 거저나 마찬가지로 차지하고 있는 집이니까. 나는 언니가 뻔질나게 데려오는 사람들 때문에 거저나 마찬가지란 소리도 그만큼 자주 듣게 되었고, 나도 모르게 그 말에 길들게 되었다. 그런 게 체념이라는 것일 것이다. 언니가 남편까지 데려오기 시작하면서 내 호칭은 별장지기로 바뀌었다. 그는 친구들에게 그 집을 별장처럼 쓰는 집, 나를 별장에서 그냥 사는 사람으로 부르는 것 같았다. 나는 그 남자가 출세 가도를 달리고 있다는 걸 그가 데려오는 사람들의 태도나 타고 오는 차만 봐도 알 수가 있었다. 고급 승용차로 주차장으로 쓰는 공터가 모자랄 적도 있었다. 찌개 거리를 사가지고 오기도 하고 마당에서 고기를 구워 먹기도 했다. 마당에 바비큐 할 수 있는 시설과 비치 파라솔도 설치하게 되었다. 그들은 나를 아줌마라고 부르면서 마음대로 뭐든지 시켜먹었다. 나에게 팁을 줄까 말까 언니의 남편에게 묻는 사람도 있었다. 그럼 팁은 무슨, 거저나 마찬가지로 사는 여잔데, 아마 그랬을 것이다. 나는 그것까지는 귀담아 듣지 못했다. 아마 자존심의 찌꺼기가 귀를 막았을 것이다. 그들이 좋은 술을 곁들인 식사를 하면서 하는 얘기는 주로 그 근처 땅값에 관해서였다. 나이 먹거나 일찍 은퇴하게 되면 펜션이나 하나 가지고 싶다는 소망이 그들 사이에서는 가장 옹졸한 소망인 것 같았다. 직접 땅값을 알아보고 나서는 이 집 주인 남자의 선견지명에 혀를 차곤 했다. 땅값이 장난이 아니대. 그러면서 이렇게 호젓하고 자연이 훼손되지 않은 데가 서울서 불과 삼십 분이라고도 했고 사십오 분이라고도 했다. 아마 각자가 출발한 지점으로부터의 시간일 것이다. 다행히 남자들끼리만 오는 경우는 얼마 되지 않았다. 몇 쌍의 부부 동반이 올 적에 보면, 야외에 나가면 요리는 남자가 하게 되어 있다는 우리끼리의 상식이 전혀 들어맞지 않는 사회도 있다는 걸 알게 된다. 여자들은 다투어 팔뚝을 걷어붙이고 요리 솜씨를 부리느라 부산을 떨면서 나한테는 푸성귀를 뽑고 다듬고 씻는 일과 설거지만 시켰다. 그들도 이제 거저나 마찬가지에 길들여져 나에게 거침없이 그런 일을 시켰고 마음에 안 들게 한 것은 타박을 하기도 했다.

나는 비로소 '거저나 마찬가지'를 심각하게 의심하기 시작했다. 거저면 거저고 아니면 아니지 마찬가지란 무엇일까. 이 집을 정말 거저로 빌려준 거라면 나로부터 아무런 대가도 바라지 말아야 한다. 전세금이 살아 있어 내가 전세를 든 거라면 당연히 전세 들어 있는 동안의 내 프라이버시는 보장돼야 한다. 그러나 내가 이런 심각한 의문에 사로잡혔을 때는 이미 나의 오백만 원은 없는 거나 마찬가지였다. 할머니가 돌아가셨을 당시만 해도 그 집을 오백만 원에 전세놓으려 했지만 작자가 없어서 결국은 폐가가 되도록 방치할 수밖에 없었다. 그러나 그때하고 지금하고는 사정이 다르다. 이 집은 날로 반들반들해지고 이 근처의 땅값은 천정부지로 오르고 펜션까지 들어서고 있다.

자주 만나지 못하는 게 아쉽기는 해도 기남이가 그나마 일거리를 찾아간 게 생각할수록 다행이다 싶게 없는 사람들 살기는 날로 팍팍해지는데 언니네는 부부가 함께 승승장구하고 있었다. 예전에 같이 고생하던 동지들이 다 잘돼서 언니 남편도 꽤 높은 공직에 등용됐고 언니도 여성과 소외 계층을 대변하는 시민 단체를 주도하면서 여기저기 매스컴에도 수월찮게 오르내리고 있었다. 그들이 잘돼가면서 나를 우습게 보기 시작했고, 그들이 잘돼가는 속도로 나는 전락해가고 있었다. 언니 이름으로 글이 나가게 되면서 나한테 윤문을 부탁하는 일도 없어졌다. 누가 묻지도 않았는데 내 문장은 논리가 빈약하고 너무 감성에 치우쳐 칼럼보다는 자서전 대필에나 알맞을 것 같아 알아보는 중이라고 했다. 그들은 이제 이 집을 전세놓았다는 사실을 잊어버린 것처럼 대놓고 별장이나 주말 농장 취급을 했다. 종당에는 내가 침실로 쓰던 안방까지 내주게 되었다. 몇 쌍이 부부 동반으로 놀러 왔다가 언니네 부부만 처지더니 자고 가겠다고 해서 내가 안방으로 쓰던 방을 내줘야 했다. 자보니 기분이 얼마나 좋던지 어려운 후배가 결혼하면 여기 와서 첫날밤을 보내도록 하겠다고 벼르기까지 했다. 거저나 마찬가지의 함정은 이렇게 바닥도 끝도 없었다.

꽃이 만개한 때죽나무 아래는 순결한 짐승이나 언어가 생기기 전, 태초의 남녀의 사랑의 보금자리처럼 향기롭고 은밀하고 폭신했다. 기남이는 기다린 시간보다 늦게 왔고 일찍 가야 한다는 소리 먼저 했으므로 백자 과반에 깨물고 싶게 육감적인 자두로 장식한 식탁에 마주 앉아 말로 푸는 회포의 시간을 생략하고 곧장 때죽나무 그늘로 데리고 갔다. 나는 누워서 올려다보는 경치만 생각했는데 그는 내가 누울 자리 걱정부터 했다. 풀이 무성해 폭신할 줄 알았는데 손바닥으로 더듬으니까 울퉁불퉁 바위 모서리와 잡석이 만져졌다. 그는 그런 것들을 제거하고도 마음이 안 놓이는지 입고 온 철 지난 낡은 점퍼와 티셔츠까지 벗어서 내가 누울 자리에 깔았다. 그가 만들어내는 분위기는 편안했지만 그의 숨결은 거칠지 않았다. 그다음에 그가 뭘 할지 뻔했다. 그는 내 생리 주기까지 정확하게 알고 있으니까 피임 기구를 꺼낼 것이다. 나에 대한 사랑이 부족해서 아이를 원치 않는 게 아니라 아이가 생겼을 때 내가 전적으로 짊어지게 될 고생을 원치 않는 것이라는 걸 나는 알고 있다. 타인에 대한 배려나 염려는 그의 천성이었다. 손가락이 잘려나간 견습공을 데리고 같이 병원으로 달려가던 날 생각이 났다. 그 생각이 날 때마다 남녀 간의 운명적인 사로잡힘과 일치감에 가슴이 뜨거워지곤 했는데 지금은 그게 안 됐다. 그의 박애 정신에 나는 연애 감정으로 화답한 건 아니었을까. 어긋나는 걸 그런 식으로 봉합해서는 안 되지. 그의 박애 정신에 침을 뱉고 싶었다. 돈 얘기처럼 인간관계 속에 숨은 그럴듯한 허위의식을 신속하게 걷어내는 것도 없다.

"먼저 얘기 좀 해."

"뭐 궁금한 거 있어? 해봐."

"너 벌써 몇 달째 생활비 한 푼도 안 내놨어."

"말했잖아? 경기가 안 좋다고."

"그럼 놀고먹어? 아니잖아. 일해줬으면 마땅히 임금을 요구해야 하는 거 아닌가."

"그 친척은 나한테는 가족과 마찬가지야. 식구끼리 고락을 같이해야지 어떻게 인정머리 없이 내 잇속만 챙기냐."

"아, 또 그놈의 마찬가지 소리? 정말 야마 돌겠네. 그 집 아들 작년에 유학 보냈다며? 불경기에 유학까지 보냈으니 더 돈에 쩨이겠지? 지 자식은 유학 보내고 너한테는 품삯도 안 주는데 네가 그 집 가족과 마찬가지라고? 너 바보니?"

"별안간 왜 그래? 네가 그랬잖아, 여기선 거의 생활비가 안 든다고."

"그래, 나 거저나 마찬가지로 산다. 어쩔래? 그렇지만 섹스도 공짜로 하긴 싫어. 그렇겐 안 할래."

"그럼 너 나한테 화대를 내란 소리니?"

"어쭈, 오버도 할 줄 아네. 너만 그러라는 게 아냐. 나도 거저나 마찬가지 섹스는 안 할 거야. 대가를 치르잔 말야. 책임을 지자고. 너 날 조강지처나 마찬가지라고 했지. 너 언제까지 조강지처한테 장화 신고 찾아올래?"

"아이를 갖자고? 꿈도 크다. 네 나이가 몇 살이냐?"

"너 날 모욕했어. 장화만 벗으면 용서해줄게. 길고 짧은 건 대봐야 하니까."

"우리처럼 못난 부모 만나는 애가 불쌍하잖아."

"못난 건 아네. 못났으니까 자식 덕이라도 좀 보자는 거야. 아이가 우리에게 비빌 언덕이 될지 누가 알아. 우리는 아이 핑계로라도 달라져야 해. 어떡하든지 달라지고 싶어. 거저는 사절이야. 우리 거저 근성부터 고치자. 응? 싫음 그만두고."

나는 그가 머뭇거리지 못하게 얼른 그의 손에서 길 잃은 피임기구를 빼앗아 내 등 뒤에 깔고 눈을 질끈 감아버렸다. 내가 눈을 떴을 때 내 눈높이로 기남이의 얼굴이 떠오르든 때죽나무 꽃가장귀가 떠오르든 나는 후회하지 않을 것이다.

촛불 밝힌 식탁

나는 초등학교 교장 자리에서 퇴직한 지 오 년 남짓 된 늙은이이다. 고지식하게 고향 소도시를 못 면하고 그 언저리를 전전하면서 교직 생활을 하다가 교감으로 퇴직할 줄 알았는데 운좋게 정년을 삼 년 남겨놓고 교장이 될 수 있었다. 마누라는 그게 고맙고 신기한 모양이다. 집에서나 밖에서나 아직도 나를 교장 선생님이라고 부른다. 퇴직하고 나서도 얼마간 학교 근처의 텃밭 달린 집을 못 떠나고 있다가 서울로 온 것은 자식 가까이 살고 싶어서였을 것이다. 시골집과 마누라가 근검절약해가며 조금씩 사놓은 땅을 팔아 지금 사는 서울의 버젓한 아파트로 이사했기 때문에 내가 뭐 해먹고 살던 늙은이인지 아는 사람이 없고, 그런 걸 궁금해하는 사람도 아마 없을 것이다. 수위 아저씨나, 얼굴을 익혀 인사라도 하게 된 이웃 사람들은 나를 그저 할아버지 혹은 아저씨라고 부른다. 길 갈 때나 전철 안에서 누가 나를 불러야 할 일이 있을 때 할아버지라고 안 하고 아저씨라고 불러준 날은 나의 재수 좋은 날이다. 그렇다고 내가 호칭에 민감하거나 까다로운 늙은이는 결코 아니다.

고교 동창끼리 부부 동반으로 모이는 모임이 한 달에 한 번씩 있는데 왕년의 지방 명문고라 출세한 친구가 꽤 된다. 나는 서울 사람이 되고 나서 어찌어찌 연락이 닿아서 끼게 된 거니까 자세한 속사정은 잘 모르지만 한 번이라도 출세라는 걸 해본 친구만 꾸준히 나오게 되어 그 모임의 명맥이 유지돼왔으리라는 생각이 든다. 마누라들이 남편을 말할 때 장관님, 차관님, 청장님, 시장님, 의원님 하는 식으로 남편이 거쳐온 관직 중 제일 높은 관직으로 부르는 게 그 모임의 관례인 것 같다. 장관 경력은 미쳐 두 달이 안 되고 그 후엔 국회의원에 출마했다가 낙선하고 불운을 겪다가 지방대학 교수직을 마지막으로 은퇴한 친구도 마누라는 그를 교수님이라 부르지 않고 꼬박꼬박 장관님이라 부르는 모임이니까 교장 선생님 정도는 초라한 호칭이다. 마누라가 그 모임의 흉내를 내서 나를 교장 선생님이라 부르는 거라면 아마 나는 못 하게 했을 것이다. 마누라는 그전부터도 그랬고, 집에서나 밖에서나 그렇게 부르던 걸 못 고치고 있을 뿐이고, 나는 그 과시적인 자리에서 하나도 주눅 들지 않고 나를 그렇게 불러주는 마누라가 사랑스럽다. 마누라가 주눅 들지 않고 나 역시 장관님이나 의원님 소리에 닭살이 돋지 않게 되었으니 마누라가 얼마나 고마우냐 말이다. 나는 마누라를 아끼고 사랑하며 오래오래 행복하게 살다가 누가 먼저 저승에 가면 거기서 너무 오래 기다리게 하지 않고 앞서거니 뒤서거니 이 세상 뜨고 싶다. 왠지 요새 자꾸 그런 소원이 절실해진다.

내 볼일로 혼자 시내에 나왔다가도 마누라가 깜짝 놀라면서 좋아할 선물이 뭐 없을까 해서 그럴듯한 가게를 기웃거릴 적이 있다. 티브이 연속극을 보면서 익숙해진 요새 젊은 애들이 사귀는 풍속도의 영향일 것이다. 비싸지 않고, 예쁘고, 앙증맞고, 기발하고, 생필품이 아니면 좋을 것 같다는 생각을 하면서 선물용의 팬시한 물건들만 파는 가게들이 밀집한 거리를 어정거리다가 양초만 전문적으로 파는 가게 앞에서 걸음을 멈추었다. 나도 모르게 밀고 들어간 유리문이 가게 전체의 폭이고, 깊이는 그보다 훨씬 더 된다고 해도 전체 넓이가 한 평 정도밖에 안 되는 작은 가게였다. 작은 공간을 최대한 이용한 선반과 진열장을 아기자기하게 채운 초들은 불을 켤 수 있는 초라기보다는 보기만 해도 즐거운 점토나 밀랍으로 만든 조형물처럼 보였다. 색채도 가지가지거니와 모양도 물에 띄울 수 있는 작은 연꽃 모양으로부터 성탄절 장식용인지 팔뚝만 한 원통 속에 창을 내고 그 안을 들여다보면 구유에 누운 아기 예수가 들어앉아 있는 초까지 아이디어도 다채로웠다. 어려서 어머니를 따라 절에 가던 생각이 났다. 나는 손위 누나보다 열 살 아래 막내이자 외아들이었기 때문에 어머니는 내 수명장수를 빌러 절에 다니셨다. 나를 위해 절에 바치는 건 아까울 게 없다 하시면서도 구멍가게에서 절에 가지고 갈 초를 살 때마다 작은 돈을 깎으셨다. 길쭉한 남색 갑에 양초가 여섯 개씩 들어 있었다. 어머니는 한 갑을 사가지고 가서 두 자루만 부처님 앞에 켜고 나머지는 절에 놓고 오셨고 딴 신도들도 다들 그렇게 하는 것 같았다. 나머지의 그 많은 초들을 절에서는 무엇에 쓸까, 혹시 되파는 게 아닐까, 푼돈도 어려운 시절이었기 때문인지, 나의 소년 시절은 상상력조차 이렇게 메마르고 빈핍했다. 가슴이 알싸하면서 맥없이 눈물이 핑 돌았다. 어머니를 생각해서가 아니라 유난스러울 수밖에 없는 홀시어머니를 돌아가시는 날까지 지성껏 모신 마누라 때문이었다.

소녀들이 지저귀듯이 명랑하게 떠들며 몰려 들어왔다. 통로는 소녀들을 비집고 나가기도 불편한 너비였다. 나는 얼른 아까부터 눈여겨보던, 소년 소녀의 머리 꼭대기로 심지가 나와 있지 않으면 그냥 귀여운 인형처럼 보이는 양초를 한 쌍 샀다. 오늘은 집 안의 전깃불을 다 끄고 이 촛불만 밝히고 우리 둘이서 오붓하게 저녁을 먹자고 하면 마누라는 알아들을까. 알아듣는 것보다 더 어려운 것은 받아들이는 일일 것이다.

우리 부부가 낯선 서울로 이사 온 것은 오랫동안 떨어져 살던 아들 내외와 가까이 살고 싶어서였다. 마누라의 영악한 재테크 덕에 아들을 결혼시킬 때 자그마한 아파트도 한 채 장만해주었겠다, 우리가 여생을 서울에서 보낼 뜻을 비치면 으레 같이 합치잘 줄 알았다.

아들이 얼마 정도의 아파트를 원하느냐고 부동산 업자처럼 사무적으로 물어보길래 "너희들 아파트를 팔아 보태면 비싼 동네의 평수 넓은 아파트도 살 수 있을 만큼 가지고 있단다. 돈 안 쓰는 재주하고, 모인 돈은 누가 집어 갈까 봐 얼른 땅하고 바꾸는 재주밖에 없는 너희 엄마 덕이고, 그동안 시골 땅값이 엄청 오른 덕이긴 하지만 내가 평생을 바쳐 일군 귀한 재산이기도 하니 너희들하고 같이 누리고 싶구나."

내 생각으로 결코 지나친 욕심을 부린 것 같지 않은데 며늘애가 눈을 똑바로 뜨고 말했다.

"아버님, 저희들이 맞벌이 하면서 연년생으로 아이 둘 키울 때 얼마나 힘들었는 줄 아세요. 사는 게 사는 게 아니었어요. 친정엄마가 파출부처럼 드나드시지 않았으면 우리 둘 중의 하나가 직장 그만둬야 했을 걸요. 솔직히 저이 직장보다 제 직장이 도중에 그만두기 아까운 직장이란 건 아버님이 더 잘 아실 거예요. 그렇게 눈물나게 아이들 키워 이제 돈 들 일만 남았지 잔손 갈 일은 없어져서 숨 돌리게 되니까 같이 사시자고요?"

며느리는 우리 부부를 마치 이런 염치없는 늙은이들이 있나, 하는 시선으로 바라보면서 또박또박 말했다. 말이 난 김에 말인데 며느리는 중학교 사회 선생이다. 나는 무안하고도 참담해서 마른 입술을 축여가며 겨우 이렇게 말했다.

"우리도 며느리 시집살이할 생각 추호도 없다. 그래도 손주가 뭔지 그것들 드나드는 것도 보고 말벗도 됐으면 늘그막에 한결 덜 적막할 듯싶어 한번 해본 소리였으니 마음에 두지 말거라."

아들이 위로한답시고 한술 더 떴다.

"아버지 그건 손자가 예뻐서가 아닐 거예요. 아이들하고 정들 새가 없으셨잖아요. 직업병일 거예요. 평생 아이들하고 같이 사셨으니까 아이들이 빠진 생활을 상상을 못 하시는 거죠."

이런 쓸개 빠진 머저리 새끼 같으니라구. 그래도 며느리가 한결 다부진 데가 있었다.

"아버님, 이왕 이렇게까지 말이 나온 김에 제가 어려운 부탁 하나 드릴 게요. 아버님은 쭉 지방에만 사셔서 잘 모르시겠지만 지금 우리 사는 아파트가 얼마나 후진 아파트라고요. 처음에 사주실 때 조금만 안목을 높여 사주셨더라면 투자가치도 있었을 텐데, 영 아니거든요. 우리 동네처럼 안 오르는 동넨 처음 봤어요. 왠 줄 아세요. 학군이 안 좋고 학원도 좋은 학원이 없기 때문이에요. 맞벌이까지 하는 우리가 어떡하든지 우리 힘으로 그 놈의 동네를 면해야 하는 건데 과외공부비 때문에 돈을 모은다는 건 엄두도 못 낸다니까요. 아버님은 이제 가르칠 아이도 없는데도 좋은 동네에서 사시고 싶으신가 본데 저희들은 오죽하겠어요. 그러니까 좋은 동네에서 합쳐 살 돈을 쪼개서 좋은 동네에 아파트를 두 채 장만하도록 하는 게 어떻겠어요. 물론 지금 사는 저희 아파트는 처분해서 보태야죠. 보태고말고요."

이렇게 해서 며느리가 봐놓은 학군 좋은 아파트 단지에 아파트를 두 채 사게 되었다. 우리는 두 늙은이가 살 거니까 작은 걸로 아들네는 네 식구가 살 거니까 사십 평이 넘는 걸로 했다. 일이 그렇게 가닥을 잡자 일사천리로 진행이 잘되었다. 같은 단지라 해도 대단지라 얼마든지 떨어져서 장만할 수도 있었고 며느리는 그러고 싶은 눈치가 역력한데, 우리도 배알이라는 게 있는 늙은이고 또 칼자루를 쥐고 있다는 배짱 때문에 앞 베란다에서 뒤 베란다를 바라볼 수 있는 앞뒤 동으로 정할 수가 있었다. 마누라는 그런 소리를 어디서 얻어들었는지, 수프가 식지 않는 거리가 따로 사는 부모 자식 간의 이상적인 거리라고 좋아했다. 나는 마누라에게 그런 소리는 입 밖에도 내지 말라고 윽박질렀다. 왜냐하면 며느리가 가끔가끔이라도 따뜻한 음식을 해 날라야 될 것 같은 부담을 느끼기 알맞은 소리였기 때문이다. 그 대신 나는 불빛을 확인할 수 있는 거리라는 말을 썼다.

"나도 폐 될까 봐 지척에 살 생각은 없었다. 그러나 늙은이 일은 모르는 일, 더군다나 우리 두 늙은이 중 하나가 죽으면 너희가 부담을 안 느낄래야 안 느낄 수 없게 될 터. 매일 문안은 못 할지언정 불빛으로라도 오늘도 저 늙은이들이 살아 있구나 확인하고픈 게 자식 된 도리가 아니겠냐. 우리도 너희 집 창문에 불이 켜지면 내 새끼들이 오늘도 무사히 집으로 돌아왔다는 신호로 받아들이고 편안한 잠자리에 들 거 아니냐. 서로 불빛을 확인할 수 있는 거리에 산다는 것, 바쁜 자식과 할 일 없는 늙은이끼리 이보다 더 좋은 소통의 방법이 없을 것 같구나."

약간의 비양거림도 섞인 말을 손톱도 안 들어가게 야물딱지기만 한 며느리가 그냥 들어넘길 리가 없었다.

"앞으로 남자 평균연령도 아흔다섯까지 된다고 하는데 벌써 그런 말씀 하시는 거 아니죠."

사뭇 훈계조다. 이런 자세한 속사정까지 알 리 없는, 고교 동창들은 내가 아들네하고 불빛을 확인할 수 있는 거리에 살게 됐다는 소리만 듣고도 게걸스러울 정도로 부러워했다. 자식이 그 정도로만 부모하고 가까이 살자고 해도 효자라는 거였다. 효자 아들 뒀다고 부러워하는 소리가 그냥 해보는 위로의 말이 아니라 정말 부러워한다는 걸 안 나는 남의 이목이 뭔지, 얼떨결에 모범적인 노후 설계를 한 것처럼 자족하게 되었다. 으쓱하기까지 했다. 며느리도 가깝게 지내보니 결코 이악하기만 한 아이가 아니었다. 부모한테도 신세를 지거나 걱정을 끼치는 걸 극도로 싫어해서 좀 정이 없어 보일 뿐 경우 하나는 똑떨어지게 밝은 아이였다. 한 달에 한두 번은 꼭꼭 우리 부부를 초대해서 손자들과 함께 저녁식사를 같이하도록 했다. 아이들은 남매인데 잘 길러 건강하고 청결하고 예의 발랐다. 그런 얘기를 동창회에서 하면 그 당연해 보이는 일까지 샘들을 내곤 했다. 과외공부에 바쁜 애들을 조부모와 같은 식탁에 앉힌다는 게, 그것도 정기적으로, 그건 보기 드문 효도라는 거였다.

들을수록 해괴한 소리뿐이었다. 아무리 촌구석에 있었다고는 하나 화전을 일구다 온 것도 아니고, 지리산 골짜기에서 서당선생을 하다 온 것도 아니고 현존하는 이 세상에 나가 사람 노릇을 하는데 지장이 없을 만큼의 기본적인 인성교육을 시키는 곳의 장으로 있다 온 사람이 도저히 납득할 수 없을 만큼 어떻게 이렇게 고약하게 이 세상이 변했단 말인가.

그나마 내 자식이 그 고약한 세상에서 첨단을 가게 변하지 않은 것만도 다행이었다. 그것도 다 도시 친구들과 어울릴 기회가 자주 있으니까 깨닫게 된 거였다. 그러나 남이 부러워하고 좋다고 하니까 나도 좋은 줄 안 건 오래가지 않았다. 사람의 오관 중 가장 정직한 입맛이 먼저 입바른 소리를 하기 시작했다.

아들네 집에 처음 초대받을 때만 해도 아들네 식탁의 깔끔하고 장식적이고 국적 불명의 퓨전 요리를 신기해서 하나하나 맛보면서 그 요리법까지 묻던 마누라가 차츰 시들해하더니 나중에는 집에 와서 김치 국물로 입가심까지 하게 되었다. 그리고 손자들이야 그 맛밖에 모르고 자랐으니까 할 수 없다손 쳐도 내 새끼 불쌍해서 어쩌나 탄식을 하곤 했다. 그리고 마침내는 청국장을 맛있게 끓인 날 아들네 집에 그걸 갖다 주고 왔다. 아들이 희색이 만면해서 그걸 반기더란 얘기를 자랑스럽게 하면서 앞으로는 종종 그럴 거라고 했다. 거기 재미를 들인 마누라는 아들이 좋아하던 음식을 하나하나 생각해내서 나르는 빈도가 점점 잦아졌다. 아들이 눌은밥을 좋아하던 걸 생각해냈다 하면, 아이고 불쌍한 내 새끼, 눌은밥도 못 얻어먹고 살다니, 하면서 새로 돌솥을 사다가 일부러 눌은밥을 만들어서 갖다 주고 오기까지 했다. 나는 아들네로 음식 해 나르는 재미로 새록새록 살맛이 나 보이는 아내가 측은하고도 불안해 여보, 넘치는 건 모자라는 것만 못하다우, 하고 넌지시 귀띔을 하곤 했다. 그러지 않았으면 아마 매일 그 짓을 하고 싶어 했을 것이다. 가끔 허탕을 치고 올 적도 있었다. 온 식구가 외식을 하는지 집이 비어 있더라고 했다. 정성을 다해 솜씨 부린 별식을 못 먹이고 온 마누라는 어깨가 축 처지고 황량해 보였다. 나는 그런 마누라가 보기 싫어 큰 소리로 화를 냈다.

"그냥 무턱대고 가면 어떡해? 우리가 왜 앞뒷집에 사는데. 아들네 집 창에 불이 안 들어오면 그건 아직 아무도 집에 안 들어왔다는 표시 아닌감."

"참 그렇군요. 그걸 왜 몰랐을까."

마누라가 다시는 허탕 치는 일이 없도록 마누라가 아들을 위한 별식을 만드는 동안 나는 베란다에 나가 아들네 집 창문의 불빛을 살피는 역할을 맡게 되었다. 누가 시켜서가 아니라 나도 아내 못지않게 조바심이 나서였다. 무심히 볼 때는 몰랐는데 지켜보고부터는 창에 불이 안 들어오는 날이 점점 잦아지는 것 같았고, 그건 신기할 정도로 마누라가 별식 만드는 날과 일치하곤 했다. 아들이나 며느리는 정기적으로 우리한테 전화를 걸기 때문에 그 기회에 슬쩍 요새 너희 식구들이 늦게 들어오는 거 같더라고 했더니, 아이들은 과외 때문에 들어오는 시간이 워낙 들쭉날쭉하고, 저희들은 피곤하면 집에 가 밥해 먹기 귀찮아 서로 약속해서 밖에서 먹고 들어가는 날이 많다고 했다. 그 말투의 데면데면함이 감시당하기 싫다는 의사 표시 같아서 나는 그럴 때는 우리한테 와서 먹고 가지 그러냐고 하고 싶은 걸 꾹 참았다.

아무리 부모 자식 간에도 감시하는 마음으로 지켜본다는 건 안 좋은 일이었다. 나는 언제부터인지 아들네의 불 꺼진 창이 딴 집의 불 꺼진 창하고는 다르다는 걸 알게 되었다. 칠흑이 아니라 모닥불의 잔광 같은 불확실한 밝음이 깊은 데서 일렁이고 있는 것 같은 느낌이 왔다. 퓨전 음식을 더욱 분위기 있게 만드는 아름다운 양초가 켜진 식탁이 떠올랐다. 그 식탁에 손자들도 함께 하고 있는지는 그닥 중요하지 않았다. 그건 사실이 아니라 망상일 수도 있었다. 망령 부리기에 이른 나이도 아니니까. 그렇다고 일찍 망령 나는 게 자랑일 수는 없지 않은가. 망상으로부터 하루 빨리 벗어나야 한다고 생각했다. 마누라가 입맛으로 아들을 붙잡아 둘 수 있다는 망집에서 하루빨리 벗어나야 하듯이. 모닥불의 잔광 같은 희미한 빛을 보았다기보다는 느낀 어느 날 저녁, 그날은 마누라가 아들을 위한 별식 같은 걸 한 날도 아닌데 나는 슬쩍 산책 나가는 척 혼자 나가 맞은편 아들네 아파트로 올라가 초인종을 눌렀다. 연거푸 두 번 세 번까지 눌러보았다. 아무도 문을 열어주지 않았지만 나는 느낌으로 안에서 웅성대는 인기척과 현관문에 달린 동그란 렌즈가 비정한 외눈으로 변하는 걸 알았다. 확인된 바 없는 느낌은 마누라에게 함부로 말하는 게 아니다.

그쯤 해서 조용히 물러나려고 엘리베이터에 올라 일층을 누르는데 마침 아들네 앞집 907호에서 아기를 안은 여자가 톡 튀어 나와 같은 엘리베이터를 타게 되었다. 여자가 붙임성 있게 미소 짓길래 나도 답례로 무슨 말이든지 해야 될 것 같아, 908호 아직 아무도 안 들어왔나 보죠? 하고 내가 할 일이 없어 엘리베이터나 타고 오르락내리락하는 실없는 늙은이가 아니라 당당하게 908호에 볼일이 있어서 왔다 간다는 표시를 했다.

"앞집 선생님이요? 들어오셨는데. 방금 전에 저희 집으로 파한 뿌리 얻으러 오신 걸요."

마누라도 알건 알아야 한다. 하나 나처럼 충격적으로 알게 하고 싶진 않다.

우리도 젊은이들처럼 무드 한번 잡아봅시다. 이러면서 온 집안의 전깃불을 다 끄고 소년 소녀가 마주 보고 생긋 웃는 형상의 아름다운 한 쌍의 양초로 식탁을 장식한다면 알아들을까.

마누라에게는 알아듣는 것보다 받아들이기가 더 어려울 것이다.

쇼윈도에 비친 내 모습이 두 개의 양초밖에 안 들었다기에는 너무도 무겁게 처져 보였다.

대범한 밥상

내시경이다, 엠알아이다, 힘든 검사로 사람을 초주검을 만들어놓고 나서 겨우 한다는 소리가 살날이 앞으로 석 달밖에 안 남았다고 했다. 남편이 먼저 저세상으로 간 지 삼 년 만이었다. 남편은 당시의 남자 평균수명을 겨우겨우 채우고 갔지만 여자의 평균수명은 남자보다 훨씬 길고, 나는 남편보다 다섯 살이나 손아래니까 그이보다 단명하는 셈이다. 육십보다는 칠십이 더 가까운 나이에 죽는 걸 단명, 어쩌고 한다면 아마 저승사자가 다 웃겠지. 그러나 나는 저승사자를 웃기지는 않을 것이다. 충분히 살았다고 여기고 있고, 따라서 몸부림 같은 건 치지 않을 테니까.

남은 석 달이 문제였다. 좋은 일이든 나쁜 일이든 날 받아놓고 석 달은 쏜살같을 법도 한데 나에겐 지루하게만 느껴졌다. 너무 지루할 것 같아서 망연했다. 그건 아마도 남편의 마지막 석 달에 대한 기억 때문일 것이다. 나는 사십대에 유방암 수술을 받은 적이 있는데 근래에 몸이 갑자기 쇠약해져서 검사를 받은 결과 여러 장기로 전이가 돼 삼 개월을 넘기지 못할 거라고 했지만, 그이는 멀쩡하던 사람이 건강진단 결과 췌장암으로 밝혀져 길어야 삼사 개월밖에 못 살 거라고 했다. 그런 그이에 비하면 나의 석 달은 예고된 석 달일 수도 있었다. 그이는 삼사 개월이 뭐냐고 삼 개월이면 삼 개월, 사 개월이면 사 개월이라고 정확하게 못을 박으라고 의사에게 요구했다. 마지막으로 꼭 해놓고 가야 할 일을 차질 없이 마치고 가려면 정확한 시간을 알아야겠다는 태도일 뿐 분노의 기색은 없었다.

그이는 잘나가는 회계사였다. 천성이 그런지, 직업병인지, 그이는 매사에 정확을 기하는 틀림없는 사람이었다. 평생 정확을 생명으로 하는 숫자하고 씨름해서 돈을 버는 그이가 안쓰러워서 나는 헤프게 쓰지 않고 스스로 중산층이라고 자족할 만큼만 사는 데 만족해왔다. 그이가 마지막으로 꼭 하고 싶은 일은 무엇일까. 기계처럼 정확하고 재미없게 살아온 그이의 숨은 욕망을 들여다볼 수 있는 기회다 싶어 사별이나 병수발에 대한 걱정보다는 호기심이 앞섰다. 그이는 남은 삼 개월, 아니 삼 개월하고 보름 동안을 숫자와의 씨름으로 꽉 채웠다. 우리 부부가 삼 남매를 낳아 길러 다 출가시킨 후였다. 아이들은 부모 속 썩이지 않고 건강하고 심성 바르게 자라 좋은 직장 갖고 적령기에 제 짝도 스스로 찾아내어 학비하고 결혼비용 대는 것 말고는 부모가 해줄

게 없었다. 그게 서운했던지 막내딸 시집보낼 때는 그이가 사윗감을 마음에 들어하지 않아 분란이 좀 있긴 있었다. 나 보기에는 내 딸이 반할 만한 청년이었는데 그이의 보는 눈은 외모가 아니라 능력이었고, 능력 중에도 오로지 돈을 벌 수 있는 능력만을 보려들었기 때문에 눈 밖에 났다. 무얼 보고 전도양양한 청년의 앞날을 그렇게 단정지었는지 알 길이 없었지만 반대는 완강했고, 딸애는 집을 나가 살림을 차리겠다고까지 부모를 협박했다. 언니 오빠가 중재에 나서 아빠를 설득했고 결국 자식 이기는 부모 없다는 쪽으로 그이의 고집도 꺾이고 말았다. 그런 자식이 더 잘살았으면 얼마나 좋았을까. 그러나 그이의 사람 보는 눈은 숫자만큼이나 정확해서 막내네 집구석은 늘 뭔가 될 듯 될 듯하면서도 되는 노릇이 없어 항상 쪼들려 살았다. 자식을 여럿 둔 집이면 뉘 집에서나 있을 수 있는 통속적인 이야기였다. 시집도 별 볼일 없는 막내가 친정으로 구걸을 안 오고도 최소한의 앞가림이나마 하고 사는 것은 제 언니 오빠들의 도움이 크다는 걸 나는 알고 있었다. 나는 막내가 불쌍하면서도 내 자식들의 동기간의 우애가 고맙고 대견했다. 이런 속내를 아는지 모르는지 무관심으로 일관하던 그이가 죽을 날을 받아놓고는 막내를 특별히 챙기기 시작했다.

그이가 여기저기 사 모은 땅이 제법 된다는 걸 나도 그때 처음 알았다. 그때까지 일부러 그이가 나에게 비밀로 한 건 아니고, 먹고살 만큼 집 안에 들여놓고 남은 돈으로 그이가 뭘 하는지 내가 관심이 없었기 때문일 것이다. 그이는 마지막 남은 시간을 그 땅을 삼 남매한테 공평하게 나누는 일로 꽉 채웠다. 그이가 생각하는 공평은 없이 사는 자식에게는 더 주고 넉넉한 자식에게는 덜 주어서 삼 남매의 재산을 비슷하게 만드는 거였다. 그이가 나에게 그런 뜻을 먼저 의논해왔을 때 나는 얼마나 기뻤는지 모른다. 늘 마음에 얹혀 있던 막내가 이제 고생을 면하게 된 게 기뻤고, 그이가 냉철한 사람이 아니라 따뜻한 사람이라는 걸 알게 된 것은 기쁨을 넘어 감동이었다. 상속으로 했는지 증여로 했는지, 나는 잘 모르는 일이지만 아무튼 사후에 자식들이 세금 한 푼 안 물도록 명의변경까지 완벽하게 끝내놓았다. 붙어 있는 땅도 아니고 전국 각지에 조금씩 흩어져 있는 땅의 평당 가격을 당시의 시가로 알아내어 평수에 곱하고 그 총액을 차등을 두되 그 누구도 감히 불평을 할 수 없도록 객관적으로도 정당한 차등을 두어 분배하기란 쉬운 일이 아니었을 것이다. 나 같은 사람은 생각만으로도 머리가 터질 것 같은 일을 뒤탈 없이 깔끔하게 처리하느라 그이는 자기에게 남은 시간을 남김없이 다 바쳤다. 그이도 자기에게 남은 시간이 얼마나 소중하다는 걸 모르지 않았을 것이다. 내가 만일 여행이나 음악회 같은 걸 같이 가고 싶어 한다면 돌아오는 대답은 한결같았다. 이 금쪽같은 시간에 그럴 새가 어디 있어?

금쪽같은 시간을 다 바쳐 이룩해놓고 간 분재(分財)를 삼 남매는 다들 만족스러워했고 그이는 마치 혹사당하던 회사를 정년

퇴직하는 것처럼 홀가분하게 사무적인 태도로 이 세상을 하직했다. 할 일을 다 했다는 자부심이 그렇게 대단한 것이었을까, 나에게는 일말의 석별의 정도 내비칠 겨를 없이 총총히 떠나갔다. 그러나 그이의 사후에는 뜻하지 않은 것 천지였다. 재산이 공평해지자 당장 내 새끼들의 우애가 전 같지 않아지는 게 느껴졌다. 노력 안 하고 부자가 된 막내를 업신여기는 소리가 내 귀에까지 들렸다. 막내사위가 다니던 회사를 그만두고 땅을 팔아 사업을 시작하고 집어넣은 밑천을 한 푼도 못 건지고 빈털터리가 되는 데는 삼 년도 안 걸렸다. 아들과 큰딸은 땅을 팔아먹지는 않았지만 누구 땅값이 더 오르고 덜 오르는 걸 둘이서 비교해가며 시기하기 시작했다. 그이의 사후 삼 년은 마침 전국 땅값이 정신없이 뛸 때였다. 그러나 고루 뛰었으면 아무도 뛴다고 하지 않았을 것이다. 걷는 놈, 기는 놈도 있으니까 뛰는 놈이 눈에 띄는 것이다. 그 애들은 그 땅 없이도 넉넉하게 살 수 있건만, 아버지의 사후에 벌어지기 시작한 각자의 땅값이 공평하게 오르지 않는다는, 단지 그 이유 하나만으로 서로 적대시하고, 다시 못살게 된 동생의 불운을 고소해하고, 마치 당연하다는 듯이 동생을 도와주지 않게 되었다. 그이는 당시의 시가로 계산해서 공평하게 나누었을 뿐 사후의 앞날까지 내다볼 줄은 몰랐을 것이다. 당연하지, 죽은 후엔 앞날이란 것이 있을 순 없으니까.

나에게는 현재 살고 있는 아파트와 얼마간의 현금과 꽤 거액의 생명보험금을 남겨주었다. 그이가 하고 간 일 중 그거 하나는 올바른 처사였다고 생각한다. 현금을 은행에 넣어놓고 곶감꼬치 처럼 빼먹다가 돈 떨어지면 아파트 팔아서 자식들이 얼굴 못 들고 다니지 않을 정도의 유료양로원에 들어가기에 적당한 재산이었다. 씀씀이가 허황되지 않은 대신 재테크 능력도 전무한 나에 대한 그이다운 배려였다. 나는 그놈의 땅이라는 게 얼마나 요물이라는 걸 알아버렸기 때문에 그이가 나에게 그걸 한 평도 안 준게 조금도 섭섭하지 않고 오히려 고마웠다. 이 나이까지도 정기적으로 만나서 맛있는 집 찾아다니고, 집안의 경조사가 있을 때마다 돈으로, 사람 수효로 부지런히 서로 품앗이를 다니는 여고 동창이 여남은 명 되는데, 이 친구들 또한 나더러 죽은 남편 고마워하라는 소리를 요즘 들어 부쩍 자주 한다. 병수발 오래 안 시키고 남들이 아깝다 할 나이에 죽었으니 얼마나 고마우냐는 거였다. 은퇴해서 잔소리만 늘고, 바치는 건 맛있는 거하고 마누라밖에 없는 영감들이 차차 지겨워지기 시작할 나이들이고, 몇 년째 중풍이나 치매로 한참 정을 떼고 있는 영감님을 가진 친구도 몇 되었으니까 그런 말이 나올 법도 했다. 그러나 네 팔자가 상팔자라느니, 중년에는 홀아비된 남자가 몰래 웃지만 노년에는 과부된 여자가 대놓고 웃는다느니 하는 소리를 들을 때마다 나는 풍파 없이 살아온 내 삶이 허전해서 뼈가 시려지곤 했다.

처방된 약 때문이겠지만 체중이 줄고 전신이 차츰 무력해지는 느낌 외에 아직은 그다 고통스럽지는 않다. 만일 내가 감당 못할 통증이 온다 해도 그보다 앞질러 더 강한 진통제를 쓰면 될 것이다. 나는 삼 남매를 다 자연분만을 했는데도 통증과 싸울 자신은 없고 그럴 의욕도 없다. 단지 그 걱정 때문에 남은 석 달이 주체할 수 없이 길게 느껴진다. 첫날 보내기도 지루했다. 병원에서 그 소리를 듣고 온 첫날부터 나는 심심할 게 두려워 고작 생각해낸 게 비디오를 빌려다 보는 일이었다. 머지않아 딴 업종으로 바뀌지 싶게 가게 꼬라지부터 의욕 상실이 역력한 동네 비디오가게의 진열장을 훑다가 「데미지」에 눈길이 꽂혔다. 영화관에서 본 적이 있는 영화인데도 또 보고 싶었다. 못 본 영화 중에서 골라잡는 정도의 모험심도 동하지 않았다. 허술한 골목을 휘적휘적 걷는 제레미 아이언스의 추레한 모습을 다시 한 번 봐주고 싶었다. 다시 한 번 보고 나서 그 장면만 리와인드시켜 또 보면서, 사련(邪戀)의 광풍이 휩쓸고 간 후, 반 넘어 폐허가 된 남자의 모습에 가슴이 짠하면서 울고 싶어졌다. 얼마 남지 않은 시간에 고작 남의 인생이나 재생시켜 볼 만큼 내 인생에서 결핍된 건 뭐였을까. 아니면 데미지 없이 인생을 퇴장한 남편에 대한 연민이나 반감에서였을까.

그 다음엔 적당한 날을 골라 자식들에게 알리고 효도할 수 있는 시간을 주는 게 아마 온당한 어미 노릇일 터이나 나는 거의 일주일이나 그 일을 미루고 있었다. 시한부 인생을 다룬 연속극은 거의가 죽을 사람이 먼저 알거나 가족이 먼저 알거나 간에 서로 그 사실을 숨기는 걸로 시간을 끄는 게 정석처럼 돼 있다. 하긴 그걸 쌍방이 동시에 알게 한다면 단막극이 되지 뭣 하러 연속극이 됐겠는가. 늘려 먹기 위한 연속극의 그런 진부한 정석을 경멸해 마지않던 내가 지금 그 짓을 하고 있다. 나는 그 짓이 너무 피곤해 지레 죽을 지경이다. 어떻게 안 피곤하겠는가. 남편처럼 나도 병원에서 그 소리를 듣자마자 그렇게 경멸해 마지않던 숫자와의 씨름을 시작했으니. 남편에겐 숫자가 평생 익숙한 상대였겠지만 나에겐 생소하고 버거운 상대다. 앞으로 팔십 구십까지 산다면 내가 가진 게 빠듯하지만 석 달 안에 죽는다면 상당한 현금을 남기게 된다. 집도 내 집이다. 남편이 그랬던 것처럼 나도 막내가 걸린다. 나는 세금을 어떻게 안 무는지는 잘 모르지만 현금은 생전에 찾아서 막내에게 건네면 감쪽같을 것 같다. 오빠나 언니나 제 서방에게도 알리지 말고 비자금으로 가지고 있으라는 당부의 말과 함께 그러고 싶지만 언 발등의 오줌 누기지, 그 집구석 씀씀이에 그게 며칠이나 가겠는가. 막내에게 급한 건 비자금이 아니라 내 집 마련이다. 그럼 이 집을 내 생전에 막내에게 명의변경을 해주거나 상속을 해줄까. 그러자니 세금도 무섭지만 아버지의 처사 때문에 삐치고 어긋난 삼 남매의 우애가 영영 돌이킬 수 없는 파국에 이르리라는 건 불을 보듯이 뻔하다. 시집 쪽으로 기댈 데가 전혀 없는 막내에게 그것 또한 어미로서의 할 짓은 아닐 것이다. 어떻게 하면 위의 큰애들도 섭섭지 않고 막내는 작은 집이라도 한 채 가질 수 있게 할 것인가. 결국은 남편의 전철을 밟아 내가 소유한 것을 삼 남매에게 차등을 두어 분배하는 방법밖에 없는데 나에게 그런 수학은 너무도 어렵다.

예금 액수와 집값을 합한 몇 억이 머릿속에서 얽히고설키면서 토악질이 나지만 출구가 없다. 사람이 오죽 무능하면 전철을 밟을 생각밖에 못하겠는가. 남편의 마지막 나날도 그러했겠지만 나도 끝까지 걸리는 게 자식들인데 돈이 걸린 문제는 자식들과도 터놓고 의논을 할 수 없다는 게 나를 꼬이고 꼬이다가 종영시기를 놓친 티브이 연속극처럼 구제 불능 상태로 만들어가고 있었다.

지금 와서 그걸 알아서 무엇에 쓸까마는 돈의 치사한 맛도 뜨거운 맛도 모른다는 게 사는 데 있어서 뿐만 아니라 죽는 데 있어서까지 중대한 결격사유처럼 느껴지면서 경실이가 보고 싶단 생각이 들었다. 경실이는 여고 동창이었지만 학교서 친하게 지낸 추억보다는 요새처럼 이사를 자주 안 다니고 한동네 눌러 살던 시절, 같은 골목에 십 년을 넘게 같이 산 정 때문에 고향 사람 비슷한 친밀감을 가지고 있었다. 주거환경도 바뀌고 서로 다른 사회생활, 결혼생활을 하면서 안부도 모르고 지내다가 다시 만나게 된 것은 동네 사람으로서가 아니라 동창 모임에서였다. 전체 모임은 아니고 아이들도 잔손 안 가게 길러놓고 살림도 웬만큼 일궈놓은 비슷하게 사는 동창끼리의 계모임 비슷한 모임에서였다. 계모임 비슷한 모임이라고 한 것은 계 하기에 알맞은 인원이 모여 돈을 모으긴 모으지만 돈에 연연하지 않고, 여행이나 취미생활, 맛있는 집 순례 등 재미도 있고 그럴듯한 일에 아낌없이 쓰는 모임이었기 때문이다. 그러고도 남는 돈은 해외여행을 목적으로 적립해놓고 있다. 해외여행 안 해본 친구도 없기 때문에 적립하는 액수에 조급한 친구도 있을 것 같지 않은 팔자 좋은 모임이었다. 그렇게 모인 상당한 액수를 처음 쓰게 된 것이 경실이네한테였다. 그 돈을 경실이네한테 조위금으로 내놓자고 제안한 것은 아마 나였을 것이다. 열 명이 넘는 멤버가 해외여행을 떠날 만큼 모이기엔 아직 먼 초기였지만 아무리 단체 조위금이라 해도 과하다 싶은 액수를 선뜻 내놓는 데 만장일치로 동의한 것은 경실이 당한 불행이 워낙 충격적이기 때문이었다. 그녀는 외동딸을 곱게 길러 착실한 사위 보아 손자도 보고 손녀도 보고 한집에 같이 살고 있었다. 엄마 덕에 아직도 직장생활을 계속하고 있던 딸이 벼르고 별러 제 남편 해외출장과 날짜를 맞춰 휴가를 얻어내어 해외여행을 간 비행기가 착륙 직전 공중에서 폭파하는 엄청난 사고로 탑승객 전원이 사망했다. 시신조차 수습하기 어려운 대형 사고였다. 경실이네 딸, 사위도 시신을 수습했다고도 하고 유품만 몇 점 찾아냈다고도 하지만 다 확실한 정보는 아니었다. 확실한 건 홀어머니를 모시고, 여섯 살, 세 살 어린 남매를 둔 젊은 내외가 이 세상에서 감쪽같이 사라졌다는 믿기 어려운 사실뿐이었다.

우리가 조위금을 전달하러 간 곳은 일주일 넘어 끌던 유족과 항공사 간의 보상금인지 위자료인지 하는 돈 문제가 원만하게 타결되어 마침내 치르게 된 합동장례식장이었다. 통곡, 몸부림, 혼절 등 유족들의 애통이 차마 눈 뜨고 볼 수가 없었다. 왜 안 그렇겠는가. 장례식장에 들어서기 전부터 우리는 주위의 침통하고 삼엄한 분위기와 들려오는 곡성만으로도 가슴이 떨리고 다리가 후들댔다. 다들 머뭇거리고 심장이 약한 친구는 꽁무니를 빼면서 차마 못 들어갈 것 같은 시늉을 하기도 했다. 할 수 없이 나하고 혜자가 앞장서자 다들 뒤따랐다. 나는 경실이하고 가장 가까워서 어쩔 수 없이 그렇게 됐고, 혜자는 우리보다 먼저 한 차례 문상을 다녀와서 어느 정도 분위기에 익숙한 것 같았다. 혜자가 먼저 문상을 간 건 경실이 때문은 아니고 친척 중에 이번 일로 참척을 당한 이가 있어서였다. 그때 잠깐 만나보고 온 경실이에 대한 혜자의 묘사는 너무 비현실적이어서 우스갯소리처럼 들렸고, 그 마당에 그런 농담을 할 수 있는 혜자가 혐오스럽기까지 했다. 차마 눈 뜨고 볼 수 없는 유족들의 애통 속에서 경실이만이 눈이 초롱초롱해가지고 밥을 아귀아귀 먹더라고 했다. 초롱초롱과 아귀아귀가 그렇게 그로테스크하게 들린 적은 일찍이 없었다. 혜자가 입이 좀 헤프기는 해도 뒤끝은 없는 친군데 무슨 억하심정으로 그렇게 친구를 고약하게 말했는지 이해가 잘 안 됐다. 그러나 막상 장례식장에서 조문객을 맞고 있는 경실이를 보자 제일 먼저 떠오른 단어가 초롱초롱과 아귀아귀였음을 부인 못 하겠다. 경실이의 눈이 초롱초롱한 건 아니었고, 물론 무얼 먹고 있지도 않았지만 말이다. 티브이 화면으로 본 것과 조금도 다르지 않은 유족들의 오열과 몸부림, 심지어는 예서 제서 까무러쳐 실려가는 일까지 벌어지는 장례식장에서 그들은 그 정적인 단아한 모습으로 단연 눈에 띄었다. 경실은 혼자가 아니라 어린 외손자 남매를 데리고 있었다. 이 어린 상주들을 가운데 두고 양쪽에서 손을 잡고 있는 또 하나의 어른은 아이들 친할아버지일 것이다. 경실이가 딸을 출가시킬 때 무남독녀 외동딸을 역시 딸도 없는 집 외동아들에게 시집보내는 걸 꺼려 한동안 반대하다가 보낸 걸 알고 있는 우리는 그 사람이 친할아버지라는 걸 누가 가르쳐주지 않아도 알아보았다. 여섯 살 세 살 어린것들을 가운데 두고 양쪽에서 손을 꽉 잡고 있는 네 사람의 구도는 너무도 확고하고 흔들림이 없어서 마치 옛날 가족사진처럼 보였다. 순간 우리는 다들 배신감에 가까운 실망감을 느꼈다. 잔뜩 기대하고 각오하고 있었던 일이 일어날 것 같지 않아서였을까. 아무튼 그럴 수는 없는 일이었다. 더군다나 경실이 사돈영감은 상처한 지가 일 년도 채 안 되니, 땅을 치고 하늘을 우러러 삿대질을 해도 누가 뭐랄 사람 없는 처지였다. 저렇게 침착하고 꿋꿋해서는 안 될 것 같았다. 그들은 침착할 뿐 아니라 젊어 보이기까지 했다. 입 싼 혜자가 기어코 한마디 내뱉었다.

재네들 저래도 되는 거니? 늦둥이를 낳은 중년부부라고 해도 곧이듣겠네.

듣고만 있을 우리들이 아니었다. 다들 한마디씩 죽은 사람만 불쌍하다고 맞장구를 쳤다.

그런데 고작 떠오른 게 경실이네 집이었다. 경실이가 우리 곁을 떠난 게 몇 년 전이더라? 중요한 건 그게 아닌데도 그걸 헤아

려보려고 애써보지만 잘 안 된다. 그녀는 그 항공 참사 후 곧 서울을 떴고, 우리 계는 아직도 계속되고 있다. 무던하고 수수한 경실이는 말주변도 좋은 편이 못 되어 우리 모임에 꼬박꼬박 나올 때도 우리를 즐겁게 해주는 멤버는 아니었다. 오히려 우리 곁을 떠나고 나서 우리를 즐겁게 해주었다. 근래에는 좀 시들해졌지만 모임 때마다 그녀가 화제에 오르지 않은 적은 없었다. 주로 확인되지 않은 소문이었지만 돈과 섹스에 관한 소문처럼 흥미진진한 게 또 있을까. 나는 맹세코 소문보다는 경실이를 믿었기 때문에 듣기만 하고 화제에 끼어들기는 삼갔지만 그런 이야기를 듣는 게 재미없었다고는 맹세하지 못하겠다. 죽을 때까지 애 쟤 할 수 있는 흉허물없는 여고 동창끼리라지만 육십보다도 칠십이 더 가까운 나이에 그 자리에 없는 친구의 스캔들에 입 안에 군침이 돌고 상상력까지 왕성해진다는 것 자체가 경실이 우리 사이에 일으킨 물의 못지않은 우리들의 스캔들이 아니었을까.

소문을 물어들이는 건 여전히 혜자였다. 사고 당시 경실이 사돈영감은 지방도시 C시에 인접한 C군 군청 주사였다. 나는 주사라는 직위가 어느 정도의 높이인지 가늠할 수 없는데 혜자가 만년 6급이라고 얕잡아 말하는 투로 봐서는 그다지 높은 자리는 아닌 듯했다. 경실이가 서울 살림을 정리하고 사돈집이 있는 시골로 내려가 홀아비 사돈영감하고 살림을 합쳤다는 것이었다. 그게 도대체 있을 수 있는 일이니? 우리끼리니까 말이지 하도 해괴망측해서 입에 담기도 뭣하다. 그러면서 주위를 살피는 시늙까지 하면 세상에서 제일 고독하고 불쌍해 보이던 과부와 홀아비 사이에 느닷없이 썩어가는 과일 냄새 같은 부도덕의 낌새가 감돌기 마련이었다. 그런 망측한 속내 때문인지 경실이는 장례식 후에도 우리의 관심을 달가워하지 않았다. 우리는 비록 금전적인 것일망정 최선을 다해 조위를 표했고, 그 후에도 번갈아가면서 지속적으로 안부를 묻고 무얼 도와주면 될지 알아내려 했지만 슬픔이 무슨 금 조각이라도 되는지 마치 없는 것처럼 감추려만 들었다. 그러다 홀연 시골로 사라진 것이다. 만약 혜자가 아니었으면 경실이는 곧 우리 사이에서 잊혀지고 말았을 것이다. 사실상 거의 잊혀졌을 무렵 혜자의 아들이 유학을 마치고 돌아와 전임자리를 얻은 대학이 서울에 본교를 둔 대학의 지방캠퍼스였는데 그 소재지가 C군이었다. 서울에서 출퇴근하기에는 좀 먼 거리여서 학교 근처에 원룸을 얻어 자취를 하고 있었고 그게 경실이가 가서 살고 있는 사돈집과 한동네라고 했다. 경실이가 혜자한테 그런 얘기를 했을 리는 만무고, 아마 얻어들은 소문 아니면 반기지 않아도 주책없이 들렀다가 눈치껏 보고 들은 것에다 살을 붙인 것에 불과할 터이나, 두 사람은 정말 부부로 살고 있더라고 했다. 그것도 아주 떳떳하게 깨가 쏟아지게. 인두겁을 쓰고 어떻게 그럴 수가, 이건 상피 붙는 것보다 더한 스캔들이다. 아무도 모르는 곳으로 도망쳐서 그러고 살고 있다면 모를까 몇십 년을 눌러 살았다는 보수적인 시골 동네에서 그게 과연 가능할까. 얼굴 가죽이 너무 두꺼우면 얇은 쪽에서 질려버리는 것도 모르니. 이렇게들 의견이 분분하자 나는 그래도 경실이를 두둔한다고 한다는 소리가 너 경실이가 그 영감하고 같이 자는 거, 봤니, 봤어?였다. 혜자는 내 직설적인 물음에 대답하는 것조차 천박하다고 생각했는지 표정을 아리까리하게 가다듬고는 전혀 딴소리를 했다. 한번은 영감님이 손녀를 자전거에 태우고 읍내로 난 길을 가는 걸 봤는데 경실이는 대문 밖까지 나와서 그들이 멀어져가는 걸 마냥 손을 흔들어 배웅하고 영감님은 위태롭게 뒤돌아보고 또 뒤돌아보면서 하니 안녕, 안녕 하니, 하더라는 것이었다. 자는 건 못 봤어도 그건 두 눈으로 똑똑히 봤다. 한 폭의 그림이더라. 평화가 강물같이 흐르는. 그럼 됐냐? 내가 뭐라고 하기 전에 다들 한마디씩 했다. 늙은이들이 하니라니 미쳤군, 미쳤어. 미쳐도 더럽게, 아이고 닭살이야. 나는 암말도 못했지만 이미 등줄기에 닭살이 돋고 있었으므로 몸으로 동의한 거나 마찬가지였다.

혜자가 C군에 드나들기 시작할 무렵이었으니 아마 사고 당시 세 살이었던 손녀가 열 살은 되었을 무렵이었을 것이다. 그동안 그 양가 부모가 그 정도로 안정을 찾았다면 다행한 노릇이나 '하니'는 아무리 생각해도 해괴망측했다. 오히려 혜자는 사돈끼리의 망측한 동거를 기정사실로 받아들이고 기회 있을 때마다 들르고 그 식구들의 사는 모습을 전해주곤 했다. '하니'가 워낙 자극적이어서 그 뒤에 전해 들은 소리는 별로 재미있지 않았다. 지방에 살면서도 손자 공부를 잘 시켜 미국에 명문대학에 입학하게 되었다는 소식은 부러움까지 샀고, 손자가 이제부터 누이 동생은 자기가 책임지겠다면서 같이 유학을 떠나고 싶어 해서 둘을 한꺼번에 떠나보냈다는 소식을 전해 듣고 다시 한 번 억측이 구구해졌다. 두 늙은이가 눈치 볼 거 없이 깨가 쏟아지게 됐을 거라고도 했지만, 대학생이 됐으면 성인이라고는 하지만 아직 제 앞가림도 어려운 나이인데 친할아버지 외할머니의 동거가 오죽 창피하고 견디기 힘들었으면 동생까지 데리고 떠나려 했겠냐고 가엾어하는 마음이 조실부모한 남매에게로 모아졌다. 그리고 마치 보물찾기처럼 그 많은 돈은 다 어디로 갔을까, 에 추리력이 모아졌다.

실은 처음부터 우리의 관심은 돈, 거액의 보상금에 있었는지도 모르겠다. 그 끔찍한 참척을 겪고도 눈이 초롱초롱해서 밥을 아귀아귀 먹은 것도 거액의 보상금 때문일 거라고 했고, 그 후에도 외가 친가의 두 늙은이가 아이들 손목을 양쪽에서 부여잡고 한시도 놓지 않은 것도 그 아이들에게 지급될 돈에 대한 후견인의 권한을 절대로 놓치지 않으려는 행동으로 이미 자리매김한 뒤였다. 상식에 어긋난 이 일련의 있을 수 없는 일들을 모두 다 돈 욕심으로 풀자, 매듭을 잘 드는 칼로 내리친 것처럼 세상만사는 의외로 간단하고 어이없어졌다.

두 늙은이가 깨가 쏟아지게 살게 된 지 얼마 안 있다 사돈영감이 먼저 세상을 떴다. 지금은 경실이 혼자서 그 집을 지키고 있다. 그녀가 살던 아파트는 아직도 서울에 있다는데도 돌아오지 않고 그 집에 남아 있는 것도 혹시 그 집에 대한 욕심이 아닐까, 의심나는 점이 없지 않지만 다들 경실한테 시들해진 지 오래다. 아이들을 유학 보냈다는 소식을 마지막으로 현장 중계를 하던 혜자가 아들이 결혼한 후 더는 C시에 내려갈 구실이 없어졌기 때문이다. 그 후에는 도리어 내가 가끔 전화로라도 안부를 묻곤 했다. 전화로 듣는 경실이의 참한 목소리는 소문으로 듣던 그녀의 인상을 서서히 밀어내고 한동네의 오래 같이 살던 여고 동창의 친밀감을 회복시켜주었다. 말수가 적고 거짓말을 잘 못하는 그녀에게 돈 때문에 그렇게까지 했다는 게 사실인지 물어보고 싶었다. 나는 팔자가 좋아서였는지 세상물정에 어두워서인지 돈에 농락당한 적도 돈 때문에 수모를 겪은 일도 없다. 마치 내 팔자에 작은 옹달샘을 타고난 것처럼 먹을 만큼 퍼내면 그만큼 고이려니 하고 살아왔다. 돈이 어느 만치 중요한지 잘 모른다. 그래서 더더욱 그렇게 안 기른 줄 안 내 자식들이 돈 때문에 다투고 돈 때문에 의가 상하는 꼴이 실망스럽고 마음이 안 놓여 이대로는 편히 눈을 못 감을 것 같다. 돈 때문에 인면수심이 되는 것도 마다한 경실이의 말년을 내 눈으로 직접 보고 싶기도 하고 돈에 관한 한 도사가 다 돼 있을 그녀로부터 자문이나 하다못해 암시라도 받고 싶다.

아니 벌써 가을인가. 버스에서 내려서 논둑길을 걸으면서 비로소 계절을 느꼈다. 황금색과 녹두색 중간 정도로 여문 망망한

벼이삭에 파도를 일으킨 소슬바람이 부풀린 치마를, 보는 사람도 없는데 급히 다둑거리며 흙 속에 누운 그이는 지금 어떤 모습을 하고 있을까, 문득 궁금해진다. 많이 상했을 육신은 잘 떠올릴 수 없지만, 이승이 많이 고달팠으리라는 생각은 늦게 든 철처럼 가슴속을 쿵 울리고 지나간다.

집들이 드문드문 떨어져 있어서 데면데면해 보이는 동네에서도 한참 떨어져 있어서 외딴집처럼 보이는 집 앞에 경실이가 나와 있다. 미리 전화를 걸었더니 버스 정류장까지 마중 나오겠다는 걸 내가 극구 말렸는데 그래도 마음이 안 놓였나 보다. 나는 내가 바로 찾아왔다는 표시로 손을 크게 흔들었다. 경실이도 같은 동작으로 알은체를 했을 뿐 달려나오지는 않는다. 나 역시 걸어오던 보폭을 빠르게도 느리게도 하지 않고 지나가는 사람처럼 걸어 들어갔지만 마음은 충분히 따뜻해져 있었다. 주황색 지붕이 생뚱맞아 보이게 집은 허름했지만 양지발라 구질구질해 보이진 않았다. 토담 밑에 세워놓은 자전거 바퀴가 은빛으로 빛나는 게 이물스러워 보일 만큼 구태의연한 집이었다. 마루에 앉으면 하늘이 많이 보이는 재래식 기역 자나 디귿 자 집이 살림하는 여자들에게 불편한 건, 부엌을 드나들려면 마루에서 내려가 신발을 신어야 하기 때문인데 그거 하나는 제대로 개량해놓은 것 같았다. 안방에서 꺾여 부엌이 있던 자리는 창호지문이 달린 방으로 개조돼 있었고, 부엌은 꽤 넓은 대청마루의 반쯤을 차지하고 안방과 연결돼 있었다. 마루 뒤 유리 분합문을 통해 보이는 뒤란에는 창고 같기도 하고 별채 같기도 한 부속 건물도 보였다. 전기 보일러로 고쳤더니 그렇게 자리를 많이 차지하네. 내가 물어본 것도 아닌데 경실이가 그렇게 설명을 했다. 돌솥에서 밥이 노릇노릇 뜸이 드는 냄새가 났다. 시골에도 음식점은 있으려니, 나가 먹으려던 계획을 취소하고 마룻바닥 겸 부엌바닥에 방석 깔고 앉아 그녀가 이것저것 밑반찬도 꺼내고 나물도 조물락거리는 걸 지켜보았다.

"시골집도 이렇게 개조하니까 아파트 못지않네. 안주인이 음식 장만하는 동안 객이 구경하며 수다도 떨 수 있고."

"시골 사람들도 다들 이 정도는 하고 살아."

"그래도 뭐 사 먹긴 불편하잖니."

"사 먹을 게 뭐 있나. 널린 게 먹을 건데. 텃밭도 있고, 마당 댓돌 밑에 시퍼런 거 저거 다 먹을 거야. 나도 잘 모르다가 서울 사람들한테 배운 것도 많아. 성인병이나 암에 좋다는 건 시골 사람들보다 도시 사람들이 더 잘 알더라. 내 동생들 다 서울서 잘 살잖니. 혼자 사는 동기간 생각한다고 주말마다 번갈아가며 먹을 거 바리바리 싸가지고 드나드는데 내가 이루 다 먹을 수가 있어야지, 동네 사람들 사는 사정 뻔하니까 저런 집엔 이런 게 아쉽겠구나, 이런 집엔 이만저만한 것이 필요하겠구나, 대강 어림짐작으로 나눠주면 그 사람들도 거저 먹지 않고 꼭 뭐로든지 갚으려고 든다니까. 준 거보다 더 많이 받으면 여기선 흔하지만 서울 사람들한테는 귀한 거니까 내가 또 바리바리 싸줄 수가 있고. 요즘 서울 사람들 아무리 보잘것없는 푸성귀라도 자연산, 무공해 어쩌구 하면 껌벅 죽잖니. 돈 안 들이고 실컷 인심 쓰고, 이러다 나 부자 될 것 같다."

"그렇게 부자가 되고 싶니?"

"아니 지금도 먹고 남으니까 부잔데 더 부자가 돼서 뭘 하게."

"그건 내가 할 소리고, 지금 너 프라이팬에 볶고 있는 거 그거 뭐니? 냄새가 나쁘지 않네."

"곤드레라나, 만드레라나 그런 웃기는 이름인데 이것도 혼자 사는 노인네한테서 얻은 거야. 예전엔 흉년 든 해에나 먹는 구황식품이었는데 암에 좋다던가, 당뇨에 좋다던가 소문이 나고부터 이것만 전문적으로 파는 음식점이 다 생겼다네."

"그럼 나도 많이 먹어야겠다."

"그래 많이 먹어. 뭐든지 걸리기 전에 예방이 제일이야."

"돌솥에 지어서 그런가, 잡곡을 많이 두었는데도 밥이 조금도 안 거칠고 혀에 착착 붙는다."

"그래? 돌솥에 짓기 잘했네. 영감님 돌아가시고 거의 안 썼어. 지키고 있어야 되니까 귀찮아서."

"설마 했는데 너 정말 사돈영감하고 같이 산 것 같다. 회상하는 폼이."

"넌 왜 내가 사돈영감하고 한집에 산 걸 지금 처음 안 것처럼 말하니?"

"너무 부자연스러우니까. 망측하기도 하고."

"내 동생들은 한술 더 떠서 엽기라고 하더라."

"그럼 너도 세상 사람들이 뭐라고 하는지 알고 있었단 말이니?"

"그걸 어떻게 모를 수가 있냐? 내 친동기만 해도 사 남매나 되고, 혜자가 우리 집에 뻔질나게 드나들곤 했는데."

"왜 그랬어? 한창 나이에 혼자되고도 딸내미 하나 바라고 스캔들 하나 없이 씩씩하게 잘도 살더니만 그 와중에 실성을 해도 분수가 있지 어떻게 사돈하고 그렇게 될 수가 있냐 말야."

"어떻게 됐는데?"

"시침떼지 마. 이제 와서 명예 회복이 될 것도 아니고. 웃지도 말고, 기분 나쁘니까."

"기분 나쁘게 하려고 웃은 건 아니고 진짜로 우스워서 웃었어. 나에겐 선택의 여지없이 자연스러웠던 일이 남들에겐 그렇게 부자연스러워 보였다는 게 웃기지 않니."

"변명을 하려면 좀 그럴듯하게 해라. 안사돈끼리도 아니고 예전 같으면 대면하기도 조심스러운 안사돈과 바깥사돈이 이런 외딴집에서 한살림을 차린 게 엽기가 맞지 어떻게 자연스럽다고 우길 수가 있냐?"

"사람의 의지로 선택할 수 없이 저절로 돼가는 거면 자연스러운 게 아닐까. 처음 그 일 당했을 때, 세 살, 여섯 살, 저 어린것들 어쩌나, 그 생각 때문에 눈물도 안 나더라구. 사람들마다 불쌍해하는 눈길로 바라보며 혀를 차지를 않나, 눈물을 흘리지를 않나, 눈치가 빤한 어린것들이 즈이들 처지가 얼마나 달라졌다는 걸 왜 모르겠어. 그때부터 세 살짜리는 내 손을 한시반시 안 놓고, 찰싹 붙어 있으려고 그러지, 그뿐인 줄 알아. 다른 한 손으로는 즈이 오래비 손을 꽉 쥐고 안 놓지, 사내놈은 사내놈대로 누이에게 잡히지 않은 다른 한 손으로는 즈이 친할아버지 손을 꽉 부여잡고 놓아주지 않지, 쇠사슬도 그런 쇠사슬이 없더라고. 그게 아이들 나름의 생존전략이었을 거야. 두 아이들에게 묶인 우리 두 늙은이는 꼼작 못하고 그런 모습으로 장례식 치르고 그 후에도 같이 이동해 처음엔 우리 집으로 왔지. 그때까지 그 애들을 내가 데리고 있었으니까. 그렇지만 친할아버지가 원한다면 둘 다 친가 쪽으로 줄 마음이었어. 애정으로는 외손 친손 차이가 없다지만 아직은 나의 구식 관념상 아이들은 그 성을 따르게 돼 있는 친가 쪽에 속해야 떳떳하게 자랄 수 있다고 믿었으니까. 얘, 너 딴 반찬도 좀 먹지 그 군둥내 나는 짠지 국물은 뭣 하러 다 마셔버리냐? 나중에 물 키려고."

"글쎄 나도 모르게 그 군둥내가 비위에 땡기네. 이거 어떻게 만든 거니?"

"만들고 말고가 어딨어. 무를 통째로 왕소금에 푹 절인 거지."

"그건 아는데 짠맛 말고 군둥내가 꼭 요만큼만 나게 하는 레시피 말야."

"레시피 좋아하네. 그거 작년 것도 아니고 아마 재작년 걸 거야. 김장때가 쉬 돌아올 것 같아서 뒷마당에 묻어둔 항아리를 살피다가 밑바닥에 골마지를 푹 뒤집어쓰고 있는 무가 서너 개 남았기에 버리기도 뭣해서 씻어서 냉장고에 넣어두었다가 손님 맞을 준비한답시고 나박나박 예쁘게 썰다가 맛을 보니까 어찌나 소탠지 몇 번 물에 울궈내고 나서 다시 물 부어놨던 거야. 가미한 건 초 몇 방울하고 실파 썬 것하고 고춧가루 솔솔 뿌린 것밖에 없어."

"그럼 또 만들려면 한참 걸리겠네."

"왜 더 먹으려고? 물 부어놓은 거 한 대접이나 냉장고에 더 있어. 거기다가 가미만 하면 되는데 그만 먹어. 요새 짜게 먹지 말라고 난리더라."

"난리 치라지. 오래 살고 싶은 사람들 즈네들끼리. 근데 넌 혼자 살면서 뭣 하러 김장까지 하냐? 심란스럽지도 않아?"

"그럼 어떡하니. 텃밭에 배추가 잘된걸. 영감님이 전에 하던 대로 약도 치고, 화학비료도 아주 안 준 게 아닌데도 서울 식구들은—동생네들 말야— 벌써부터 무공해 배추라고 눈독을 들이고 있는데. 배추로 줘도 제대로 담가 먹지도 못할 화상들이 그러니 양념 갖춘 데서 아주 담가서 보내줘야지. 그래도 동기간이 고맙지 뭐니? 돈으로 따지면 몇 곱으로 갚아주려고 그렇게들 벼른다는 거 다 알아."

"넌 그럼 지금은 수입원이 전혀 없니?"

"왜 없어. 서울에 내 아파트 있잖아. 거기서 월세 나오는 거.

많지는 않아. 십 년 넘게 한 번도 올려달란 적이 없으니까. 그 대신 다달이 월말이면 칼같이 내 통장으로 입금이 돼. 아이들 미국 보내고 곧이어 영감님 돌아가시고 나서는 한 번도 찾아 쓴 적이 없으니까 그동안 좀 모였겠지. 땅이 화수분이야. 내가 물물교환을 잘해서 그런지 학비가 안 들어서 그런지 돈 들어갈 데가 거의 없네."

"이 집 말고도 영감님 땅이 많아?"

"몇천 평 되나 봐. 마나님 돌아가시고 묘 쓰려고 샀다는 산 쬐금까지 포함해서 그렇다니까. 얼마 안 되지. 산도 재밌어. 너 온다고 해서 부잣집 마나님한테는 뭘 좀 싸줘야 시큰둥해하지 않을까 생각하다가 밤 때가 된 것 같아 산에 갔다가 아람을 곧 많이 주웠다. 얼마나 반들반들하고 예쁜지 몰라. 이따가 들고 갈 만큼 싸줄게."

"네 눈이 더 반짝인다. 너 여기 내려와 산 지 십 년이 넘는데 지긋지긋하지도 않아? 마치 올해 처음 전원생활 해보는 사람처럼 신기해하고 감동까지 하는 거 보면."

"하긴 그래. 영감님 살아 있을 때는 밭일은커녕 문밖에도 별로 안 나갔어. 나갈 일 없이 다 해다 줬으니까. 참 자상한 양반이었어."

"동네 사람들 보기 창피스러워서 못 나간 건 아니고? 이쪽이 얼마나 배타적이고 보수적인 고장이라는 걸 너도 모르지 않았을 텐데. 더군다나 그 영감은 여기 토박이였다며. 철판 깔지 않고는 언감생심 이 집 안주인으로 들어앉을 엄두를 낼 수 있었겠어?"

"철판은커녕 의식도 안 하고 이 집 안방에 들어앉게 됐다면 어쩔래. 정말이야. 내 동기간들도 처음엔 나를 죽기 살기로 말리다가 나중엔 내가 실성한 줄 아는지 한동안 연을 끊고 살다가 관계가 회복된 지금까지도 그동안의 내 행적을 무슨 미스터리처럼 궁금해하니까 너도 나한테서 뭘 알아내고 싶어 하는지 왜 모르겠어. 군둥내 나는 짠지 국물 그만 마시고 딴 반찬도 좀 먹어봐라. 곤드레나물도 괜찮지만 씀바귀 민들레잎도 된장에 찍어 먹으면 별미야."

"씀바귀 민들레 그거 봄에 나는 거 아니니?"

"양지바른 데서는 한겨울에도 나. 시퍼런 채로 겨울을 나기도 하고 새로 돋기도 하고."

"그래서 몸에 좋다는 건가."

"몰라, 독초 빼고는 약초 아닌 게 없더라. 암에 좋지 않으면 당뇨에 좋다 고혈압에 좋다 아무튼 말도 잘 만들어내."

"넌 하나도 안 믿는 눈치다."

"믿고 말고가 어딨어. 뜬소문 같은 건데. 그렇지만 밀가루도 소화제라고 속이고 먹이면 어느 정도 듣는다는 플라시보 효과라는 건 있겠지."

"너 이런 것만 먹어서 건강한 거 아니니? 하나도 안 늙었어. 서울서 우리 자주 만날 때는 내가 너보다 십 년은 더 젊어 보였었는데, 아니지 십 년이 뭐야, 언제더라? 그때 너하고 갤러리아 명품관에 갔을 때 우리 사이를 모녀 사이로 봤잖니."

"그건 넌 명품을 살 것같이 보이고 난 아니올시다,로 보였으니까 그것들이 너한테 아부부터 하고 본 거지. 고런 것만 기억하는 걸 보면 너도 참."

"속물이다 이거지, 그래 좋아 속물의 천박한 호기심도 채워주라."

"뭘?"

"아까 얘기하다 말았잖아. 아이들이 중간에서 쇠사슬이 되어 사돈영감하고 널 묶은 것처럼. 그 쇠사슬은 유치원도 안 가고 놀이터도 안 가고 두 늙은이를 잡고 안 놓아주던?"

"정말 그랬어. 자식새끼 장례 치르고 난 두 늙은이 심정이 오죽했겠냐. 어린것들 때문에 실컷 울지도 못하고, 영감님이라도 시골집에 내려가서 통곡을 하든지 말든지 하고 나서 하루 빨리 직장으로 복귀해야 할 것 같았지만 아이들이 놓아주지를 않아 우리 집으로 같이 왔지. 사돈집에서 하루 이틀 유할 수도 있는 거지, 안 그러니? 거기까지는 우리도 상식이 통하는 행동을 했다고 생각해. 밤에 잘 때가 문제였다. 장례 동안 네 사람이 붙어 다닌 것처럼 그렇게 남매가 가운데 눕고 두 늙은이가 양옆에 누워 자기를 바라는 거야. 아이들이. 처음엔 안 된다고 했지. 계집애가 빤히 쳐다보면서 왜 안 되냐고 묻는 거야? 아녀석은 뭐 좀 철이 난 줄 알았는데 역시 더 무서운 얼굴로 왜 안 되냐고, 즈네들이 안 보는 사이에 도망갈 거냐고 따지는 거야. 왜 안 된다는 걸 설명할 수가 없었어. 그때 우리는 그 애들이 절박하게 원하는 거면 다 옳은 일이었으니까. 아이들이 잠든 후에 우리 두 늙은이 중 한 사람이 딴 방으로 옮겨갈 수도 있었지만 안 그랬어. 우린 둘 다 생때같은 자식이 별안간 이 세상에서 사라진 느낌이 얼마나 무섭다는 걸 알기 때문에 그에 못지않을 어린것들의 공포감을 될 수 있으면 덧들이고 싶지 않았어. 혹시 아이들이 자다 깨면 얼마나 놀라겠어. 줄창 붙들고 있으려고 해서만 쇠사슬이 아니야. 좀 안정된 후에는 유치원도 가라면 갔지만, 전엔 유치원 버스만 태워주면 혼자 다니던 애가 꼭 할머니나 할아버지 중 한 사람이 따라와서 지키고 있길 바랐고, 가끔 놀이방에 맡기던 계집애도 놀이방이라는 말만 들어도 경기를 하려고 하고. 이게 쇠사슬이지 이보다 더한 쇠사슬이 어딨냐. 그렇지만 집 안에 마냥 묶어둘 수만 없는 게 남자 아니겠어. 그 양반은 그때 아직 현직이었거든. 그래도 좀 철이 난 아녀석을 붙들고 설득했지. 할아버지는 직장으로 돌아가야 한다. 아빠도 없으니 할아버지라도 돈을 벌어야 하고, 할아버지 직장은 서울에서 다니기 멀다고. 그랬더니 글쎄 아녀석이 선심 쓰듯이 흔쾌히 승낙하면서 다 같이 시골로 내려가자는 거야. 어미 아비 생전에 주말마다 시골에 다녀오더니 그때 정이 든 것도 있고, 다니던 유치원도 싫었던 모양이야. 유치원 선생님이나 아이들이 저한테 전보다 더 친절하게 해주는 게 싫다는 거야. 너희들이 할아버지하고 같이 살고 싶은 건 좋은데 그러면 할머니하고는 같이 살 수 없게 되는 거라고 했더니 또 왜 안 되냐는 거야. 아이들이 말간 눈으로 두 늙은이를 번갈아 쳐다보면서 왜 안 되냐고 따지니까 대답할 말이 없고, 아이들에게 설명할 수 없는 이 세상 상식은 무시해도 좋다는 식으로 생각이 단순하게 정리가 되더라고. 그래서 내려온 거야. 집 정리도 하고 말고 없이 몸만 내려왔으니까. 세간은 한 방에 몰아넣고 나머지 방은 월세로 주는 것도 부동산에서 다 해주더라. 나는 월세 받아 수입 생기니 좋고, 영감님은 군청에 다시 나가 월급 타오니 좋고 아이들 하자는 대로 하니까 만사가 편하고 걱정이 없더라고."

"그렇게 돈이 좋디? 느이 두 늙은이 옭아맨 게 쇠사슬이 아니라 금사슬이었구나."

"근심이 없어졌다고 했지 슬픔이 없어졌다고는 안 했어."

"혼동해서 미안해. 여기 내려와서도 한방에서 네 식구가 잤냐?"

"한동안은, 애 녀석이 초등학교 갈 때까지. 이제 학교 학생이 됐고 너는 남자니까 할아버지하고 같이 자면서 책도 읽어달래고 공부도 봐달라고 해야 한다고 타일렀더니 그때는 순순히 듣더라. 그래도 가끔 베개 들고 안방으로 스며들곤 했어. 그 애한테는 할미가 엄마였으니까."

"영감님은 몰래 스며들지 않고?"

"처음부터 네가 궁금한 게 그거였다는 거 알아. 한방에서 잠만 잤을까, 딴 짓은 안 했을까. 잠만 잤어. 그렇지만 영감님이 딴 짓을 하고 싶어 했다고 해도 거절하지 않았을 거야. 그 짓이라도 그 영감님에게 위로가 될 수 있다면 말야. 그까짓 게 뭐 그리 대단한 거라고 못 내주냐 못 내주길."

"목석처럼 살았다는 건지 성인처럼 살았다는 건지 나 같은 속물은 못 알아먹겠네. 네 말을 못 믿어서가 아니라 그렇게 아무렇지도 않은 사이에 여보 당신도 아니고 하니가 뭐냐? 닭살 돋게."

"하니? 으응. 세 살짜리가 말 배울 때부터 할머니는 하니, 할아버지는 하지라고 하는 걸 고쳐주지 않고 그냥 따라 했을 뿐이야. 하지 진지 잡수시라고 해라, 하니한테 빠이빠이 해야지, 하는 식으로. 매사에 그런 식이었어. 그 애의 어린양은 마냥 받아주고 싶어 했고, 그 애도 그걸 알고 우리 품을 떠나는 날까지 혀짧은 소리로 하지, 하니, 했으니까. 그뿐인 줄 알아. 막내는 중학교 졸업할 때까지 학교고 학원이고 하지가, 영감님이 자전거에 태워가지고 다녔어. 학교도 그렇지만 학원도 다 읍내 나가야 있잖아. 조기유학시키려고 학원이다 과외공부다 온종일 아이를 조리를 돌렸으니까. 당신이 오래 못 살 거라는 걸 알았는지 줄창 끼고 다니고 싶어 하는 것과는 딴판으로 떼어내고 싶어 조바심을 하더라고. 보통 부모들 같으면 자식이 독립할 시기를 대학 졸업하고 취직할 때나 시집 장가갈 즈음으로 잡을 텐데, 이 양반은 큰애한테는 일찍부터 대학은 미국 가서 다녀라. 그래야 자립이 빠르다. 동생은 그때부터 네가 책임져야 한다. 이런 식이었어."

"둘 다 유학 보내는 건 도시에서도 웬만한 부자 아니면 힘든 일인데 영감님이 그렇게 돈이 많았니?"

"아이들 돈이 있잖아. 즈이 어미 아비 죽으면서 받은 보상금이 거액이었을걸. 그것 가지면 두 아이 대학 졸업시킬 만하다는 건 영감님만의 주먹구구는 아니었을 거야. 영감님 동기간들은 다들 미국에 사는데 그쪽에다가 후견인 부탁도 하고 학비 의논도 했을 거야. 여동생 하나는 부부의사로 잘산다니까, 아이들 돈을 떼먹지 않을 거란 믿음도 갔을 테고. 유학 간 데도 그이들하고 같은 도시 학교래."

"그럼 아이들을 그만큼 기를 동안 그 돈은 축내지 않았단 소리네."

"쓸 일이 있어야 쓰지."

"사교육비만 해도 적지 않았을 텐데."

"우리 돈으로 시킬 만했으니까 시켰겠지. 다 영감님이 알아서 했어. 이 싱크대 맨 아래 서랍 있잖아. 제일 깊은 서랍, 내가 거기다가 월말이면 서울서 월세 부쳐오는 걸 은행에서 찾아다가 현금으로 넣어놓고 아이들이 돈 달랠 때마다 거기서 꺼내주는 걸 보더니 영감님도 다달이 월급 타는 걸 찾아다가 거기다 넣어두더라. 당신 용돈이나 아이들 과외비도 일단 거기 넣었다가 그때그때 쓸 만큼 가져가대. 수북하던 현금이 거의 바닥날 만하면 또 월말이 돌아오고. 아껴 쓰지도 헤프게 쓰지도 않으니까 저절로 수입과 지출이 맞아떨어지더라. 영감님이나 나나 한 번도 돈 문제 가지고 의논한 적도 걱정한 적도 없어."

"그럼 도대체 무슨 얘기를 하고 살았냐?"

"직접적으로는 아무 얘기도 한 것 같지 않네. 오늘 저녁에 뭐 해 먹을까도 아이들을 통해 물어보고, 영감님도 오늘 점심땐 하니한테 수제비 해달랄까, 이런 식으로 말했으니까. 깊은 속내는 말이 필요 없는 거 아니니? 같이 자는 것보다 더 깊은 속내 말야. 영감님은 먼산이나 마당가에 핀 일년초를 바라보거나 아이들이 재잘대고 노는 양을 바라보다가도 느닷없이 아, 소리를 삼키며 가슴을 움켜쥘 적이 있었지. 뭐가 생각나서 그러는지 나는 알지. 나도 그럴 적이 있으니까. 무슨 생각이 가슴을 저미기에 그렇게 비명을 질러야 하는지. 그 통증이 영감님이나 나나 유일한 존재감이었어. 그 밖의 것은 하나도 중요하지 않더라. 남이 뭐라고 하든 그게 나하고 무슨 상관이야. 내가 아닌데. 소문뿐 아냐. 요새 산이 좀 예쁘냐. 저 앞산을 좀 봐라. 어쩌다 서울 가면 그 야경은 또 어떻구. 성탄절, 연말연시가 돌아오면 더할 거야. 동생네 가면 일부러 야경 보러 광화문 나가자고 내 기분을 부추긴 적도 있으니까. 산의 단풍이나 빛의 축제도 내가 지금 보고 있는 내가 있을 뿐 거기 실체가 존재한다는 실감은 안 들어."

"네가 거액의 보상금 때문에 사돈네하고 합치게 됐다는 소리가 정말이 아니라고 쳐도 아이들을 미국 보내고 나서 영감님하고 단둘이 남게 된 후까지도 여길 떠나지 않고 머물러 있었다는 건 변명의 여지없이 흑심이 있는 거 아니었을까."

"글쎄다, 마음이 무슨 빛깔인지 본 적은 없지만 흑심이라면 무슨 뜻일까 짐작이 안 되네. 아이들 보내고 나도 곧 여길 떠날 생각이었지만 월세 든 사람한테도 시간 여유를 줘야 할 거 아니니? 은퇴한 영감님이 집에서 편히 쉬지도 못하고 노인정이나 게이트볼이다 밖으로만 떠도는 게 좀 미안하긴 해도 월세 든 이가 기다려 달라는 동안을 못 참고 보따리 싸들고 동생네 객식구 노릇 하긴 싫더라고. 근데 그동안에 영감님이 돌아가셨어. 자전거 타고 고개 넘다가 구르면서 낭떠러지로 떨어졌는데 발견됐을 때는 이미 숨을 거둔 후였어. 남들은 사고사라고 하지만 난 자연사라고 생각해."

"어째서?"

"그때 까만 옷을 입고 있어서 그랬던지 하도 말라 부피가 안 느껴져서 그랬던지 낭떠러지 위에서 바라본 그 양반의 모습이 꼭 나뭇가지 위에서 떨어진 까마귀 같았어. 김현승의 시에도 그런 구절이 있잖니. 나의 영혼/굽이치는 바다와/백합의 골짜기를 지나/마른 나뭇가지 위에 다다른 까마귀같이, 라는."

"다다랐다고 했지 떨어졌다고는 안 했어. 총이나 맞으면 모를까 새가 어떻게 나뭇가지에서 떨어지냐?"

"총을 안 맞고 자연사해도 죽으면 떨어질 거 아냐. 상처 하나 없는 고운 자연사였어. 어머, 밥 한 공길 다 먹었네. 더 먹을래? 호박잎쌈을 좋아하는구나. 이따가 호박잎도 좀 싸줘야겠다. 호박이 끝물이야. 저번에 호박넝쿨 걷으면서 연한 잎으로 따서 냉장고에 넣어두었던 거야."

"밥은 됐어. 눌은밥이나 줄래? 네가 이렇게 이 집과 농토를 차지하고 앉았다고 네 거 되는 것 아니잖아."

"이렇게 살면 내 거지 예서 더 어떻게 내 걸 만드냐?"

"그래도 이 세상엔 소유권이라는 게 있잖니. 네 소유로 만들지 않는다고 해도 아이들 몫으로 지분은 확실하게 해둬야 뒤탈이 없을 것 같은데. 영감님이 유서나 유언 같은 거 안 남겼어?"

"아니, 하루도 안 앓고 노인정에 가다가 굴러 떨어져 죽은 양반이 어떻게 유언을 남겨. 유서 같은 거 쓸 사람은 더군다나 아니고."

"유선 어떤 사람이 쓰는데?"

"그따위 건 저승에 가서도 이승에 영향력을 행사하고 싶은 욕심을 못 버리는 사람이 쓰는 거 아닌가?"

"정신적 영향력은 과욕이라 쳐도 물질적인 건 교통정리를 해놓고 죽어야 할 것 같아. 그 양반이 안 해놓았으면 너라도. 넌 여기 말고도 서울에 아파트도 있잖아."

"재산은 더군다나 이 세상에서 얻은 거고 죽어서 가져갈 수 없는 거니까 결국은 이 세상에 속하는 건데 죽으면서까지 뭣 하러 참견을 해. 이 세상의 법이 어련히 처리를 잘해줄까 봐. 손자들 말고 그거 가로챌 사람 아무도 없어. 손자들이 너무 잘나거나 너무 못나서 제 몫을 못 챙겨도 그게 이 세상에 있지 어디로 가겠냐?"

"세금 엄청나게 뜯기고 아이들한테 제대로 차례가 갈 것 같아?"

"법이 정한 대로 뜯겨야지 어쩌겠어. 법 때문에 아이들이 보상금도 그만큼 받았으니까. 여기서 서울 가는 거 다 거저다. 버스값 정도는 꼬박꼬박 통장에 입금되지 버스 한 번 타고 C역까지만 가면 노인표 한 장으로 서울까지 갈 수 있고, 서울서 이 집 저 집 동생네로 이동하는 것도 전철을 이용하니까 다 거저잖니. 누군가가 세금을 내니까 그런 혜택을 받을 수 있는 거 아닐까."

"애개개, 그까짓 쥐꼬리만 한 혜택. 이 세상을 쥐락펴락 하는 것들이 털도 안 뜯고 삼켜버리거나 즈이들끼리 왕창 인심 쓰는데 유용하는 액수에다 대면 그까짓 거 조금도 고마워할 거 없다, 너."

"쥐락펴락이 아니라 들었다 놨다 하던 인간도 죽으면 이 세상의 있는 것 털끝 하나도 움직일 수 없잖아. 그거 하나라도 확실하면 됐지 뭘 더 바라."

"넌 그럼 그렇게 열심히, 온갖 소문 무시하고 키운 손자들한테 바라는 게 아무것도 없니?"

"그건 나도 잘 모르겠어. 요새 내가 하는 짓을 보면 영감님이 그 애들을 이 땅에서 떠나보내려고 돈 지키랴 자전거에 태우고 다니면서 과외공부시키랴 온갖 주접을 다 떤 것과는 역으로 그

애들을 끌어당기려고 무슨 음모를 꾸미고 있는 건 아닌지, 요즘 내가 하는 짓을 수상쩍게 바라보곤 하니까."

"무슨 짓을 하고 있는데."

"교신(交信), 디카 들고 다니면서 앞산의 아기 궁둥이처럼 몽실몽실 부드러운 신록부터 자지러지게 붉은 단풍까지, 마당의 일년초가 피고 지는 모습, 숨어 사는 작은 들꽃들, 아이들하고 장난치던 시냇물 속의 조약돌들, 무당벌레, 풍뎅이, 지렁이, 매미 껍질, 뱀 껍질, 아이들하고 같이 보면서 가슴을 울렁거린 추억이 있는 것만 보면 닥치는 대로 디카로 찍어서 즉시즉시 아이들에게 보내곤 하니까. 이 할미는 잊어도 너희들을 키운 이 고향 산천은 잊지 말라고, 주접떨고 싶어서 여길 못 떠나나 봐. 피곤해 보인다, 너. 과식한 거 아니니. 늙으니까 시장한 것보다 과식이 더 힘들더라. 푸성귀는 곧 소화되니까, 안방에 좀 누울래? 그동안에 너 줘 보낼 것 좀 챙기게."

"어쩐지 이 집 들어올 때부터 마당의 자전거하고 안방의 구닥다리 컴퓨터하고 동격으로 이상스러워 보이더라니."

친절한 복희씨

그는 멍한 눈으로 창밖을 보고 있다. 창도 그의 눈동자만큼이나 멍하다. 대학이 지척에 있어 젊은 활기로 넘치던 동네에 인적이 끊기니 단조롭다 못해 바보 같다. 벌써 겨울방학으로 접어든 것이다. 이삼층짜리 다세대 주택들은 처음에는 조금씩 다른 빛깔로 지었겠지만 인기척이 없어지고부터는 일제히 회색빛을 덧씌운 것처럼 음울해 보인다. 우리 집도 딴 이웃들처럼 우리가 사는 층 빼고는 원룸으로 개조해서 학생들한테 세를 놓아 먹고산다. 좀 무료하긴 하지만 안전한 노후 대책이라고 만족해하고 있다. 방학해서 학생들이 빠져나간 집 안엔 무엇이라 표현할 수 없는 적막감이 감돈다. 아무도 없이 그와 나 단둘이 있다는 게 나를 불안하게 한다. 그는 중풍에 걸려 오른쪽 반신이 흐느적대고, 제 입 안의 침도 잘 수습하지 못한다. 뭐라고 말을 하기는 하는

데 잘 알아들을 수 없이 버벌거린다. 나니까 대강 알아듣지 타인하고는 거의 의사소통이 안 된다. 입술을 오므리지 못하니까 나를 '복희야'라고 부르고 싶을 때는 입가에 심한 경련이 인다. 나는 그게 불쌍하지 않고 고소하다. 처녀 적 그의 집에서 식모살이할 때부터 함부로 부르던 이름을, 내가 그렇게 싫어하는데도 그의 마누라가 된 후에도 기분이 좋을 때나 화가 날 때는 연달아 불러대곤 했다. 반신이 무력해진 후에도 속에서 뻗치는 기운은 여전한 듯 말이 잘 안 돼 고함으로 변할 때는 유리창이 다 들들댄다. 원래 기운이 넘치는 장대한 남자였다. 개같이 벌어서 정승처럼 쓰는 게 이상인 단순한 남자가 늙고 병들어 썩은 포대자루처럼 처져 있는 걸 보면서 나는 측은하단 생각이 들기보다는 기괴한 환상에 시달린다. 저 남자는 도대체 무슨 생각을 하고 있을까. 그가 거침없이 말할 때도 그의 생각은 주로 욕망에 관해서였다. 물욕, 식욕, 성욕이 남보다 강하고 그걸 표현하는 데 망설임도 수치심도 없었다. 말로도 행동으로도 그런 욕망을 채울 길이 막혀버린 지금 그는 도대체 무슨 생각을 할까. 생각은 무슨, 그의 속이 텅 비어 있다고 생각해도 불안하고, 텅 비었다고 생각하고 그 안에다 뭘 자꾸자꾸 쑤셔넣고 싶어 하는 나는 더 불안하다. 내가 불안한 건 그가 아니라 나다.

나는 벌레 한 마리도 못 죽이는 착한 여자다. 남들이 다들 그렇다고 그런다. 정말 벌레 한 마리도 못 죽이는 위인이 된 것은 사람들이 나를 그렇게 알아준 후부터이고 그전에는 가난한 보통 사람만큼 곤충 종류의 벌레를 죽였을 것이다. 왜 그냥 보통 사람이라고 안 하고 '가난한'을 보탰냐 하면, 보통 사람들도 이미 내복 갈피에 이가 서식하지 않을 만큼의 청결은 유지하고 살 때였는데도 우리 식구는 어떻게 된 게 저녁만 먹고 나면 내복을 홀라당 벗고 오순도순 이 사냥을 해야만 다음 날 덜 긁적거리며 지낼 수 있을 정도로 구질구질하게 살았기 때문이다. 그렇게 없이 살았다고 해서 내 유년기가 우울하고 불행했던 것은 아니다. 우리 오남매가 흐릿한 전등불 밑에서 등에 멍 같은 점이 찍힌 보리알만큼 살찐 이를 두 엄지손톱 사이에서 오지직 소리가 나게 눌러 죽이며 낄낄대던 정경을 떠올리면 가족오락회의 추억처럼 그리운 미소가 번지곤 한다. 지금은 서울의 위성도시 중에서도 집값이 제일 비싼 고급 아파트 단지가 된 지 오래지만 그때만 해도 농촌이었으니 비록 땅 한 뙈기 없이 사는 집구석에서 자랐어도 논에서 메뚜기도 잡아 구워먹었을 테고, 사내녀석들을 따라 개구리를 잡아 모닥불에 그슬려 그 뒷다리를 먹어본 적도 있다. 맛이 어땠는지는 생각나지 않지만 개구리를 잡아 불 속에 던질 때까지는 사내아이들과 다름없이 굴다가 막상 개구리 뒷다리를 입에 넣고 나서는 도저히 맛있게 먹는 시늉을 할 수가 없어 낭패스러웠던 일은 아직까지도 잊혀지지 않는다.

어디 그뿐이겠는가. 도시에서 배불리 먹고 깔끔을 있는 대로 떨며 살 만하게 된 후에도 어찌 파리나 모기를 철썩철썩 때려잡은 적이 없겠는가. 제일 처음 벌레 한 마리도 못 죽이는 병신 취급을 당한 것은 지금의 영감한테 시집오고 나서 얼마 안 돼서이다. 나는 열아홉 꽃 같은 나이에 초혼이었지만 그는 서른을 넘긴 띠동갑 홀아비였다. 그가 펄펄 기운이 넘치고 내가 영양실조기가 있는 심약한 계집애였을 때는 도리어 나이 차이를 의식하지 못했다. 그이하고 하고 싶지 않은 결혼을 한 건 사실이지만 나이 때문에 그를 꺼렸던 건 아니다. 요새 나는 자주 거울 앞에 서곤 하는데 오래 바라보진 못한다. 너무 젊어 뵈는 내가, 중풍이 걸린 후 몰라보게 퇴락해가는 그보다 더 낯설어 보인다. 나는 자신이 마치 늙은 왕의 죽음과 함께 순장당한 어린 궁녀만 같아 그 애처로움을 차마 오래 견디지 못한다.

그는 단출한 홀아비가 아니라 전처의 아들도 하나 딸려 있었는데 우리가 간단하게 백년가약을 맺은 지 며칠 안 됐을 때, 내일이 그 아이 생일이라면서 닭을 한 마리 사왔다. 지금처럼 위생적으로 냉동 처리한 닭을 통으로, 혹은 부위별로 팔 때는 아니었다. 시장통에는 닭장수 골목이 따로 있어서 가게마다 닭장 안에 가둬놓고 파는 산 닭 중에서 한 마리 골라잡으면 최소한 모가지를 비틀어서 잡아준다거나, 부탁하면 가게 안 연탄불에 얹어놓은 양은솥의 끓는 물에 슬쩍 데쳐내어 털을 깨끗이 뽑아주게 되어 있었다. 그런데도 애아빠는 마치 집 안에 두고 기를 것처럼 벼슬이 시뻘건 장닭을 한 마리 사다가 헛간 기둥에 매어놓으면서 내일 아침에 잡으라고 했다. 그 닭을 잡을 일이 태산 같아서 잡아서 국을 끓이라는 건지, 볶아먹자는 건지도 물어보지 못했다. 아이 생일날 새벽에도 장닭이 우는 소리에 깨어났다. 너무 자신 없는 일이라 그 일 먼저 해놓고 밥을 지으려고 마당의 수돗가로 도마를 갖다 놓고 닭을 붙잡아다가 억지로 도마 위에 눕히고 식칼로 들입다 내려쳤다. 도마에 피가 낭자한 걸 보자 죽은 줄 알고는 진저리를 치면서 닭한테서 손을 뗐다. 그러나 닭은 푸드득 일어나 반쯤 잘린 모가지를 건들대며 마당을 가로질러 헛간 모퉁이를 향해 내닫는 게 아닌가. 닭은 헛간 모퉁이로 사라지기 직전에 흘긋 나를 돌아본 것 같았다. 닭의 핏발 선 눈과 마주치자 나는 그 자리에 주저앉으면서 어찌나 큰 소리로 비명을 질렀던지 온 집안 식구가 다 깨서 뛰어나왔다. 애아빠는 그때 방산시장에서 잡화도매상을 하고 있어서 점원으로 와 있는 군식구가 여럿 됐다. 아이의 외할머니가 안방 차지를 하고 있고, 우리는 건넌방을 쓰고 있었다. 건넌방에서 뛰어나온 애아빠가 사태를 알아차리고 핏자국을 따라가 뒤란에서 숨을 거둔 닭을 잡아오고, 나는 방에 데려다 눕혔다. 그때 나는 임신 중이었다.

"원, 사람도 얼뜨긴."

조금 늦게 안방에서 아이와 함께 나온 아이 외할머니에게 아이 아빠는 이 사람이 이렇게 얼뜨답니다, 하고 경위를 설명했다. 아이 아빠나 외할머니나 내가 얼뜨다는 것에 호의적이었다. 시집간 딸이 죽은 후, 새로 들어온 사위의 후처에게 전처의 어머니가 어떤 표정을 지어야 하는지는, 그런 경우가 그리 흔한 건 아닐 테니 정해진 건 없다고 해도, 그 노인은 거의 가여울 정도로 노상 경직된 표정을 짓고 있었는데, 그게 한결 누그러지는 게 느껴졌다.

"놀라셨죠. 제 잘못이에요. 벌레 한 마리도 못 죽이는 사람한테 닭을 잡으라고 했으니."

얼뜬 사람이 순식간에 벌레 한 마리도 못 죽이는 사람으로 변했다. 나는 이상한 가족 구성원 속으로 시집온 후 처음으로 편안한 마음으로 벌레 한 마리도 못 죽이는 사람 시늉을 하고 누워 있고, 노인이 행주치마 두르고 부엌으로 나가 외손자 생일상을 차렸다. 나에게도 하얀 닭고기가 둥둥 뜬 미역국이 차려졌지만 욕지기가 나서 입을 틀어막고 물렸다. 임신 중이었으므로 그건 당연한 권리였다. 내가 애를 가졌다는 얘길 사위에게 처음으로 들은 듯, 노인은 한약을 지어온다, 생약으로 이상한 풀뿌리를 달인다, 있는 정성 없는 정성을 다하고 나서 나에게 아무 일이 없자 당신 집으로 돌아갔다. 나중에 안 일이지만 그가 상처하고 나서 삼 년 안에 새장가를 든 사람은 내가 첫번째가 아니었다. 나처럼 최소한의 육례를 갖춘 혼사는 아니었다고 해도 살림도 잘하고, 가게일도 곧잘 참견할 만한 여자를 들였다가 반년 만에 내치게 된 연유가, 성품이 독해서였다고 한다. 어린 전실 아들을 어찌나 모질게 학대했는지, 외할머니가 와보고 아이가 너무 꼬질꼬질해 목욕이라도 시켜주고 가려다가, 온몸이 꼬집혀 피멍 든 자국을 보고 놀라 사위한테 일러서 내쫓게 한 모양이었다. 그는 자식이라면 벌벌 떠는 사람이었고, 또 그만한 중심 상권에 자기 점포를 장만해 빈곤을 벗어나기까지는 처가 쪽의 덕이 컸기 때문에 장모도 그 정도의 세도는 부릴 만했다. 그 후 내가 들어갈 때까지 안방 차지를 하고 외손자를 끼고 돌면서 집안의 대소사까지 건사하고 있었지만, 갈데없는 노인이 아니라 만장 같은 자기 집에 아들 며느리를 거느린 유복한 노인이었다. 안심하고 외손자를 맡겨도 된다고 판단한 이상 더 지체할 이유가 없었을 것이다. 비로소 나는 안방 차지를 할 수가 있었다. 내 아이가 주줄이 생긴 후에도 그 전실 자식과 내 아이를 차별해 기르지 않았다. 모질지 못한 건 천성이다 쳐도 벌레 한 마리도 못 죽인다는 건 사실과 달랐지만 그렇게 알려지자 행운이 뒤따랐는데 굳이 아니라고 우길 까닭이 뭐 있겠는가.

오늘은 두번째 일요일이니까 둘째네 식구들이 오는 날이다. 둘째라지만 전실 아들까지를 포함해서 둘째니까 내 속으로 낳은 자식으로는 맏이인 셈이다. 전실 자식과 내 자식을 차별해서 기르지 않았다고 했는데 사실이다. 내 자식이 생기고부터는 마음으로부터 그러기는 쉽지 않았지만, 주위 사람들에게 그렇게 보이는 게 내 신상에 편하다는 걸 안 이상 전실 아이를 더 사랑하는 척이라도 못할 것 없었다. 그 아이가 착해서 동생한테 샘내지 않고 예뻐해줬다는 것도 그 아이와의 좋은 관계에 도움이 되었다. 첫아들 다음에 첫딸을 낳고도 아들 둘을 더 낳아 전실 아들까지 치면 오남매를 두게 되었다. 딸은 미국 유학까지 보냈더니 거기서 신랑 만나 결혼해서 잘산다. 나는 딸 덕에 미국 구경한 적은 없다. 딸이 이삼 년에 한 번씩 다니러 온다. 남은 네 아들은 장가가서 제 가정을 이루면서 뻰질나게 드나드는 자식도 있고 어쩌다가 선물을 잔뜩 사가지고 오는 자식도 있었다. 우리가 가진 것도 자식 신세 안 지고 먹고살 만했으므로 자식들이 그러건 말건 개의치 않았다. 그렇게 제각기 생긴 대로 하던 효도를 어느날 둘째며느리가 나서서 교통정리하더니 오늘날처럼 공평하고 규칙적인 게 되었다. 나는 그렇게 똑떨어지게 똑똑한 둘째며느리를 별로 좋아하지 않는다. 전실 자식까지도 차별하지 않고 공평하게 대할 수 있었던 건 며느리가 생기기 전까지고, 남의 자식들이 들어오고부터는 내 마음속에도 저울이 생기기 시작했다. 겉으로 나타내진 못하고 있지만 며느리에 따라서 예쁜 자식, 미운 자식이 생긴 것이다. 편애의 쾌감은 독하고 날카롭다. 첫째 일요일엔 첫째네가, 둘째 일요일엔 둘째네가, 이렇게 순번을 정해서 오기로 합의했다고, 마치 노인복지사처럼 나무랄 데 없이 공손하고 친절한 태도로 알려줬을 때 내가 뭐랬더라?

"공일이 닷새 든 달도 있던데 그런 공일날엔 뭐 할 거냐. 네 집이 모여서 얼씨구 소풍이라도 가지 그러냐."

"어머님도 참, 우리도 스트레스 안 받는 날도 좀 있어야죠. 그게 그렇게 억울하시면 미국 있는 시누님을 다달이 부르시든지요."

요렇게 싸가지 없는 며늘년을 내가 아무리 부처님 가운데 토막 같은 시어미라 해도 어떻게 안 싫어하겠는가.

정해진 시간에 인터폰이 울리고 거실 화면에 유치원 다니는 손자의 모습이 비친다. 화면 속의 그 아이는 점프를 하면서 손가락으로 V자를 그려 보인다. 잠시도 가만히 못 있는 것하고, 시도 때도 없이 V자를 그려 보이는 게 그 아이의 좀 별난 버릇이다. 위로 누나도 있는데 남매를 같이 데려올 적도, 부부가 같이 올 적도 없다. 아이가 별나게 굴 때마다 어미는 아이를 나무라는 대신 제 아빠를 닮았단다. 나 들으라는 소리일 것이다. 하도 정신없이 길러서 나는 내 아이들이 그맘때 어땠는지 생각나지 않는다. 네 식구 중 두 식구가 번갈아 오는 것도 둘째네의 특징이다. 손자는 어미하고, 손녀는 아비하고. 손녀는 동생과 나이 차이가 많이 나는 데다가 숙성해서 숙녀티가 난다. 하는 짓도 빈틈이 없다. 과일을 그림같이 깎아다가 할아버지 입에 넣어드린다. 그러나 빨리 의무를 끝내고 일어서고 싶은 티가 역력한 걸 나는 매번 놓치지 않는다. 저게 어미 닮았지 싶지만 말은 안 한다. 나는 며느리 흉을 아들한테 보는 바보가 아니다. 뭐든지 되는대로 하는 게 없이 꼭 규칙을 정해놓고 거기 따르도록 돼 있는 게 그 집구석이다. 전실 아들한테서 본 큰며느리는 시부모 방문을 날짜 정해놓고 하는 것을 불편해한다. 정해진 날 못 올 적도 있고, 그럴 때는 나한테 미안해하는 게 아니라 동서의 눈치를 더 본다. 동서한테는 다녀간 걸로 해달라고 나에게 부탁을 할 적도 있다.

나는 일단 그렇게 입을 맞추고 나면 그 약속을 잘 지키지만 실수하는 쪽은 오히려 큰며느리이다. 조만간 무슨 말끝에고 탄로가 나고 만다. 나는 그렇게 허술한 큰며느리에게 공범자 같은 우정을 느낀다. 큰며느리가 둘째보다 더 마음에 드니까 큰아들은 내가 낳은 자식이 아닌데도 정이 간다.

손자가 제 어미를 앞질러 펄쩍펄쩍 뛰어들어오더니 흔들의자에 멍하니 앉아 있는 할아버지 무릎으로 뛰어올라 두 팔로 할아버지 목을 감고 양볼에 쪽쪽 소리가 나게 뽀뽀를 하고는 귀에다 대고 할아버지 사랑해요,라고 악을 쓴다. 손자는 매번 똑같이 그렇게 한다. 그이는 말을 잘 못할 뿐 귀가 어둡다는 징조는 아직 없다. 그이의 표정이 웃는지 찡그리는지 잘 분간할 수 없다. 아이에게 사랑한다는 말만 시키지 않았어도 그 애들의 방문이 한결 견디기 쉬우리라는 생각을 하면서 나는 영감의 고막에 동정심을 느낀다. 그만, 할아버지 피곤하시다. 사가지고 온 과일 나부랭이를 냉장고에 넣다 말고 며느리가 아이에게 명령한다. 아이가 살았다는 듯이 할아버지 무릎에서 뛰어내려 이리 뛰고 저리 뛴다. 나도 그 짧은 동안에 숨쉬는 것을 참고 있었던 양 비로소 긴 숨을 내쉰다. 손자가 제 어미에게 할아버지한테서 냄새 난다고 이르는 소리를 들은 적이 있기 때문일 것이다. 그 아이가 지나치게 예민하거나, 노인한테서는 으레 냄새가 나려니 하는, 그 나이 또래의 맹랑한 선입관 때문이지 정말로 냄새가 날 리는 없다고 생각한다. 그런 소리 안 듣게 하려고 내가 얼마나 힘들게 그이를 거두는지 아무도 모를 것이다.

까딱 잘못하다가는 냄새 피우기에 알맞은 짓을 그이가 하는 것은 사실이다. 아직도 식욕이 왕성하고 소화가 잘되는 그이는 하루 한 번씩 찐득한 점토 같은 변을 변기 하나 가득 본다. 보행이 불편해도 제 발로 걸어서 화장실 출입하는 데 문제가 없고, 수시로 가벼운 산책도 할 수 있고, 변비 같은 것도 없으니 고마운 노릇이다. 문제는 뒤처리다. 마비된 오른손은 멋대로 흐느적대니까 그렇다 쳐도, 성한 왼손도 항문까지 잘 도달하지 않는지, 역한 냄새를 풍겨서 벗겨보면 아랫도리와 속바지가 누런 변으로 칠갑이 돼 있다. 휴지로는 도저히 깨끗이 마무리가 안 되니까 더운물로 씻어주기 시작했다. 그러는 수밖에 달리 방법이 없었다. 어차피 속옷을 손으로 빠는 것도 그만큼 인내력을 필요로 하는 거니까 밑을 씻어주는 게 한결 손이 덜 갔다. 그가 그걸 즐기지만 않았어도 그가 죽는 날까지든, 내 수족이 성한 날까지든, 마냥 그렇게 해줄 수 있었을 것이다. 그이는 내가 해주는 뒷물을 처음에는 약간 미안해하는 듯하더니 차츰 즐기기 시작한다는 게 느껴졌다. 발음이 확실하지는 않았지만 처음에 그가 내지른 소리는 아유 시원해, 아아 시원타, 정도였을 것이다. 너무 시원해서 그랬던가, 차츰 발음하기를 포기하고 신음 같은 홍얼거림으로 변했다. 나는 그 홍얼거림에서 성적인 낌새를 챘다. 나의 짐작은 틀림이 없었다. 하루에 한 번씩 보던 변을 두 번씩 보기 시작했다. 나는 그의 아랫도리에서 단호하게 내 손길을 떼야 한다고 생각했다. 서둘러 화장실에 비데를 설치했다. 얼마나 좋은 세상인가. 세상에 그런 편리한 장치가 있다는 걸 당신은 아마 상상도 못했을걸. 용용 죽겠지 놀려주고 싶은 심정이었다. 그러나 그도 그렇게 호락호락하지 않았다. 어떡하든지 엉터리로 씻거나 안 씻어서 내 손이 가게 만들었다. 주름이 많은 아랫도리를 깨끗이 씻기는 일은 간단하지 않다. 시간이 걸리고 손길도 섬세해야 한다. 그동안 내가 참아내야 하는 것은 기분이 좋아 흥얼거리는 그의 교성만이 아니다. 나는 그동안 될 수 있는 대로 숨도 안 쉰다. 구린내를 안 맡고 싶은 것보다는 내 안에서 출구를 찾고 있는 잔인한 충동이 겁나기 때문이다.

요새 다시 예전처럼 납작하고 동그란 금속갑을 꺼내 그 안 하나 가득 말라붙어 있는 까만 고약 같은 게 잘 있나 확인해보고 위안을 얻는 버릇이 도졌다. 그건 내 인생의 슬픈 동반자이고, 오남매가 흐릿한 30촉 전구 밑에 모여앉아 이 잡으며 킬킬거리고 자랄 때부터 우리 친정집에 있던 비상약이다. 엄마는 그걸 아편이라고 했다. 어릴 때도 엄마가 아편이라고 말할 때는 바깥의 인기척을 살피면서 목소리를 낮추는 걸로 봐서 불길하고도 신비한 느낌이 들었다. 조금만 쓰면 만병통치약이지만 많이 먹으면 고통 없이 죽을 수도, 남을 감쪽같이 죽일 수도 있는 약이라고 했다. 그런 무시무시한 약이 어디서 났냐고 했더니 엄마는 시집올 때 친정에서 몰래 훔쳐왔다고 했다.

"외갓집에선 그게 어디서 났는데?"

"외할머니가 뒤란에다 몰래 앵속을 기르시지 않았냐."

"앵속이 뭔데?"

"양귀비라고, 꽃이 어찌나 요상하게 화냥년처럼 피는지 금방 눈에 띄지. 일정 때 왜놈 경찰한테 들키면 당장 때갔단다. 그래도 그 동네선 다들 조금씩 몰래 길렀다더라. 꽃이 지고 열매 맺으면 그 열매에다 상처를 내서 진을 받으면 그게 아편이란다. 순사한테 잡혀가는 걸 무릅쓰고 앵속을 기른 것은 토사곽란에 그것처럼 즉효약은 없었으니까. 지금처럼 마이신 같은 신통한 약이 없을 때였느니라. 어느 핸가 호열자가 돌아서 왜놈들은 걸렸다 하면 다 죽었는데, 우리게선 걸린 사람도 하나도 안 죽고 살아나서 일본놈들이 약이 올라가지고 무슨 약 쓰고 살아났나, 꼬치꼬치 묻고 다녔더란다. 굿하고 나았다고도 하고 고추장 먹어서 가볍게 걸렸다고도 하고 제각기 둘러대고 속으로 얼마나 고소해했는지 모른다고 하는 소리를 여러 번 들었느니라."

"그렇게 신통한 약을 훔쳐오면 어떡해."

"나 시집올 때는 페니실린, 마이신이 나왔을 땐데 그까짓 걸 약에 쓰자고 훔쳤겠냐. 많이 먹으면 죽을 수도 있는 독약이라기에 훔쳤지. 네 외할머니 외할아버지 싸울 때마다 너 죽고 나 죽자고 사생결단 싸웠고 그때마다 내가 울며불며 뜯어말려 버릇해 놔서 나만 없어지면 정말 무슨 일 날지도 모른다는 생각이 들더라. 홧김에 눈이 뒤집히면 목구멍이 타서 죽는다는 양잿물도 마시는데 그렇게 편히 죽을 수 있다는 아편을 왜 못 먹겠냐."

엄마가 부모님 목숨을 보전하러 훔쳐온 아편 덩어리를 나는 왜 재차 훔쳤을까. 집을 나올 때 나는 그 납작한 생철갑을 보따리 깊숙이 찔러넣고 줄행랑을 쳤다. 아마 도시가 무서워서였을 것이다. 은장도가 잘 들어야 맛이 아니듯이 가까이 지녔다는 것만으로도 마음이 든든했다. 만일 은장도의 날이 시퍼렇게 서 있다면 상대방을 겨누지 뭣 하러 자기 명치를 겨누겠는가. 나는 송진 덩어리를 자꾸 주물러서 새까맣게 손때가 묻은 것처럼 생긴 이 오래된 아편 덩어리의 효능을 믿어 의심치 않는다. 그러나 나는 벌레 한 마리도 못 죽이는 착하디착한 여자다. 생철갑이 위안이 된 고비는 여러 번 넘겼지만 써먹을 엄두까지는 못 내봤다.

서울 와서 처음 취직한 자리가 지금의 영감이 주인으로 있는 방산상회였다. 그 동네서 자전거 타고 배달 다니는, 한동네 살던 머스마를 길에서 우연히 만난 게 계기가 되었다. 단봇짐을 싸가지고 대처로 나올 때의 목표는 버스차장 자리였다. 방산시장 근처를 얼쩡댄 것은 그 근처에 시외버스 종점과 버스 사무실이 있기 때문이었다. 제 앉은키보다 훨씬 높게 짐을 싣고 달리던 머스마는 나를 보고 반색을 했고, 일자리를 구하러 다닌다는 걸 알고는 점원을 구하는 집을 알고 있노라고, 자기가 말하면 문제없을 거라고 했다. 나는 너무도 쉽게 될 것 같은 취직이어서 일단 튕겼다. 내 목표는 버스차장이라고. 그 소리를 듣고 그 애가 어찌나 한심스러운 표정을 짓던지 튕기는 게 손해라는 걸 알아차렸다. 취직은 쉽게 되었지만 가게일보다는 가게 뒤에 딸린 안집의 부엌일을 더 많이 해야 했다. 주인아저씨는 상처한 뒤였지만 점원들을 비롯해서 서울로 공부하러 와서 신세지고 있는, 이 집과의 관계가 어떻게 되는지 알 수 없는, 또는 알 필요도 없는 군식구들이 득시글대는 복잡한 집이었다. 주인아저씨가 나를 아래위로 한번 쓱 훑어보고 나서 선선히 월급을 얼마 주겠다는 제안을 한 걸 보면 점원이 맞긴 맞을 것이다. 왜냐하면 식모살이는 대개 서울 가서 밥이라도 실컷 얻어먹으라고 월급 없이 내보내던 시절이었다. 처음부터 가게일보다는 부엌일을 시킬 요량으로 채용했는지는 모르지만 주인아저씨가 나쁜 사람 같지는 않았다. 군식구가 많은 것만 봐도 알 수 있었다. 우거지찌개라도 많이 해서 여러 식구를 배불리 먹일 수 있는 주인아저씨가 위대해 보여 그를 도와준다는 데 자부심을 느꼈다. 점원이면 어떻고 식모면 어떠랴 싶었다. 그 일에 보람을 느끼고 성심성의껏 일하는 동안 내 가랑이에선 불이 났고, 손등은 난도질을 해놓은 것처럼 트고 갈라졌다.

어느 날 저녁, 뜰아래에 있는 독방으로 밥상을 들고 들어갔을 때의 일이다. 그 방은 한 평밖에 안 되는 작은 방이었지만 서울 와서 대학 다니는 청년이 혼자 쓰기 때문에 깨끗이 정돈돼 있고, 발고린내 같은 고약한 냄새도 나지 않았다. 주인아저씨의 죽은 마누라의 친척 되는 대학생이라고 알고 있었기 때문에 점원들이나 딴 군식구들보다 계란프라이라도 한 접시 더 올리려고 신경이 써지던 청년이었다. 그 집엔 아직도 죽은 안주인의 그늘이랄 까 권위가 도처에 남아 있었다. 조신하게 밥상을 놓고 나오려는데 청년이 나를 불러 세웠다. 그리고 손을 내밀라고 하더니 책상 위에 있는 화장수병같이 생긴 유리병에서 말간 액체를 자기 손바닥에 따라 그걸로 내 손등을 마사지하기 시작했다. 그의 손길이 닿자 내 손등이 당장 비단결처럼 부드럽고 매끄러워지는 게 느껴졌다. 그의 손길은 마치 몸을 돌보지 않고 고된 시집살이에 시달린 누이동생의 거친 손등을 어루만지는 착한 오라비처럼 극진하고 순수했다. 그의 표정 또한 내가 보아온 어떤 남자의 표정하고도 달랐다. 나는 그때 처음으로 옷이나 음식 외에 표정에도 고급스러운 것이 있다는 걸 알았다. 내 손이 가늘게 떨렸다. 사내들한테 손을 잡혀본 게 그때가 처음은 아니었다. 어려서부터 사내녀석들과 어울려 거칠게 놀았고, 서울서 나를 취직시켜준 머스마도 툭하면 내 손목을 잡아끌고 청개천가의 포장마찻집으로 오뎅 먹으러 가자 했고, 가게를 닫기 전 손님이 뜸한 저녁시간이면 가겟방에 모여앉아 내기화투를 치던 인근 점방 점원들이 나를 끼워주면서 메밀묵 내기를 나를 위해 팔뚝 맞기로 변경해준 적도 한두 번이 아니었다. 팔뚝을 때리려고 내 손을 우악스럽게 잡으면 자지러지게 비명을 질렀지만, 조금이라도 살살 맞으려고 미리 부린 엄살일 뿐, 아프지도 가렵지도 않았다. 그렇게 목석같던 내 몸이 진저리를 치면서 깨어나는 게 느껴졌다. 나라고 그때까지 왜 사랑을 꿈꿔보지 않았겠는가. 내가 꿈꾼 사랑은 마음으로 하는 거였다. 그러나 이건 몸의 문제였다. 나는 내 몸이 한 그루의 박태기나무가 된 것 같았다. 봄날 느닷없이 딱딱한 가장귀에서 꽃자루도 없이 직접 진홍색 요요한 꽃을 뿜어내는 박태기나무, 헐벗은 우리 시골 마을에 있던 단 한 그루의 꽃나무였다. 내 얼굴은 이미 박태기꽃 빛깔이 되어 있을 거였다. 나는 내 몸에 그런 황홀한 감각이 숨어 있을 줄은 몰랐다. 이를 어쩌지, 그러나 박태기나무가 꽃피는 걸 누가 제어할 수 있단 말인가. 나의 떨림을 감지한 대학생이 당황한 듯 내 손을 뿌리쳤다. 부끄러워 어쩔 줄을 모르며 일어서는 나를 불러 세우더니 나한테 발라주던 약병을 통째로 주면서 매일 저녁 바르고 자라면서 따뜻한 물에 손부터 깨끗이 씻은 후에 발라야 한다는 것까지 일러주었다. 대학생이 나를 염려해준다는 걸 알고부터 내 몸은 날로 귀해졌다. 생전 처음 느껴보는 신비 체험이었다. 그 후에도 밥상을 가지고 그의 방에 드나들었지만 좀 나아진 손등을 보고 약을 잘 바르나 보다고 안심하는 것 외엔 딴 얘기는 나누지 못했다. 내 몸이 자꾸만 귀해져서 천사처럼 날아오를 것 같은 황홀감을 느낄 적도 있었지만 내 혼자 생각이었다.

그날도 부엌 바닥에 쭈그리고 앉아 연탄불에 덥힌 따뜻한 물에 손을 담그고 느긋하게 때를 불리고 있을 때였다. 부엌 앞을 지나던 주인아저씨가 나를 유심히 보는 것 같았지만 나는 개의치 않았다. 그가 부엌으로 들어오길래 물이라도 떠먹으려 들어오는 줄 알고, 더운물에 손을 담근 채 조금 비켜 앉았다. 그가 다짜고짜 내 손을 잡아끌며 목쉰 소리로 속삭였다. 너 왜 요새 자꾸 암내를 풍기냐. 나는 순식간에 안방으로 끌려들어갔다. 그의 장모는 외손자를 데리고 자기 집에 가 있을 때였다. 나는 남자 힘이 그렇게 센 줄 그때 처음 알았다. 나의 혼신의 저항을 뚫고 그가 내 안에 들어온 후에도 나는 악을 쓰고 비명을 질렀지만 그는 개의치 않았고, 아무도 나를 도와주러 오지 않았다. 그래 봤댔자 네 망신이야. 그가 일그러진 표정으로 비웃으며 공격을 멈추지 않았다. 나에게 몸이 있다는 게 얼마나 황홀한 개안이었던가. 그게 불과 며칠 만에 이다지도 모멸스러워질 줄이야.

절대로 용서할 수 없다고 독하게 이를 갈며, 그의 체중으로부터 풀려났다. 그 지경을 당하고도 고개를 빳빳이 들고 그 방을 물러날 수 있었던 것은 나에게 생철갑이 있기 때문이었다. 굴속 같은 반 평짜리 내 방으로 돌아와 제일 먼저 한 일도 생철갑이 잘 있나 확인하는 거였다. 그러나 그걸 손아귀에 쥐고 힘을 얻은 것은 잠시, 그 안에 든 것으로 뭘 어떻게 해야 복수가 되는지, 구체적인 방안은 떠오르지 않았다. 너 죽고 나 죽자고 마음먹으면 뭘 못하랴 싶긴 한데, 그자와 같이 죽긴 싫고, 혼자 죽긴 더 싫고, 그 얼마 안 되는 독약이 과연 사람을 죽일 만한 양이 되는지, 맛은 어떤지, 도대체 아는 게 없었다. 그 약갑은 내 손아귀에 있었지만 환상이지 실체가 아니었다. 그 후에도 몇 번인가 더 안방에 끌려들어갔고 그때마다 그는 내가 첫날처럼 악을 쓰고 흐느끼길 바랐다. 첫날밤처럼, 첫날밤처럼, 그가 나를 덮칠 때마다 나에게 요구하는 이상한 주문이었다.

손에 쥐기만 해도 위로가 되고 힘이 되던 생철갑의 약발이 떨어지기 시작할 무렵 그의 장모가 아이를 데리고 안방으로 돌아왔다. 그리고 얼마 안 있다 홑몸이 아니란 사실을 알게 되었다. 나는 아이를 뗄 돈을 달라기 위해 그이에게 그 사실을 알렸다. 얼마간의 목돈을 쥘 수 있으리라 생각했다. 그걸로 정말 아이를 떼러 갈 수 있을지는 나중 문제였다. 그때는 아직 벌레 한 마리도 못 죽이는 얼뜬 사람으로 남이 알아주기 전이었기 때문인지, 내 속의 생명보다는 돈에 더 환장을 하고 있었다. 그이는 애 낳고 같이 살자고 했다. 나는 식도 안 올리고 그냥 살긴 싫다고 했다. 하긴 넌 숫처녀였으니까, 그냥 살긴 억울하겠지. 그래서 졸지에 시골에 알리고 동네사람 다 불러서 잔치를 하게 되었다.

버스차장을 목표로 상경한 천방지축 촌년이 방산시장에서도 알부자로 알려진 가게 주인하고 비록 후처이긴 하지만 정식 결혼을 한 것을 두고 시골 동네에서나 시장통 사람들이나 다같이 승은을 입은 무수리 대하듯, 우러러야 할지 우습게 보아야 할지 어쩔 줄을 몰라했다. 나는 그들의 속을 빤히 알기 때문에 기대에 어긋나는 태도로 일관했다. 잘난 척도 못난 척도 하지 않았다. 거만도 겸손도 떨지 않았다. 아는 것도 묻고, 거친 상소리는 못 알아들은 척했다. 군식구들의 역할이나 성깔, 버릇, 능력에 대해 상세히 파악하고 있으면서도 이름도 외지 못하는 것처럼, 또는 이름과 얼굴이 헷갈리는 것처럼 얼뜨게 굴었다. 영악하게 잇속을 챙기는 시장통에선 얼뜨게 구는 것도 일종의 전술이었다. 우리 가게는 그 시장바닥에서도 몇째 안 가게 번성하는 집이었다. 그이는 돈을 잘 벌었지만 허술한 구석도 있어서 새는 데도 많았다. 그를 조정해서 군식구들을 줄였지만 그냥 내보는 게 아니고, 딴 일자리를 구해서 내보내도록 했다. 전처의 처가붙이들은 내가 안방 차지한 후 얼마 안 있어 다들 떠났다. 그이의 장모가 나를 믿고 살림을 내줌으로써 그런 일들이 자연스럽게 이루어졌다. 그 대신 우리 식구가 불어났다. 생기는 대로 다 낳고 보니 전실 자식까지 합쳐서 오남매를 두게 되었다. 친정식구도 도와야 했다. 내가 이 고생을 하면서 엄마에게 딸이 시집 잘 갔다는 소리도 못 듣게 할 수는 없는 일이라고 이를 악물었다. 딸년들의, 특히 가난한 집 딸년들의 피 속에 유구하게 전해 내려오는 희생정신으로부터 나라고 어찌 자유로울 수 있겠는가.

여편네가 돈을 흔하게 쓰려면 서방이 돈을 잘 벌어야 한다. 그이가 돈을 잘 벌게 하는 일은 간단했다. 그는 마치 노름꾼처럼 그날그날의 재수에 연연했는데 잠자리에서 잘해주는 게 그 비결이었다. 그가 나에게 바라는 건 첫날밤처럼 비명을 지르는 거였다. 비명이나 흐느낌이 그의 성에 차지 않으면 풀이 죽었고, 장사가 다 안된다고 했다. 나를 만족시키지 못했다고 그렇게 의기소침해하는 걸 보면 그가 불쌍할 적도 있었다. 동물에 대한 연민 비슷한 거였다. 그는 내가 아무것도 느끼지 못한다는 걸 알지 못했다. 나는 그 짓을 하는 동안을 견디기 위해 내가 지금 하는 짓은 말이나 소를 혹사시키기 위해 모질게 채찍질하고 있는 것으로, 그리고 내가 지르고 있는 비명은 내 소리가 아니라 채찍질을 당하는 마소의 비명인 것으로, 가해자와 피해자를 뒤바꿔 생각했다. 착각도 길들이면 진짜 같아지는 법이다. 착각이라도 하지 않으면 그의 변태를 어떻게 살의(殺意) 없이 참아낼 수 있었겠는가. 그이가 의기소침해하든 더욱 용을 쓰든 말든 절대로 교성을 지르지 않은 적도 있었다. 그건 그에 대한 반항이 아니라 나에 대한 저항이자 최소한의 자존심이었다. 일찍 시작한 출산이라 일찍 단산하고 내 몸이 풍만해질 무렵부터 나도 아주 가끔이지만 그 짓에서 쾌감을 느낄 때가 있었다. 나는 그럴 때 전혀 신음소리를 안 냈다. 그러고는 일을 끝내는 즉시 욕실로 가서 오래오래 몸을 닦았다. 내 몸이 너무 징그러워 씻어내고 또 씻어내도 그 혐오감은 씻겨 내려가지 않았다. 그러나 그가 시키는 대로 교성을 지르면서 치르는 요란한 정사 끝에는 마치 일용할 양식을 벌기 위해 과로한 막노동꾼처럼 씻고 말고 할 겨를 없이 진창 같은 잠자리에서도 곧장 단잠에 곯아떨어질 수 있었다.

개같이 벌어서 정승처럼 쓴다는 건 그의 철학 같지만 실은 내 철학이다. 나는 아이들을 최고로 기르고 싶었다. 장차 내 자식이 되기를 바라는 나의 이상형은, 나의 몸이 잠시나마 물오른 한 그루 박태기나무로 변신하는 기적과 환희를 맛보게 해준 대학생 같은 남자였다. 나는 그가 내 손등에 글리세린을 발라줄 때의 표정을 잊지 못했다. 준수하면서도 민감한 청년이 마음으로부터 우러나 남을 배려할 때의 따뜻하고 근심스러운 표정. 나는 그때만 그런 고급스럽고 섬세한 표정을 생전 처음 보는 것처럼 느낀 게 아니라 그 후 어디서도 만나보지 못했다. 인간의 얼굴이 그런 표정을 지을 수 있다는 걸 모르고 그 나이가 되었다는 게, 지지리 못살고 무식한 집에 태어나 고작 버스차장을 목표로 상경한 것보다 더 억울하게 여겨졌다. 그 대학생하고 다시 어째보겠다는 생각은 감히 품어보지 못했다. 임금님에게 잡혀본 손목을 비단 수건으로 싸매고 죽을 때까지 보물처럼 모시었다는 왕조시대의 어떤 기생처럼 그 기억은 내 마음속에 신전이 되어 있었다.

나는 장차 내 자식들의 얼굴에서라도 그런 표정과 만나고 싶었다. 내 자식들을 곱게 길러 좋은 대학에 보내 높은 교양을 쌓게 하려면 초등학교 때부터 투자를 해야 했다. 부자 아니면 안 됐다. 나는 달리는 말에 채찍질하듯이 가뜩이나 욕심 많은 그이를 더 많이 벌어 오도록 끊임없이 부추기고 닦달질했다. 기껏해야 시장 장사꾼이었다. 시장통 안의 부자일 뿐, 더 넓은 세상에서 우리네보다 윗물에서 노는 인간들의 복잡한 경제논리나 권모술수에 대해선 무지해서, 뻗어가는 경제성장 속도를 따라잡지 못했다. 점점 구멍가게 수준으로 폄하되는 시장 장사를 끝까지 붙들고 늘어져 오남매를 대학 보내고 어려운 처가의 학비도 보태면서 살 수 있었던 것은 그가 마누라밖에 모르는 우직함으로 장사에 있어서도 한우물만 팠기 때문이었을 것이다. 나는 그를 모질게 착취했지만 그가 기꺼이 착취당하도록 할 만큼 했다. 내가 그이와는 상관없이 따로 하는 일도 있었다. 이 무식한 집안에서 그 대학생 같은 높은 경지의 교양인을 배출하려면 돈으로만 뒷받침해서는 부족할 것 같았다. 높은 데 도달하기 위해서는 밀고 끌어야 한다. 나 자신의 교양을 쌓는 일도 게을리하지 않았다. 중학교까지밖에 못 다녔지만 공부 잘한다는 소리를 듣고 싶어 하는 악바리 근성이 있었다. 아이들이 학교에 들어간 후에도 무시당하지 않도록 아이들이 동화책을 읽을 때는 나도 같이 읽고, 소설책을 읽을 때도 따라 읽었다. 그러는 사이에 내가 읽고 싶은 책도 따로 생기고, 세상사나 인생을 논하는 데 있어서는 웬만한 대학 나온 사람하고 맞먹을 교양을 쌓게 되었다고, 내 수준에 자신감이 생겼다.

그러면 뭐 하나. 내 자식들이 차례차례 대학에 들어가게 되었을 때 나는 그 대학생의 얼굴을 잊었다. 그래서 나는 내가 목적을 달성한 건지 못하고 만 건지도 알 수 없었다. 기대한 성취감 대신 슬픔만이 남았다.

그가 지팡이를 가리키며 뭐라고 악을 쓴다. 남들은 못 알아들을 소리지만 나는 그 소리를 산책, 산책으로 알아듣는다. 요새 그는 곧잘 혼자서 산책을 나간다. 물리치료 받으러 다니는 것도, 침 맞으러 다니는 것도 성질이 급해 며칠 해보고 효험이 없으면 욕만 한바탕하고 막무가내 안 다녔다. 그렇다고 그냥 놔두고 보자니 하루가 너무 지루해서 하루 몇 번씩 부축해서 동네를 한바퀴 돌아주곤 했더니 이제는 혼자서도 곧잘 나돌아다닌다. 스웨터 위에 두툼한 파카를 입히고, 털목도리를 둘러주고 털모자까지 씌우고는 지팡이를 대령한다. 흐뭇한 미소는 그러나 일그러져 있다. 마누라의 위함을 받고 있다는 게 그를 만족시키고 있다는 걸 나는 안다. 나는 잠시라도 그의 숨결이 섞이지 않은 공기를 마실 생각에 손이 다 떨릴 정도로 조급하다. 그를 대문간까지 배웅하면서 차 조심하라고, 너무 늦지 말라고 이른다. 안으로 들어와 그가 뒤뚱뒤뚱 천천히 골목을 빠져나가는 걸 배웅한다. 멀어져가는 그를 한참 떨어진 데서 남처럼 바라보니까 저러다 회복되는 게 아닌가 싶게 다리에 힘이 오르고 있다는 게 느껴진다. 그가 안 보이기를 기다렸다가 비로소 나는 자유를 숨쉰다.

그동안의 감미로움 때문에 나는 그가 다른 때보다 일찍 돌아온 것처럼 느낀다. 그가 수상쩍은 듯이 내 아래위를 훑는다. 나는 그가 나를 그렇게 보는 게 제일 싫다. 부엌 바닥에 쭈그리고 앉아 손등의 때를 불리던 나를 다짜고짜로 잡아끌 때도 그런 눈으로 나를 바라보고 나서였다. 안면 마비로 정상적인 표정을 잃고 난 후에도 때때로 그런 표정만은 살아난다는 게 나를 소름끼치게 한다. 그가 나에게 뭐라고 명령을 하고 있다는 건 알겠는데 무슨 소리인지는 못 알아듣는다. 무슨 일로 그가 격앙돼 있는지 영문을 모르는 채, 나 또한 순순히 알아듣기 싫다는 꼬인 마음이니 소통이 원활할 리 없다.

그가 전화기 옆의 메모지에다 볼펜으로 글씨를 쓴다. 언제부터인가 정 안 통하는 말은 왼손으로 써 버릇하더니 요새는 곧잘 알아볼 만큼 쓴다. 나하고 필담을 한 적은 없고 주로 아들이 왔을 때 써먹곤 했다. 아들들이 뭐 필요한 것 없냐고 하면 종이에다 담배라고도 쓰고 술이라고도 쓰는데, 의사가 금한 걸 아들이 사다주길 바라서가 아니라 와아, 우리 아버지 왼손으로도 글씨자알 쓰신다는 칭찬을 듣고 싶어서라는 걸 나는 안다. 혼자서 왼손으로 글씨 쓰는 연습을 하는 걸 본 적도 있다. 그가 생전 안 하던 먹물들의 노력을 흉내 내는 걸 보면서 그에게도 혈육과의 소통의 갈망이 있다는 게 신기하게 여겨지곤 했다. 나하고의 필담은 처음이다. 그가 쓴 글씨를 보니 약국에 갔다 오라고 써 있다. 긴 골목 끝에서 왼쪽으로 돌면 바라보이는 약국일 것이다. 내가 그를 부축하고 산책할 때도 늘 통과하던 정해진 코스이다. 어디가 아프냐고 물었더니 아니라고 도리질을 하면서 어서 갔다 오라고 고함을 친다. 내가 집에 있는 감기약, 기침약, 소화제, 설사약 등 상비약 이름을 대자, 그는 더 화가 나서 아니라고, 아직도 짚고 있는 세 발 달린 지팡이로 마룻바닥을 탕탕 구른다. 나도 지기 싫어서 박카스, 쌍화탕, 홍삼 엑기스…… 같이 산책할 때 그가 약국 앞에서 어린애처럼 사달라고 칭얼대면 사주던 것들의 이름을 줄줄이 댄다. 그가 참다못해 지팡이를 내던지고 다시 글씨를 쓴다. 기어코 나를 약국으로 내몰 모양이다. 가보면 안다고 써 있다. 기껏해야 박카스 한 병 때문에 저 난리를 칠 것이다. 그가 원하면 그까짓 박카스 한 병쯤 외상으로 못 줄 사이도 아닌데 그걸 안 준 약방 주인이 야속하다. 집에 있는 상비약과 모기향, 살충제 등은 다 그 집에서 산 거고, 둘이서 산책하다 눈이 마주치면 한두 마디 인사를 건네는 유일한 단골 가겟집에서, 성한 사람도 아닌 환자에게 어찌 그리도 모질고 인색하게 굴었을까. 나는 약사에게 그가 뭘 사고 싶어 했는지 물어보기 전에 먼저, 너 그렇게 살면 안 된다고 준엄하게 꾸짖을 궁리부터 하느라 씨근덕대며 약국을 향해 달려갔다. 흰 가운을 입은 피부 고운 약사가 평소와 달리 어색하고 난처한 웃음을 웃으며 나를 맞이했다.

"도대체 얼마나 비싼 약이라고 여기까지 힘들게 온 노인 헛걸음을 시키고 그래요."

"비싸서 안 드린 게 아니라 위험하니까요."

그러면서 약사가 내민 종이엔 낯익은 그의 삐뚤삐뚤한 왼손 솜씨로 그린 '정력제''비아그라' 그런 글씨들이 징그러운 벌레처럼 기어다니고 있었다.

"처음에는 그냥 없다고 말씀드렸는데도 구해달라고 부탁을 하시고는 자꾸 들르시는 거예요. 말씀은 어눌해도 말귀는 잘 알아들으시니까, 그 몸으로 그런 약 드시면 큰일 난다고 누누이 말씀드렸죠. 그랬더니 오늘은 또 종이를 달래시더니 마누라가 그걸 너무 좋아하니 좀 봐달라시는 거예요. 그래서 할머니를 좀 뵙자고, 할머니한테 직접 드릴 수는 있다고 말씀 드렸죠. 연세 차이가 많이 나시는 것 같으니까 그 나름의 고충은 있으시겠지만 참으셔야지 어쩌겠어요. 정말 큰일 나는 수가 있거든요. 비타민 같은 걸 드릴 테니 그거라고 속이시는 것도 한 방법이지 싶은데요."

나는 무슨 말이 더 나오기 전에 약국 앞을 황급히 벗어났다. 내 딸보다 어린 약사의 능멸과 동정 어린 시선의 가시권에서 벗어나려고 달음질쳐 우리 집이 보이는 골목으로 꺾어들자 비로소 모닥불을 뒤집어쓴 것처럼 화끈한 치욕감이 온몸을 엄습한다. 이런 치욕보다는 차라리 분신의 고통이 견디기 쉬울 것 같았다. 죽이고 싶은 건지 죽고 싶은 건지 대상이 분명치 않은 살의가 극에 달한 채 집 안으로 돌진했다. 그가 기대에 찬 시선으로 나를 맞이한다. 무슨 생각을 하고 있었는지 침까지 흘리고 있다. 안방으로 들어가 드르륵 소리 나게 서랍을 연다. 떨리는 손으로 생철갑을 꺼내 안에 든 걸 확인한다. 까만 고약 같은 덩어리는 오래전에 말라비틀어진 채 갑 속 가득 충만해 있다. 그걸 주머니에 넣고 다시 현관문을 나서는데도 그는 아무것도 묻지 않는다. 아마 돈을 안 가지고 가서 다시 가지러 온 것쯤으로 착각하고 있을 것이다. 그와 나 사이의 착각은 바로 우리의 운명이다. 나는 더는 그 운명에 휘둘리지 않을 것이다. 약국을 피해 반대 방향으로 꼬부라져 큰길로 나가면 바로 지하철 정류장이 아가리를 벌리고 있다. 나는 정처없이 전철을 탄다. 무작정 타고 무작정 가는 동안에도 내 살의는 진정되지 않는다. 강변역이라는 소리가 죽고 싶다는 생각과 잘 맞아떨어진다. 다년간 위안받은 고약 덩어리지만 그 실효는 암만해도 믿기지 않는다. 아무래도 괜찮다. 더 크게 더 요긴하게 써먹을 수 있을 테니까. 강변역 어디에서도 한강은 보이지 않지만 자꾸만 시퍼런 강물이 손짓하는 것 같아 목구멍에서 그르렁대는 소리가 난다. 한강물을 보기 전부터 물귀신의 끌어당기는 힘과 그걸 거부하려는 내 안의 힘을 팽팽하게 느낀다. 한강이 있는 쪽으로 걸어가고 있다고 생각했는데도 한강이 안 보이는 길을 무작정 헤매기를 한동안, 드디어 진퇴양난, 한강 다리로 건널 수밖에 없는 길로 접어든다. 어느새 날이 어두워 유유히 흐르는 강물 위로 수많은 한강 다리의 가지각색의 조명을 볼 수 있다. 세상이 아름다워서가 아니라, 내가 죽기도 억울하고, 누굴 죽일 용기도 없어서, 어쩔 수 없이 너 죽고 나 죽기를 선택한다. 나는 오랫동안 간직해온 죽음의 상자를 주머니에서 꺼내 검은 강을 향해 힘껏 던진다. 그 갑은 너무 작아서 허공에 어떤 선을 그었는지, 한강에 무슨 파문을 일으켰는지도 보이지 않는다. 그가 죽고 내가 죽는다 해도 이 세상엔 그만한 흔적도 남기지 못할 것이다. 그래도 나는 허공에서 치마 두른 한 여자가 한 남자의 깍짓동만 한 허리를 껴안고 일단 하늘 높이 비상해 찰나의 자유를 맛보고 나서 곧장 강물로 추락하는 환(幻)을, 인생 절정의 순간이 이러리라 싶게 터질 듯한 환희로 지켜본다.

그래도 해피 엔드

거실 유리창을 통해 43번 국도가 곧바로 바라다보인다. 이 집을 처음 보러 왔을 때부터 그게 제일 마음에 들었다. 비와 햇볕을 가릴 수 있는 지붕과 편히 앉아서 기다릴 수 있는 벤치까지 놓인 버스 정류장도 바로 코앞이다. 그 길은 서울로 통하는 길이다. 그 길을 통과하는 시외버스는 서울 근교의 크고 작은 시, 군에서 서울로 가는 버스여서 번호는 각각이지만 서울에서의 반환점은 한결같이 2호선 강변역으로 돼 있다.

저기서 아무 버스라도 타면 곧장 순환선인 2호선과 연결될 수 있다. 그 생각만 하면 남편도 나도 차도 없이, 앞으로 차를 가질 가망도 없이 — 돈 때문이 아니라 둘이 다 운전을 못하고 지금부터 배우기엔 너무 늙어버렸기 때문에 — 전원생활을 꿈꾼 무모함에 대한 불안감에 충분한 위로가 되었다.

버스는 이삼 분이 멀다 하고 자주 있었고, 강변역까지는 삼십 분이면 충분하다고 했다. 서울의 아파트에 살 때 주로 이용한 노선도 2호선이었다. 아파트는 잠실에 있었고, 2호선을 이용하면 한 번만 갈아타도 거의 못 갈 데가 없었다. 내가 주로 다니던 데에 걸리는 시간에다 삼십 분만 보태면 되었다. 삼십 분이란 약속시간에 늦게 나타난 자가운전자들이 흔히 둘러대는 차가 많이 밀려서…… 라는 변명이 아무렇지도 않게 용서되는 가장 적절한 유예시간이었다.

아파트 못지않은 편의시설을 갖춘 그림 같은 집, 널찍한 마당과 텃밭, 그리고 달고 맛있고 싸한 공기, 그 좋은 것들을 실컷 누릴 수 있는 데다가 교통까지 편하다면 그건 금상첨화가 아닌가. 교통이란 물론 서울 가는 길을 의미했다.

나는 토박이 서울내기였다. 남편은 시골에서 초등학교를, 중소도시에서 중고등학교를, 서울에서 대학을 나와 줄곧 서울에서만 직장생활을 하다가 은퇴했다. 그동안에 시골에 부모님도 서울로 모셔다가 돌아가실 때까지 모셨고, 동기간도 서울 아니면 외국에 나가 살게 되어 명절에도 돌아갈 고향이 없게 되었다. 그래도 남편은 은퇴하기 전부터 노후를 낙향해서 보내고 싶다는 게 꿈이었다. 나는 낙향(落鄕)이라면 고향으로 돌아가는 건 줄만 알았는데 남편이 입버릇처럼 말하는 낙향은 그냥 거처를 시골로 옮기는 거였나 보다. 남편이 마땅한 집을 찾아 시골로 돌아다니던 지난 한 해 동안, 나는 한 번도 따라 나서지 않았다. 그건 시골로 이사 가는 데 대한 내 반대의사 같은 거기도 했지만, 믿고 맡겨도 될 것 같은 신뢰감이기도 했다. 남편이 천리 밖 고향에서 집을 구하지 않고 서울 근교로만 돈다는 걸 알았기 때문이다. 집을 구하기 전부터 아파트 팔아서 떨어질 몇 억이 내 통장에 들어올 생각만 해도 황홀했다. 연금이 있어서 노후가 그다지 궁색할 것 같지는 않았지만 몇 억은 처음 만져보는 거금이었다.

이 아름다운 집에서 나는 신혼시절처럼 예쁜 앞치마를 두르고 요리를 만들고 남편은 텃밭을 갈아 싱싱한 채소를 공급하면 생활비는 거의 안 들리라. 휴일이면 차를 몰고 찾아오는 아들네 딸네한테 무공해 채소도 싸주고, 손자들한테 살아 있는 자연 공부도 시키리라. 목돈과 잘 자란 자식들을 둔 노후가 그림처럼 아름답게 떠올랐다.

어서 농사철이나 돌아왔으면, 농사 지을 생각이 전혀 없는 내가 봄을 기다리는 건 할 일이 없어진 남편이 딱해서이다. 아직 그림은 완성되지 않았다. 들은 비어 있고, 잎 떨군 정원수와 동구 밖에서 마을로 들어오는 길가의 나무들은 언제 심었는지 늠름하지 못하고 비리비리하다. 꼭 겨울을 어찌 날까, 미리 떨고 있는 설늙은이 형상이다. 그래도 나무들이 헐벗은 계절이니까 집에서 국도와 버스 정류장을 저렇게 훤히, 저렇게 가까이 바라볼 수 있는 게 아닐까. 나는 낙향한 내 집이 서울과 얼마나 교통편이 좋다는 걸 내 마음에 각인시켜놓고 싶다. 서울이 너무 멀다는 건 그까짓 몇 억으로는 메워지지 않는 상실감이 될 것 같았다. 집에서 바라볼 수 있는 버스 정류장까지의 거리는 물론 직선 거리이다. 더군다나 내리막길이니까 이삼 분 거리밖에 안 돼 보인다.

하나 포장이 안 돼 고르지 못한 꼬불꼬불한 흙길을 높은 구두 신고 걸어 내려가는 건 생각보다 쉽지 않았다. 오늘 모이는 친구들은 다들 동창이기 때문에 거의가 다 동갑내기들이다. 동갑내기들이 오랫동안 해외에 나가 살다가 잠시 귀국한 여학교 때 은사를 모시는 자리이다. 한껏 멋 부리고 젊게 보이고 싶었다. 동창들은 거의가 다 무릎통증, 퇴행성관절염 등으로 높은 구두를 못 신었다. 높은 구두를 신고도 날렵하게 지하철 계단을 오르내리는 나를 다들 부러워했다. 관절에 아무런 문제가 없는데도 높은 구두를 신으면 고소공포증을 느낀다는 친구도 있었다. 우리는 다들 그렇게 한심한 나이였다. 나만 빼고는.

그렇게 되지 않기 위해서라도 부지런히 높은 구두 신고 외출할 일이라고 벼르고 있었건만 울퉁불퉁한 흙길을 위태롭게 걸어 내려가면서 나도 오늘이 높은 구두를 신는 마지막 날이 될지도 모른다는 불길한 생각이 들었다. 서글픈 울화가 치밀었다. 남편이 예찬하는 이 동네의 장점 중에는 포장 안 된 흙길도 있다는 사실이 나를 그렇게 노엽게 했다. 나는 친구들 사이에서 베스트 드레서로 소문 나 있었다. 곧 죽어도 촌티만은 내고 싶지 않았다. 이사 온 지 며칠 됐다고 벌써 촌티에 신경을 쓰고 있었다. 아무리 옷을 세련되게 입어도 신발을 노인용 사스나 운동화를 신었다면 완전히 스타일 구기게 돼 있었다.

천신만고 끝에 버스 정류장까지 온 것 같아도 시계를 보니 십 분밖에 안 걸렸다. 이사 온 지 한 달가량 되는데도 버스 타고 외출하기는 처음이었다. 그동안 서울 갈 일이 아주 없었던 건 아니지만 이사한 뒷정리를 도와주기 위해 자주 들러준 며느리나 딸이 타고 온 차를 이용할 수가 있었다. 정류장까지 십 분이나 걸렸다는 게 기대에 어긋났지만 일 분도 안 걸려 버스가 온 것은 만족스러웠다. 더군다나 이 길을 통과하는 버스는 몇 번 버스건 타기만 하면 2호선 강변역과 연결이 된다니 얼마나 편리하냐 말이다.

버스가 정확히 내 앞에 멎었다. 그러나 나 때문에 멎은 건 아니고 내리는 사람이 있어서 멎은 거였다. 중년 부인을 한 사람 내려놓고 문이 닫히려고 했다. 나는 손을 들어 타고 싶다는 시늉을 했더니 문이 다시 열렸다. 냉큼 올라타고 나서 고맙다는 인사말까지 했다. 그러나 운전기사가 다짜고짜 시비를 걸었다.

"할머니, 할머니는 버스를 어느 문으로 타는지도 몰라요?"

할머니라니, 아직 칠십도 안 됐고, 다들 오십대로 보고 딸하고 백화점에 가면 매장 아가씨들이 자매간인 줄 아는 나한테 감히 할머니라니, 더군다나 오늘은 있는 대로 멋을 부려 사십대로 보아주길, 잔뜩 기대에 부풀어 있는 나에게 이 무슨 모욕적인 언사인가.

"네? 문을 열어주시길래…… 열린 문으로 타는 거 아닌가요?"

여기저기서 웃음소리가 들렸다. 웃음소리는 탁하고 악의적이었다. 버스 안은 한산했다. 승객은 예닐곱 사람밖에 안 됐다. 아까 내린 손님은 여자였는데 남아 있는 승객들은 다들 남자들이었고 한마을 사람들처럼 서로 인상이나 옷차림이 비슷했다. 도저히 정이 들 것 같지 않게 생긴 시골 사람들이었다. 나는 오락에 굶주린 그들이 장난삼아 나를 갖고 놀려 한다는 걸 깨닫고 슬그머니 무서운 생각이 들었다. 할머니라고 부른 걸 속상해한 것이 방금 전이었건만 이왕 태운 거 늙은이 대접으로라도 눈감아 줄 것이지, 하는 생각까지 들었다.

"할머니, 버스는 열린 문으로 타는 게 아니라 앞문으로 타는 거예요. 앞문이요, 앞문. 알아들었어요?"

나 귀먹지 않았다고 대들고 싶은 걸 참았다. 싱글대는 시선이 나에게 집중된 걸 느끼면서 버스 한가운데서 손잡이를 잡은 채 무력하게 흔들리고 있었다.

"할머니 앉아요, 앉아. 빈자리도 안 보여요? 뾰족구두 신고 비틀대다가 엉덩방아라도 찧으면 어쩌려고."

승객 중의 한 사람이 걱정하는 투가 아니라 놀리는 투로 그렇게 말하자 운전기사가 맞받았다.

"어쩌긴 뭘 어쩌겠어? 나만 덤터기 쓰는 거지, 뭐."

내가 그때까지 앉지 못하고 서 있는 건 앉을 줄 몰라서가 아니라 버스값은 내고 앉아야 할 것 같아서였다. 버스값 넣는 통은 앞문과 운전석 사이에 있었다. 뒷문으로 탔기 때문에 달리는 버스 안에서 뾰족구두 신고 거기까지 가기가 난감했다. 정말 벌렁 나자빠지기라도 하면 크게 다칠 것은 불문가지거니와 저들이 박장대소하면서 즐거워하는 수모를 어찌 견디랴. 나는 마치 악당의 소굴에 볼모로 잡힌 것처럼 잔뜩 졸아서 기사가 하라는 대로 서 있던 자리에서 가장 가까운 좌석에 엉덩이를 붙였다. 뒷문으로 탄 게 옳지 못한 일이라는 걸 몸으로 느끼고 있었다. 요금은 다음 정거장에서 버스가 설 때 내면 되겠지. 그렇게 생각하고 앉아서 핸드백에서 잔돈을 찾고 있는데 운전기사가 또 말을 시켰다.

"할머니 버스값 없어요?"

"아마 만 원짜리밖에 없을 거야."

승객 중의 한 사람이 맞받았다. 기사하고 승객들은 마치 한 마을에서 작당해서 어딘가로 심심풀이 삼아 나쁜 일을 저지르러 가는 사람들처럼 권태로워 보이면서도 손발이 척척 맞았다. 그런 소리까지 듣고 보니 잔돈을 찾는 손이 벌벌 떨리기까지 했다. 만일 정말 만 원짜리밖에 없다면 나동그라져서 엉치뼈가 나가는 것보다 더 큰 낭패일 것 같았다. 다행히 떨리는 손이 천 원짜리를 찾아낼 수 있었다. 벌벌 떠는 내 손이 확인한 핸드백 속은 온갖 잡동사니로 엉망진창이었다. 운전석 쪽에서 들리는 여자 목소리의 안내방송에 의하면 벌써 여러 번 정거장을 통과한 것 같은데 버스는 정차하지 않고 곧장 달렸다. 내릴 사람도 탈 사람도 없는 정거장은 그냥 지나치는 것 같았다. 이런 식으로 달리면 우리 집에서 서울까지는 생각보다 훨씬 빠르게 갈 수 있겠다 싶어 좋으면서도 이상하게도 숨이 막힐 것 같았다. 내가 천 원짜리를 손에 쥐고 비로소 마음이 좀 가라앉아서 차내를 돌아보면서 세어본 승객은 나하고 운전기사까지 포함해서 아홉 사람이었다. 나는 마치 내가 여덟 명의 이상한 사람들로부터 괴로움을 당하는 외로운 피해자처럼 느꼈고, 그중에 누구라도 내리든지 더 타든지 해야만 이 숨 막힐 듯한 악연의 구도에 균열이 갈 것 같았다.

경기도가 끝나고 서울이라는 표지판이 나왔다. 그것만 해도 살 것 같았다. 워커힐 정거장에서 처음으로 버스가 멎었다. 한 사람이 내리고 한 사람이 올라탔다. 그 짧은 정차 시간에 나는 재빨리 앞으로 가서 요금 통에 천 원짜리를 넣었다. 쨍그렁 하고 거스름돈이 떨어지는 걸 미처 받아 챙길 새도 없이 버스가 움직였다. 나는 얼른 손잡이를 부여잡고 몸의 균형을 잡았으나 위태롭게 나부꼈다. 앞쪽에도 빈자리는 얼마든지 있었지만 다음 역은 5호선 광나루역이라는 안내방송을 들었기 때문에 그냥 서 있었다. 2호선은 아니지만 5호선을 타도 어딘가에서 2호선을 갈아탈 수 있을 것이다. 어서 이 고약한 버스를 내리고 싶었다. 네거리에서 신호에 걸린 버스가 정차해 있는 동안도 내가 자리로 돌아가지 않고 서 있으니까 또 운전기사가 시비를 걸었다.

"할머니 왜 또 서 있어요? 텅텅 빈자리 놔두고."

"내리려고 그래요. 광나루역에서."

이번에는 나도 주눅 들지 않고 뾰족한 소리로 대꾸했다.

"이 할머니가 누구 약을 올리기로 작정했나. 몇 번 말해야 알아들어요. 탈 때는 앞문으로 내릴 때는 뒷문으로 내리는 거라고…… 할머니 버스 처음 타봐요?"

버스가 서울특별시로 진입했다고 변한 건 아무것도 없었다. 또 그 길길대는 탁하고 악랄한 웃음소리가 들렸다.

"보면 몰라, 그 할머니 아마 미국서 왔을 거야."

"아니면 미국서 온 척하는 건가."

이건 승객들 저희끼리 주고받은 농지거리였다. 다행히 신호대기 시간이 길어서 앞문에서 뒷문 쪽으로 걸어갈 시간은 충분했다. 광나루역에서 뒷문으로 내리면서 또 무슨 시비를 걸어올까봐 두려워한 나머지 안녕히 계시라는 인사말까지 한 것 같다. 바보같이, 내리자마자 곧 5호선으로 내려가는 계단이 보였다. 매연 냄새 자욱한 서울 공기가 달디 달아서 깊숙이 들이마시면서 바로 이 맛이야, 자유의 맛을 만끽했다. 그러나 아직도 악몽의 찌꺼기는 남아 있어서 지하철을 생전 처음 타보는 사람처럼 이리로 내려가도 되나 눈치 보다가 다들 그 구멍으로 빨려들기에 나도 따라 내려가면서, 탈 때는 뒷문, 아니 앞문이던가. 내릴 때 앞문 아니 뒷문이지, 아마…… 좀 전에 혹독한 교육을 받은 걸 복습하려 했지만 혼란만 점점 더해갔다. 좀 전에 겪은 일이 백주의 악몽 같았다. 누군가에게 털어놓으면 좀 나을 것 같은데 너무 창피해서 아무 말이나 막 하던 맏딸한테도 차마 그 얘기만은 못할 것 같았다. 겨우 그까짓 일이 무덤까지 가지고 갈 비밀이 되다니. 가당찮게도 내가 살아온 비교적 평탄한 일생까지 무가치하고 보잘것없는 것처럼 여겨졌다.

전철 안은 내 집처럼 편안했다. 아마 몇 정거장만 더 가면 2호선으로 갈아탈 수 있는 왕십리역이 나올 것이다. 내가 원하는 어디든지 데려다주던 2호선이 그리웠다. 이십 년이 넘게 내 행동반경을 2호선에 맞춰 살아왔을 뿐 2호선이 나를 어디든지 다 데려다준 건 아니건만 그렇게 생각했다. 고만 일로 벌써 교외의 그림 같은 내 집이 정 떨어지려고 했다. 나는 정 떨어져도 남편은 정 떨어지지 말아야 할 텐데. 남편보다 몇 해 먼저 낙향한 남편 친구 생각이 났다. 그가 노후를 보내기로 작정한 곳은 서울에서 천 리나 떨어진 시골이었다. 거기가 그가 낳고 자라고 선영이 있는 땅이었으니 그야말로 진짜 낙향을 한 셈이었다. 그도 꿈을 갖고 낙향했으련만 그다지 행복해 보이지 않았다. 농촌이라지만 농사꾼은 없어서 도무지 정이 가지 않는다고 했다. 아마도 그가 돌아가고자 한 곳은 고향 땅이 아니라 고향 인심이었나 보다. 내 남편은 그런 좌절을 겪지 않았으면 좋으련만.

내 상념은 내 양옆에 앉은 남자와 여자의 휴대전화질 소리 때문에 중단이 되었다. 이럴 줄 알았으면 노인석에 앉을걸. 나는 내가 젊어 보인다는 자만심 때문에 될 수 있는 대로 노인석을 기피하는 경향이 있었다. 오늘은 전철 안도 한산한 편이어서 노인석에도 일반석에도 빈자리가 넉넉한 편이었지만, 노인석에는 자리가 있고, 일반석에는 자리가 없을 때도 일반석 앞에 가 섰다.

젊은이들 앞에 서서도 행여라도 자리 양보를 얻어내고 싶어 하는 구차스러운 늙은이처럼 보일까 봐 교만하게 턱 쳐들고 아무것도 안 비치는 깜깜한 창밖에다 시선을 고정시키는 게 나의 전철 타는 버릇이었다.

내 왼편의 남자와 오른편의 여자도 젊다고 할 수는 없었다. 둘 다 마흔은 넘어보였고 물론 둘이 동행은 아니었다. 둘 다 걸려온 전화를 받는 입장이었지만 그 전화 내용이 막상막하로 요상했다. 남자는 지금 운전 중인 걸 강조하면서도 전화를 끊지 않았다. 그의 말에 의하면 그는 지금 엊그저께 새로 뽑은 에쿠스를 운전 중이었다. 그 죽여주는 승차감을 실황중계하는 동안에도, 곧 내리실 역은 어디며, 내리실 문은 왼쪽이라느니 오른쪽이라느니 하는 방송은 차내에 고성으로 울려 퍼지고 있었다. 휴대전화를 통해 상대방에게 그 소리가 안 들린다고 생각하고 저런 거짓말을 하는 걸까, 아니면 저 사람 직업이 연극배우여서 상대역하고 대사 연습을 하고 있는 것일까. 그러나 그는 사기꾼 같아 보이지도 연예인 같아 보이지도 않은 피곤하고 허름한 전형적인 도시인이었다.

남자보다 조금 늦게 전화를 받은 내 오른편의 여자는 받자마자 짜증부터 냈다.

아니, 이제 일어났으면 일어났지 당신은 전기밥솥 속에 지어놓은 밥도 혼자 못 퍼먹어요? 뭐라고요? 언제 지어놓은 밥이냐구요? 내 참 기가 막혀서, 고작 그거 물어보려고 바쁜 사람한테 전화 걸어요. 내가 지금 놀러 나온 줄 알아요. 밥이 오래돼서 딱딱하게 굳었으면 굳었지, 그게 왜 내 탓이야. 당신이 제때제때 찾아 먹지 않으니까 그렇게 될 수밖에. 딱딱하면 물 부어서 불려서 먹구려. 아니면 시켜 먹든지. 이제 자장면은 진저리난다고? 거봐, 자장면 진저리나게 먹는 동안 아까운 밥이 굳어버린 거잖아요. 정 못 먹겠으면 당신 좋은 거 시켜 먹구려. 냉장고에 잔뜩 스티커 붙여놨잖아요. 중국집 말고도 피자집, 통닭집, 오리집, 순대집, 김밥집, 없는 게 없으니까 맘대로 골라서 시켜 먹든지, 싫으면 말구. 흥, 웬 안 하던 돈 걱정. 동네서 아직은 그 정도의 신용은 유지하고 있으니까. 걱정 말고 식성대로 시켜 먹어. 또또 잔소리. 끊어. 나 지금 고객 만나러 가는 길이니까, 심사 뒤집지 말고.

거의 갈아탈 역이 다 된 것 같아 내다보니 올림픽공원 지나 방이역으로 진입 중이었다. 이를 어쩌나, 광장역에서 반대 노선을 탄 거였다. 안내방송이 내 옆의 남자의 휴대전화를 타고 상대방의 귀에 들릴 걱정만 했지 정작 그 내용을 귀담아 듣지는 않았던 것이다. 잘못 탄 걸 어떻게 되돌릴 수 있다는 마련도 없이 우선 내리고 봤다. 다시 2호선이 그리웠다. 2호선은 방향을 잘못 타도 순환선이니까 마냥 앉아만 있으면 원하는 역에 도달하게 돼 있었다. 바깥만 내다볼 수 있어도 이런 실수는 안 하는 건데. 2호선 구간에는 지상을 통과할 적도 있다는 것까지가 그리웠다. 땅속에 그렇게 오래 있지도 않았건만 지상의 공기가 그리웠다. 반대 노선으로 가지 않고 지상으로 솟아올랐다.

시계를 보니 약속시간까지는 사십 분 정도 남아 있었다. 이 낯선 역전에서 어떤 교통수단을 이용하는 게 가장 빠르게 목적지에 도달할 수 있을지 전혀 감이 잡히지 않았다. 치매에 걸린 상태가 바로 이런 거로구나 싶게 정신이 아득하고 머릿속이 맹하니 아무 생각도 떠오르지 않았다. 그때 구세주처럼 택시 한 대가 스르르 내 앞에 멎었다. 바로 이거다 싶었다.

오르락내리락도, 갈아탈 일도 없이 바로 목적지에 데려다주는 교통수단이 있다는 걸 왜 생각 못했을까. 약속시간에 대가는 데는 전철만 한 교통수단이 없다는 평소의 지론을 까먹고 택시에 올라탔다. 어서 오십시오. 어디로 모실까요. 역시 대중교통 수단보다는 어디가 달라도 다른 게 마음에 들었다. 한 달에 몇 번쯤 택시 타고 다닌다고 거덜나지 않을 만큼의 여유 있는 노후를 보낼 수 있다는 안도감이 택시의 승차감을 더욱 편안하게 했다. 행선지를 말하고 사십 분 안에 갈 수 있냐고 물었더니, 밀리지만 않는다면요. 라는 대답이 돌아왔다. 장담을 안 하는 태도까지 마음에 들었다.

택시는 강변북로를 쏜살같이 달렸지만 한남동서부터는 약간의 지체를 겪었다. 그럭저럭 오 분 정도 늦게 모임장소인 K회관 앞에 당도했다. 택시 요금이 장난이 아니었다. 만 천이백 원이나 나왔다. K회관은 대로변이었지만 택시가 가고 있는 방향과는 반대방향에 있어서 U턴을 해서 세워주마고 했다. U턴 지점이 어디인지도 잘 모르거니와 택시값도 아까운 생각이 들어서 마침 횡단보도가 눈앞에 보이길래 여기서 내리는 게 더 빠를 것 같다는 말을 남기고 택시값을 던져주고는 차에서 내려 신호가 바뀌기 전에 허둥지둥 횡단보도를 건넜다. 저만치 K회관이 바라보이자 비로소 마음이 놓여 표정을 밝게 가다듬고 품위 있게 걸으려고 막 폼을 잡아가고 있는데 뒤에서 택시가 한 대 빵빵거리며 다가와 급하게 내 곁에 멎었다. 방금 전에 타고 온 택시였다. 기사가 유리를 내리고 천 원짜리와 백 원짜리가 섞인 잔돈을 내밀면서, 사모님 거스름돈도 안 받고 내리시면 어떡해요, 하는 게 아닌가. 그제서야 만 원짜리와 오천 원짜리를 내고 그냥 내린 생각이 났다. 너무 신기해서 그럼 이 돈 때문에 일부러 U턴까지 해 왔단 말예요? 하고 물었다. 당근이죠. 그가 웃으면서 말했다. 생기긴 소박하다기보다는 촌스럽게 생긴 젊은이였지만 활짝 웃는 잇속이 희고 깨끗했다. 나는 그게 눈부셔 뭐라고 고맙다는 인사와 칭찬의 말을 합쳐서 한다는 소리가 엉뚱하게도 '우리나라 참 좋은 나라네'였다. 젊은이는 조금도 어리둥절해하지 않고

"사모님 어쩐지 멋쟁이다 싶었는데 외국에서 오래 사시다 오셨나 봐요. 그렇죠?"

나는 긍정도 부정도 하지 않고 다만 활짝 웃어주었다. 그가 나에게 축복이 되었듯이 나도 그에게 축복이 되길 바라면서.

해설

험한 세상, 그리움으로 돌아가기

—박완서의 『친절한 복희씨』

김병익

박완서의 활자화된 소설을 가장 먼저 본 독자가 아마 나였을 것이다. 신문사 문화부의 문학 담당 기자였던 나는 월간 『여성동아』의 장편소설 공모의 당선자를 인터뷰했고 책으로 인쇄되기 전이어서 내가 미처 그 당선작을 보지 못했다는 고백에 깜짝 놀라며 어찌 작품을 보지도 않고 인터뷰를 하며 기사를 쓸 수 있겠느냐는 듯한 표정에 찔려, 그 당장, 교정지를 얻어 읽어보지 않을 수 없었다. 그러니까 나는 결코 젊지 않은, 그래서 신인답지 않은 신인의 못마땅한 시선에 걸려들어, 『여성동아』 부록으로 간행된 『나목』을 책으로 완성되기 전의 어수선한 꼴로 읽어야 했다. 확인해보니, 그 일은 37년 전의, 1970년이었다. 물론 한 세대가 넘는 세월 동안 나는 참 변했고 나의 변화 이상으로 그녀는 엄청 많은 작품을 썼고 발표했다. 그리고 그녀와 처음 만날 때처럼 면박당해 쌀 만큼, 그 후에도, 나는 여전히 게을러 그녀의 많은 작품들을 읽지 못한 채 놓쳤고 혹은 읽었더라도 잊어버려버리곤 했다. 그렇다고 해서 내가 그녀의 존재를 잊거나 그녀의 문학을 놓친 것은 아니었다. 그녀는 내가 의식하고 있는 오늘의 우리 소설 문학사에서, 물론 '여류'라는 한정사를 지운 전체의 한국 소설사에서, 생존하고 있는 대가로 박경리 다음의 자리를 차지하고 있었고 그의 소설들은 언제고 내가 다시 차례로 읽고 머릿속의 서랍에 정리해두어야 할 빚으로 얹혀 있었다. 문지판 박완서 창작집 해설의 청탁을 내가 단박에 수락할 수 있었던 것은 이 기회가 바로 내 나름으로 치러야 할 작은 빚갚음이 될 것임을 알아챈 때문이었다.

그녀의 소설들을 읽으면서 그 예스런 표현들이며 옛 장면들을 그리는 동안 나는 세월을 생각했고 자연스레 나이를 따져보지 않을 수 없었다. 그녀는 「그 남자네 집」에서 술회된 바처럼 한국전쟁이 나던 1950년에 대학을 입학했고 나는 7년 후에 동숭동 캠퍼스로 들락거리며 한때 '안감천'에서 멀지 않은 돈암동에서도 살았기에 1950년대, 고은이 그처럼 흥분과 감회에 젖어 스케치한 '전후의 서울' 풍경에 대한 추억을 공유할 수 있었다. (창작집의 작자와 그 해설자 두 사람의 나이가 147세라면 우리 문단에서 가장 희한한 연세의 만남이 아닐까, 하는 짓궂은 생각이 그래서 들기도 했다.) 그 추억은 가령 샤를 부아예, 장 마레와 같은 흘러간 영화 스타들의 이름에서 되살아나기도 했고, '엽렵하다' '스스럽다' '야비다리 치다'와 같은 이제는 거의 듣지 못하는 어휘는 물론, '낭탁(주머니)' '근검하다(자손이 많아 보기에 매우 복스럽다)'의 낯선 단어에서 피어나기도 해서 '얄얄이(여유가 조금도 없이 밭으게)'처럼 사전에도 나오지 않는 단어마저 눈치로 받아들이게끔 넉넉한 마음을 만들어주는 것이었다. 어휘만이 아니라 문장에서도 그랬다. 가령, 수록된 첫 소설「그리움을 위하여」의 "올겨울 추위는 유별나다. 눈도 많이 왔다. 스키 캠프 간 손자들한테서 걸려온 전화 목소리가 낭랑하다"와 같은 첫 대목에서부터 박완서의 문장은 의외로 빠른 속도감을 보이면서 시니피에의 대담한 이동으로 이야기를 활발하게 진행하고 있다. 그 문체는 요즘 젊은 세대 작가들의 경쾌함과 다르다. 문장이 속도 빠르게 움직인다는 것은 마찬가지이지만 그 무게에서 가벼움과 무거움의 차이가 있고 그 내용물의 추상성과 물질성의 다름이 있다. 그것이 전 시대 문학의 사실주의 문체와 오늘의 모더니즘적 내면 문체의 차이일 것인데, 나는 신경숙으로부터 정이현에 이르는 젊은 문학에 현혹되기도 하다가 김원일과 홍성원, 그리고 지금 읽는 박완서의 문장에서 제 태어난 본래 자리에 돌아온 듯한 안도감을 느끼게 되는 것이다. 그 안도감은 박완서가 추억 속에서 재현해내는 풍물들로 다시 안정된다. 월급 없이 먹고 자는 것으로만 보상받는 '식모'란 존재, 폐허가 된 명동의 황량한 거리, 난방이 안 된 극장, 카바이드 불을 켠 포장마찻집, 거기서 사먹는 오뎅, 그리고 연탄불……

그날 나는 그 포장마차에서 처음으로 구공탄 불이라는 것을 보았다. 구멍마다 독한 불꽃이 올라오는 연탄 난로 위 무쇠솥에서 오뎅 국물이 끓고 있었다. 앞치마를 두른 오뎅집 남자가 그를 무심하게 맞았다. 막사기 대접에다 달걀과 덴뿌라와 무 토막과 두부 튀긴 것과 정체 모를 고기의 힘줄 같은 걸 꿴 꼬챙이를 하나씩 넣고 뜨끈한 국물을 부어주었다. 오뎅 국물도 꼬챙이에 낀 것도 심지어는 달걀까지도 진한 간장 빛이었다. 그러나 맛은 슴슴하고 들척지근했다. (「그 남자네 집」, p.62)

요즘의 젊은 독자들에게도 박완서가 회상하고 있는 이 장면이 그리 낯설지는 않을 것이다. 그럼에도, 익숙한 장면이라 하더라도 반세기의 시간을 훌쩍 뛰어넘어 문자로 재현되는 이 그림은 내게 따뜻한 감회의 정 없이는 결코 떠올릴 수 없는 모습이다. 우리가 그런 세상을 살아왔고 그런 전 시대의 투박한 삶을 살아왔던 것인데, 「그리움을 위하여」와 「그 남자네 집」으로부터 「대범한 밥상」과 「그래도 해피 엔드」에 이르기까지의 박완서의 인물들 대부분이 바로 그런 시절을 살고 누린 사람들이었다. 그들은 50년대를 젊은 살림꾼으로 전후의 척박한 삶을 살았고 열심히 자식들을 키워 결혼시켰으며 이제는 손자 손녀들을 돌보며 혹은 은퇴해서 노후의 생활을 하고 있는 6, 70대의 노년이 되었다. 그리고 그들의 일상을 자상히 들여다보는 박완서가 이미

70대 후반의 노인이다. 그러나 다행히, 그녀는 은퇴를 모르는 작가이고, 그것도 여전히 정력적으로 창작에 전념하는 현역 작가이다. 나는 여기서 비로소 우리에게도 박완서에 의해 '노년문학'이 가능하다는 사실을 확인한다. 내가 말하는 노년문학은 그냥 작가가 노년이라는 것, 혹은 단순히 작품 속에 등장하는 인물이 노인이라는 것 이상의 것으로, 노인이기에 가능한 원숙한 세계 인식, 삶에 대한 중후한 감수성, 이것들에 따르는 지혜와 관용과 이해의 정서가 품어져 있는 작품 세계를 드러낼 경우를 말한다. 우리에게 이런 노년문학의 성립이 어려웠던 것은 전쟁과 가난으로 작가들이 장수하지 못하거나 조로하기 때문이었을 것이다. 회갑을 넘기면서도 창작을 한 작가들은 박경리, 최일남 정도이고 이청준이 노년을 등장시킨 작품(가령 『가위 밑 그림의 음화와 양화』)을 많이 썼지만 그가 아직 50대일 때 노장의 품위 있는 삶을 그리워하는 소설들이어서 엄격하게, 노년문학으로 치부하기는 어렵다. 박완서에게는 주인공이 노년이고 그를 형상화한 작가가 노인이기를 넘어, 예컨대 "누가 먼저 저승에 가면 거기서 너무 오래 기다리게 하지 않고 앞서거니 뒤서거니 이 세상 뜨고 싶다"(「촛불 밝힌 식탁」, p.187)고 소원할 정도로 운명에 대해 조용히 순응하는, 세상에 대한 눈이 노인이기에 가능한 깊이와 기품을 지니고 있고 그의 삶이 세상의 마지막을 품을 여유를 보이는 것이어서 우리는 그녀의 근년의 작품들을 우리 한국 소설문학의 한 장르로서 노년문학의 한 뛰어난 범례로 지목할 수 있게 될 것이다.

노년문학이라 해서 가령 아동문학이나 청소년문학처럼 다른 기준으로 접근되어야 할 것으로 구분하기를 내가 제의하는 것은 아니다. 노인들도 분명한 자기 나름의 삶을 움직이고 있고 시선과 내면을 가지고 있으며 그럼으로써 여느 사람들과 다름없는 인간적 존재성과 문제적 의미를 품고 있기에, 더구나 노년으로 나이를 들이면서 쌓았을 통찰과 이해, 관점과 지혜가 피력되는 문학적 공간을 나는 말하고 싶은 것이다. 그들은 아마도 삶의 현장에서 부닥치는 치열한 행동이나 미숙한 연령들이 보이는 위험한 정열과는 다른 형태의 삶과 내면을 가지고 있으며, 그럼에도 그들도 분명 보편적인 인간다움을 누려야 할 사회 구성원으로 인정받아야 할 삶인 것이다. 노인 인구가 급격히 늘어나고 노년의 생애가 훨씬 길어지고 있다는 것, 실버 세대의 경제력과 문화 수준이 매우 높다는 사정 등을 나란히 놓고 볼 때 노년의 삶에 대한 성찰, 그것의 문학적 접근은 더욱 중시되어야 할 것이다. 오늘의 노년들은 옛날의 우리 할아버지대와는 달리 지식층이고 강한 자의식과 자부심을 가진 유식층일 뿐 아니라 든든한 경제력을 가지며 여가를 여유롭게 활용할 수 있는 유한층이면서 상대적으로 컴퓨터 대신 활자 문화에 익숙한 세대이기에, 아마도 이들에 의한 실버 문학의 수요는 어느 연령대보다 활성화될 것이다.

거퍼 짚는 점이지만 박완서의 『친절한 복희씨』에 수록된 무거운 작품들의 인물들은 거의 실버 세대이다. 「그리움을 위하여」의 화자와 그녀가 이야기해주는 사촌동생은 여덟 살 터울이지만 둘 다 환갑진갑을 지낸 나이들이고, 「그 남자네 집」의 화자 역시 그 회상에서 겹쳐지는 작가와 같은 연배의 70대 후반일 것이며, 「촛불 밝힌 식탁」(이 작품의 주인공만이 남자이다)이나 「친절한 복희씨」「대범한 밥상」「그래도 해피 엔드」 등의 주인공들이 모두 정년퇴직을 하여 현장으로부터 물러나 두 노인 부부로 단출하게, 아니면 늙은 과부로 외롭게, 서울의 아파트에서 혹은 서울 변두리나 시골의 땅집에서 노후의 삶을 살고 있는 중이다. 이들이 노년들이기에 대부분 노환에 들려 있어, 「대범한 밥상」의 화자는 암의 진단을 받아 3개월의 말미만으로 유예되고 있고, 「친절한 복희씨」의 화자 남편은 중풍으로 누워 있으며, 「후남아, 밥 먹어라」의 '미국댁 앤'의 어머니는 치매로 돌림당하고 있다. 이들이 모두 노인성 지병으로 투병하거나 그런 환자들을 뒷바라지해주고 있거니와, 그 나이가 아니라 하더라도 관절염(「그리움을 위하여」)이나 노인성 기억력 감퇴(「그 남자네 집」) 혹은 건망증(「거저나 마찬가지」)으로 노화에 대한 육체적 두려움에 젖어 있는 형편이다. 「거저나 마찬가지」의 김영숙은 40대 초반이고 「마흔아홉 살」의 인물도 막내를 대학에 갓 입학시킨 갱년기 또래 여인들의 모임에 속해 있는데, 앞의 소설들이 노후의 은거 속에서 옛날의 생애를 돌아보는 회고체인 것에 비해 중년기의 여인들을 주인공으로 한 뒤의 두 작품은 진행형으로 이야기를 끌고 가면서 인간의 위선과 갈등을 주제로 하고 있다는 점에서 성격을 달리하고 있다.

나는 박완서의 장편『그해 겨울은 따뜻했네』를 보면서 인간의 이중성과 위선에 대한 작가의 주저 없이 도저한 폭로를 읽으며 전율을 느낀 적이 있었더랬는데, 그 지독한 부정적 모습의 자연주의적 관찰을 「거저나 마찬가지」와 「마흔아홉 살」에서 다시 발견하고 작가의 가차없이 치열한 시선에 질투를 느끼지 않을 수 없었다. 「거저나 마찬가지」는 화자인 노동자와 위장취업자 선배 간의 우정과 호의로 시작된 관계에서, 시국이 바뀌어 사회적으로 출세하기 시작한 위장노동자 '언니'에게 5백만 원을 주고 살게 된 시골집을 빌미 삼아 차츰 '거저나 마찬가지'의 더부살이 관계로 진전되면서 '별장지기'로 화자의 위신이 하락하는 과정을 그린다. 「마흔아홉 살」은 주제를 바꾸어, 가칭 효부회에 앞장서 희생적으로 봉사하고 있는 회장이 자리를 비킨 사이 동료 회원들로부터 그녀가 겉으로는 노인 남자의 하초를 씻겨주는 등 어떤 궂은일도 마다하지 않는 헌신을 보이면서도 시아버지의 팬츠는 집게로 들어 올려 세탁기에 냅다 뿌리치는 이중인격의 위선자라고 가혹한 뒷욕을 받는 이야기를 내용으로 하고 있다. 박완서의 치밀성은 이 두 이야기를 풍자나 야유로 비판하는 것이 아니라 피할 수 없는 사회-인간의 자연스런, 충분히 납득될 수 있는 전이 과정으로 묘사하는 데 있다. 가령 「거저나 마찬가지」의 화자 김영숙은 공장에서 만난 선배 언니의 원고를 윤문해주면서 받은 수고료를 모아 선배가 쓰지 않는 시골집을 집필실로 사용하며 집과 뜰을 가꾸어 집값을 올려주는, 순진하고 부지런하며 겸손한 여자이고 그녀와 동거하는 기남이도 학벌과 자격증만 없을 뿐 유능하고 친절하며 정성스런 남자이다. 그들은 마땅히 낼 것을 내고 선배 언니이기에 도울 것을 도와주었지만, 점차 '거저나 마찬가지'로 집을 얻어 사는 막된 사람으로, 그러고는 마구 부려도 좋을 별장지기로, 전락하고 만 것이다:

> 그러다가 전세 든 사람에게 이렇게 일을 시켜도 되냐고 묻는 이도 있었을 것이다. 그러면 괜찮아, 괜찮다니까. 거저나 마찬가지로 차지하고 있는 집이니까. 나는 언니가 뻰질나게 데려오는 사람들 때문에 거저나 마찬가지란 소리도 그만큼 자주 듣게 되었고, 나도 모르게 그 말에 길들게 되었다. 그런 게 체념이라는 것일 것이다. 언니가 남편까지 데려오기 시작하면서 내 호칭은 별장지기로 바뀌었다. (「거저나 마찬가지」, p.176)

전세 입주자로부터 별장지기로까지 추락하는 과정은 천연스럽다. 여기에는 억지도 없었고 무리도 없었다. 선배 언니가 야멸차게 김영숙을 얕본 것도 아니고 그녀 부부의 친구들도 못마땅해서 그리 본 것도 아니며, 김영숙도 자신을 낮추어서 그런 호칭을 받아들인 것도 아니며 그 부름을 굳이 부적절하게 생각한 것도 아니었다. 그럼에도 이 같은 부당한 일이 벌어진 것이다. 그녀는 뒤늦게 "비로소 '거저나 마찬가지'를 심각하게 의심하기 시작했다. 거저면 거저고 아니면 아니지 마찬가지란 무엇일까"(p.177). "거저나 마찬가지의 함정은 이렇게 바닥도 끝도 없"음을 깨달으면서 일으킨 그녀의 회의는 "인간관계 속에 숨은 그럴듯한 허위의식"(p.180)을 걷어내는 방법이 아이 낳기임을 시사하는 것으로 소설은 끝나고 있다. 「마흔아홉 살」은 이 소설보다 더 정교한 주의를 요구한다. 독거노인들을 위한 '효부회'를 이끌며 모든 봉사에 앞장서는 회장 카타리나는 회원들의 뒷말을 엿듣게 되는데 그 자리에서 그녀는 시부의 팬츠 일화 때문에 '그렇게 겉다르고 속다른 완전히 딴 사람'이며 '독종이고 엽기'이고 그녀의 봉사는 남편 기업을 위한 '비즈니스'이며 회장 자리는 그녀의 '권력욕'의 발현이라고 비난받는다. 그런데 흥미로운 것은 그런 어이없는 비난에 대해 그녀가 항의도, 부인도 하지 않는다는 점이다. 오히려 "난 왜 이렇게 겉 다르고 속 다를까. 어디까지가 진실이고 어디서부터 가짜인지 나도 모르겠는 거 있지"(「마흔아홉 살」, p.105)라고 시인한 후, 친구의,

> "모든 인간관계 속엔 위선이 불가피하게 개입하게 돼 있어, 꼭 필요한 윤활유야." (p.107)

라는 말을 '고마운 위로'로 받아들인다. 이렇다는 것은 자신의

행위 속에 들어 있을 허위, 이중성, 위선을 부정하지 못할 뿐 아니라 오히려, 적어도, 필요악으로까지 그녀가 동의하고 있음을 알려준다. 박완서는 이들 40대의 '느글느글한' 여자들과 함께, 결코 순진한 인물이 아니어서, 인간 사회의 허위와 위선의 필요성을 서슴없이 인정해주고 있는 것이다. 우리도 '진정'이며 '선의'와 같은 어휘를 발언한다고 해서 그 인물이 '진정한 선의'의 인간이라고 믿어버리는 어리석음을 자랑하지 말자. '추상의 아기와 현실의 아기, 그 엄청난 차이'(p.106)를 인식할 수 있는 노년의 지혜는 '관계의 윤활유로서의 위선'이나 '거저나 마찬가지'의 사회화 과정을 이해함으로써 이 세상이 결코 순진하지 못한 세계임을 자연스럽게 깨닫게 만든다.

여유 있는 은퇴자의 평화로운 삶 속에서 젊은 시절의 갖가지 신산을 그리운 마음으로 되돌아보는 박완서의 회고체 소설들은 노후의 그런 삶들이 「마흔아홉 살」이나 「거저나 마찬가지」의 중심 주제로 제시되고 있는 바로 이 위선이나 관계 하락의 어깃장 같은 함정을, 비록 작고 짧은 것이긴 하지만, 참고 잘 건너고 난 후에 이루어진 것임을 보여주고 있다. 가령 「친절한 복희씨」의 복희가 점원 겸 식모로 들어와 주인의 강탈로 맺어진 부부 관계이지만 둘 사이의 "착각은 바로 우리의 운명"(p.263)으로 여길 만큼, 복희는 내심 남편에게 반감을 가지고 있다. 남편이 중풍으로 말하기가 어눌해져 입가에 심한 경련이 일면 "그게 불쌍하지 않고 고소"(p.238)해하고 며느리 같은 남의 식구들이 들어와 "예쁜 자식, 미운 자식"이 생기면서 들기 시작한 "편애의 쾌감은 독하고 날카롭다"(p.244)며 오히려 감정의 불공정을 즐기고 남편의 하체를 씻겨줄 때는 "용용 죽겠지 놀려주고 싶은 심정"과 "내 안에서 출구를 찾고 있는 잔인한 충동"(p.248)을 느낀다. 여기서 인간의 끝내 잠재울 수 없는 악덕에 대한 박완서의 날카로운 심리적 시선이 번득인다. 「마흔아홉 살」에서처럼 친구들의 수다 속에 가혹한 험담이 쏟아져 나오는 「대범한 밥상」에서, 비행기 사고로 딸과 사위를 잃은 경실이가 장례식장에서 "눈이 초롱초롱해가지고 밥을 아귀아귀 먹더라"는 혜자의 흉이 지어낸 것이 아니라 사실일 것으로 받아들이게 되는 것은 아우어바흐의 『미메시스』가 지목한 『오디세이』의 유명한 장면이 떠오르기 때문인데, "너무 비현실적이어서 우스갯소리처럼" 들리는 그 농담에 이어, "막상 장례식에서 조문객을 맞고 있는 경실이를 보자 제일 먼저 떠오른 단어가 초롱초롱과 아귀아귀였음을 부인 못하겠다"(p.209)는 대목에 이르러 나는 미묘한 인간 심리에 대한 박완서의 여지없는 포착에 차라리 섬뜩해지지 않을 수 없었다.

악의, 위선, 이중성, 허위 등 인간의 숨은 악덕과 주름살처럼 낀 삶의 부정적 양상에 대한 박완서의 따끔한 관찰력과 그것을 수다스러운 입심으로 드러내는 문학적 형상력은 그녀 문학의 한 뛰어난 자산일 것이다. 그럼에도 그 "웃기는" 일 같은 것들이 "나에겐 선택의 여지없이 자연스러웠던 일"(「대범한 밥상」, p.219)

이라는 점에 인생의 아이러니가 있을 것이며, 그 같은 세계의 아이러니들이 숨긴 진상의 발견이 박완서 노년문학이 도달한 삶의 지혜로운 통찰일 것이다. 나에겐 자연스러움이 타인에게는 웃기는 일이 된 예의 것은 「대범한 밥상」의 경우 딸과 사위를 잃은 경실이가 곧 아들과 며느리를 잃은 바깥사돈과 결합한 일을 가리킨다. 사실 두 사돈이 참척을 당하면서 이런 의외의 결합을 이루는 것은 말 그대로 '변태'고 '엽기'의 사건임에 틀림없다. 그러나 안팎의 두 사돈은 엄마 아빠를 한꺼번에 불시에 잃은 어린 손자녀가 손을 놓지 않고 잡아끄는 대로 움직이지 않을 수 없었고 그래서 할아버지와 외할머니가 합방을 하게 된 것은 "선택의 여지없이 자연스러운 일"이었다. 그 과정은 「거저나 마찬가지」처럼 주어진 상황의 자연스런 흐름을 따르는 것이다. "사람의 의지로 선택할 수 없이 저절로 돼가는 거면 자연스러운 게 아닐까"(p.219). 이렇게 자연스러움/웃김이 엇갈리는 사태의 진상을 알게 되고 친구들을 '닭살 돋게' 만든 '하니/하지'란 두 사돈들 간의 호칭도 '할머니/할아버지'의 애기말일 뿐이란 가벼운 사실을 듣게 되면서는 '인생의 아이러니'에 대한 박완서의 문학적 천착은 하염없이 깊고 진하다는 데 공감하게 만든다. 그리고 그녀의 회고체 소설 주인공들이 대부분 안락하고 평화로운 노후 생활을 누리게 되는 결말로 이르고 있다는 점에서 이 공감은 '아이러니의 극복'이란 박완서의 '노년문학'이 도달하는 지향을 짐작케 한다. 그것은 박완서의 말 그대로, '그래도 해피 엔드'를 통해 삶의 의미를 천착케 하는 문학적 진심일 것이다.

박완서의 가장 최근의 작품인 「그래도 해피 엔드」는 오 헨리의 단편을 읽는 것처럼, 도무지 70대의 것으로 보이지 않는 경쾌감으로 운영되고 있다. 평생을 유복하게 살았고 여유 있게 사회 활동을 해온 남편과 함께 서울 근교로 "아름다운 집"을 얻어 즐거운 은퇴 생활을 하게 된 '나'가 동창 모임을 위해 서울로 나가는 길을 이 단편은 가벼운 터치로 따라간다. 그러나 그녀는 버스를 타면서 실수를 하여 시골사람들한테 놀림을 당하고 전철을 잘못 타서 거꾸로 가는 것을 깨닫고 모처럼 혼자 외출하는 "자유의 맛을 만끽"하는 동시에 잇달은 실수로 빚어진 "악몽의 찌꺼기"(p.275)를 씻지 못한 채 택시를 탄다. 모임자리에 도착하면서 '나'는 이 '찌꺼기'들을 한꺼번에 씻어낼 즐거운 인사를 듣는다. 젊고 "잇속이 희고 깨끗한" 택시 기사로부터 거스름돈과 함께 '사모님' '멋쟁이' '외국에서 오래 사시다 오셨을' 분이란 인사를 받은 것이다. 여기 오기까지 희롱당하고 힘들고 늦어 애쓰며 비싼 택시값을 내야 하던 고생을 마지막에 한꺼번에 보상받음으로써 '다행'스런 해피 엔드에 이르게 되는데, 박완서의 회고 소설들의 인물들이 서울 모임에 가는 바로 '나'의 일정처럼, 다행의 해피 엔드를 이루는 공통점을 보인다. 「그리움을 위하여」의 사촌동생은 공부를 못해 대학 진학을 포기하며 열두 살 연상의 유부남과 결혼했고 마치 체호프의 「귀여운 여인」처럼 열심히 남편과 가족을 위한 삶을 살다가 과부가 된 후 구차해지지 않을 수 없는 처지였다. 그러나 화자의 파출부처럼 살림을 맡아 하던 그녀는 남해의 섬으로 친구 집에 갔다가 뜻밖에 유복한 선주를 만나 지극한 사랑과 위함을 받으며 진갑을 넘긴 나이에 재혼의 행복을 누리게 된다. 「대범한 밥상」은 앞서 살핀 것처럼 딸과 사위를 잃은 여인이 어린 외손자녀의 손에 붙들려 바깥사돈과 시골집에서 행복하게 살았고 그가 가고서도 텃밭에 푸성귀를 기르며 아늑한 노후를 보내고 있는 중이다. 「친절한 복희씨」의 주인공 역시 남편이 중풍으로 누워 있기는 하지만 생활은 넉넉하고 자식들도 주말마다 번갈아 방문하며 유복한 노후 생활을 하고 있고, 「촛불 밝힌 식탁」의 은퇴한 남편은 비록 자식 내외와의 거리감을 씻지는 못하고 있지만 그것을 섭섭해하기보다 예쁜 장식 양초를 사서 늙은 아내와의 따뜻한 식탁을 차릴 생각을 하고 있다. 박완서의 인물들은 자신의 모습을 가장 많이 투영시킨 「그 남자네 집」의 화자처럼 불행도 겪고 슬픔도 있었지만 이제는 그 모두를 싸안아 쟁여두면서도, 삶의 현장으로부터 물러나 은퇴의 새 자리로 옮겨 즐겁고 따스한 '다행'의 여생을 누리고 있는 것이다.

그러나 '그래도 해피 엔드'를 완성하기 위해서는 더 필요한 것이 있다. 그것이 '노년의 다행'을 채워줄 '노년의 덕성'이랄까, 혹은 삶과의 화해 같은 것일 것이다. 박완서는 회고소설의 엔딩을 이 화해적인 것, 자연스러운 운명의 수용으로 완성한다. 「후남아, 밥 먹어라」가 우선 그렇다. 가난한 시절로부터 이제는 잘

살게 되었다고 자부할 만큼의 지경에 이르기까지 우리의 한 시대를 되돌아보는 듯한 이 소설은 딸은 그만이고 이제는 아들이 나오라고 이름 지은 '후남'이의, 그래서 태생이 구박스러웠고 다른 남매와는 달리 교포 청년에게 시집가야 했던, 미국 생활에서 웬만큼 성공한 전형적인 '미국댁'의 이력을 그린다. 그리고 30여 년 만에 귀국한 그녀는 치매 때문에 따로 시골에 나가 살고 있는 엄마를 찾아간다. 엄마는 그녀를 부르며 달려오는데, "후남아, 밥 먹어라. 후남아, 밥 먹어라"(pp.138, 139)고 그녀에게 재촉한다. 그녀의 그 부름은 아들 낳기를 기다리고, 혹은 밥이나 제대로 먹는 것이 소원이던 시절의 부름이었다. 그런 엄마의 부름을 맞으며 후남이에게 코로 마주치는 냄새……

> 녹물은 안 들었는지 몰라도 밥 뜸 드는 냄새에는 무쇠 냄새도 섞여 있었다. 매캐한 연기 냄새도, 연기가 벽의 균열을 통과하면서 묻혀온 흙냄새도, 그 모든 냄새와 어우러진 밥 뜸 드는 냄새가 그렇게 좋을 수가 없었다. 아아 이 냄새. 이 편안함. 몇 생을 찾아 헤맨 게 바로 이 냄새가 아니었던가 싶은 원초적인 냄새.(pp. 140~41)

후남이가 이처럼, 오래 떠나 잊고 있었던 고향의 냄새들을 한없는 편안함으로 받아들이듯이 「대범한 밥상」의 경실이는 손자 손녀들에게 그런 고향의 모습을 만들어주고 있었다. 그녀의 집에는 아이들이 어렸을 때 쓰던 '자전거하고 구닥다리 컴퓨터'를 어울리지 않게 보관하고 있는데, 경실이는 이 시골을 버리지 못하고 있는 이유가 바로 손자녀들과의 '교신'에 있다고 설명한다.

> 교신(交信). 디카 들고 다니면서 앞산의 아기 궁둥이처럼 몽실몽실 부드러운 신록부터 자지러지게 붉은 단풍까지, 마당의 일년초가 피고 지는 모습, 숨어 사는 작은 들꽃들, 아이들하고 장난치던 시냇물 속의 조약돌, 무당벌레, 풍뎅이, 지렁이, 매미 껍질, 뱀 껍질, 아이들하고 같이 보면서 가슴을 울렁거린 추억이 있는 것만 보면 닥치는 대로 디카로 찍어서 즉시즉시 아이들에게 보내곤 하니까. 이 할미는 잊어도 너희들을 키운 이 고향 산천은 잊지 말라고, 주접떨고 싶어서 여길 못 떠나나 봐. (p.233)

시처럼 아름다운 정경에 시처럼 아름다운 서술(!), 그 속에서 박완서는 자연과의 화해, 고향과의 교신을 소망하고 있는 것이다. 그것은 「그리움을 위하여」에서 재혼하여 행복한 여생을 즐기는 사촌동생의 섬 풍경을 향하는 그녀의 그리움에 다름 아닌 것이다.

> 여름에는 시원하고 겨울에도 춥지 않은 남해의 섬, 노란 은행잎이 푸른 잔디 위로 지는 곳, 칠십에도 섹시한 어부가 방금 청정해역에서 낚아 올린 분홍빛 도미를 자랑스럽게 들고 요리 잘하는

아내가 기다리는 집으로 돌아오는 풍경이 있는 섬, 그런 섬을 생각할 때마다 가슴에 그리움이 생물처럼 고인다. 그립다는 느낌은 축복이다. (p.40)

이 축복의 감정이 모든 것을 풀어주고 용서해줄 것이다. 박완서는 '그 남자네 집'을 찾아 돌아보며, 50년 전 '아름다운 청년과 구슬 같은 처녀' 적 '플라토닉 러브의 맹목적 신도'(「그 남자네 집」, p.75) 시절을 아스라이 돌이켜보며 커피점에 들렀다가 "여긴 내가 있을 자리가 아니"라는 불편한 느낌에 젖어든다. "서로를 진하게 애무하는" 20대 젊은이들 무리 속에서 그들의 모습을 바라봐야 하는, "애무할 거라고는 추억밖에 없는 처량한" 70대 '늙은이'가 피할 수 없이 젖어들 소외감, 아무 일 없이도 '삐치는' 마음은 그럴 수밖에 없었다. 그러나 그녀는 동시에 그리움과 용서의 마음이 함께 몰려들어오는 것을 깨닫는다: "그래, 실컷 젊음을 낭비하려무나. 넘칠 때 낭비하는 건 죄가 아니라 미덕이다. 낭비하지 못하고 아껴둔다고 그게 영원히 네 소유가 되는 건 아니란다"(p.78). 깍쟁이의 개성 출신, 칠십을 훨씬 넘어도 빈틈 남기지 않고 인간의 약점들을 사정없이 몰아치는 여류 작가, 허튼 데 하나 보이지 않는 얼굴의 박완서에게서, 이런, '낭비'를 조장하는 말씀을 듣다니. "카바이드와 연탄불 냄새를 그리워"하는 쓸쓸한 탄식을 맡다니, "그래, 그때 내가 새대가리였구나"(p.77) 하는 후회의 말을 보다니, 늙음은 사람을 이렇게 바꾸어놓는 것인가. 그녀의 그리움의 탄식과 후회의 관용을, 그런데, 이미 나도 공감하고 있는 중이었다. 그녀가 안감천 냇가와 목욕탕과 성당을 헤맬 때 나도 돈암동 성북서 언저리를 맴돌며 50년대 그 을씨년스런 저녁 어스름 속에서 미당의 50년대 시들을 읽고 있었다. 그랬기에, 70대에 들어 반세기 전의 애틋함을 안은 박완서의 노년의 문학적 정서가 다다른 이 그리움으로의 돌아감에 나도 마음 열고 따뜻한 서정으로 교신하며 속살거리듯 조용히 동조한다. 우리가 고된 세상을 살아갈 수 있고 우리의 마지막 늙은 삶을 다행스럽게 여겨갈 수 있다면, 다른 무엇이 아니라, 다른 무엇보다, 바로 이것, '사치'를 사치로 누릴 수 있는 사치에의 욕망 때문이 아닐까:

주인 남자도 잠자코 귀를 기울였다. 다 듣고는 분수에 넘치는 사치를 한 것 같다고 고마워했다. 나에겐 그 소리가 박수보다 더 적절한 찬사로 들렸다. 우리에게 시가 사치라면 우리가 누린 물질의 사치는 시가 아니었을까. 그 암울하고 극빈하던 흉흉한 전시를 견디게 한 것은 내핍도 원한도 이념도 아니고 사치였다. 시였다. (p.72)

작가의 말

9년 만에 또 창작집을 내면서 또 작가의 말을 쓰려니 할 말이 궁했던지 문득 이게 마지막 창작집이 될 것 같다고 말하고 싶은 충동을 느꼈다. 그러나 곧 피식 웃음이 나면서 그런 객쩍은 짓을 안 하게 된 것은 아마 돌아가신 시어머니 생각이 나서였을 것이다. 그분은 연세가 일흔을 넘고 나서부터는 해마다 생신 때만 돌아오면 올해가 아마 마지막 생일이 될 것 같다고 비장한 어조로 말씀하시곤 했다. 그 마지막 생일은 그 후에도 십 수차례나 더 계속되어 최초의 예언적 비장미를 잃었다. 왜 그랬을까? 그분은. 생신을 잘 차려달라는 엄포였을까. 아니면 반복되는 연중행사에 진력이 나서였을까.

나도 사는 일에 어지간히 진력이 난 것 같다. 그러나 이 짓이라도 안 하면 이 지루한 일상을 어찌 견디랴. 웃을 일이 없어서 내가 나를 웃기려고 쓴 것들이 대부분이다. 나를 위로해준 것들이 독자들에게도 위로가 되었으면 한다.

활기 넘치는 표지화를 허락해준 김점선 화백과 책 한 권 분량이 되도록 기다려주고 채근해준 문학과지성사에 감사드린다.

아차산 기슭에서 길고 지루한 여름을 보내고 나서

박완서

수록작품 발표지면

그리움을 위하여_『현대문학』 2001년 2월호

그 남자네 집_『문학과사회』 2002년 여름호

마흔아홉 살_『문학동네』 2003년 봄호

후남아, 밥 먹어라_『창작과비평』 2003년 여름호

거저나 마찬가지_『문학과사회』 2005년 봄호

촛불 밝힌 식탁_『촛불 밝힌 식탁』, 동아일보사, 2005년 4월

대범한 밥상_『현대문학』 2006년 1월호

친절한 복희씨_『창작과비평』 2006년 봄호

그래도 해피 엔드_『문학관』 통권 32호, 한국현대문학관, 2006년 겨울